過去問題集&テキスト

1級

建設業経理士
原価計算

出題パターンと解き方

ネットスクール
桑原知之 編・著

第19版（2025年3月、2025年9月試験用）への改訂にあたり

第18版（旧版）から第19版へ改訂するにあたり、主に以下の点を加筆・修正しました。

第３部　最新問題編

（1）第30回、第31回の問題を削除し、第34回、第35回の問題を追加。

ネットスクール出版

はじめに
～みんなが幸せになる資格～

日本は『世界でも有数の土木・建築の技術を持つ国』ではありますが、そんな素晴らしい技術を持つ会社があっけなく倒産してしまう国でもあります。
会社というのは、どんなにすごい技術を持っていても、資金調達などバックヤードの支えが弱いと、ちょっとしたトラブルやアクシデントで取り返しのつかないことになってしまうものです。
そこに、建設業経理士の存在意義があります。

また、建設業経理士は、とても珍しい資格です。
この試験に合格すると、建設業に必要な計数感覚が身に付くばかりか経営事項審査で加点されるので会社も喜べる、つまり「本人も会社も幸せになれる」という事務系の資格ではとても珍しい資格です。

しかもこの試験は、科目の建て付けがいい。
２級までで建設業経理の基礎をしっかりと学び、１級になると入札などの際にとても重要な積算の基礎となる『原価計算』を学び、財務諸表ができるまでのプロセスや考え方を『財務諸表』で学び、さらに出来上がった財務諸表の読み方を『財務分析』で学びます。
これで、積算でミスして損失を被ることもなく（原価計算）、きっちりとした決算書が作成でき（財務諸表）、さらに自社や取引先の経済状況も把握できる（財務分析）という、建設業における理想的な経理士の誕生です。

さあ、みなさん。この建設業経理士を目指しましょう！
この資格を取って、みなさん自身も、みなさんの会社も、そして……。
そして、みなさんの周りにいる大切な人たちも幸せにしていきましょう！
ネットスクールは、周りの人たちの幸せのために自分が努力する、そんなみなさんを応援しています。

合格への道案内は、我々にお任せください。

ネットスクールを代表して

桑原　知之

本書の 2 大特長

1　テキストと過去問題集を一冊に集約!　一体型の効率学習 を実現

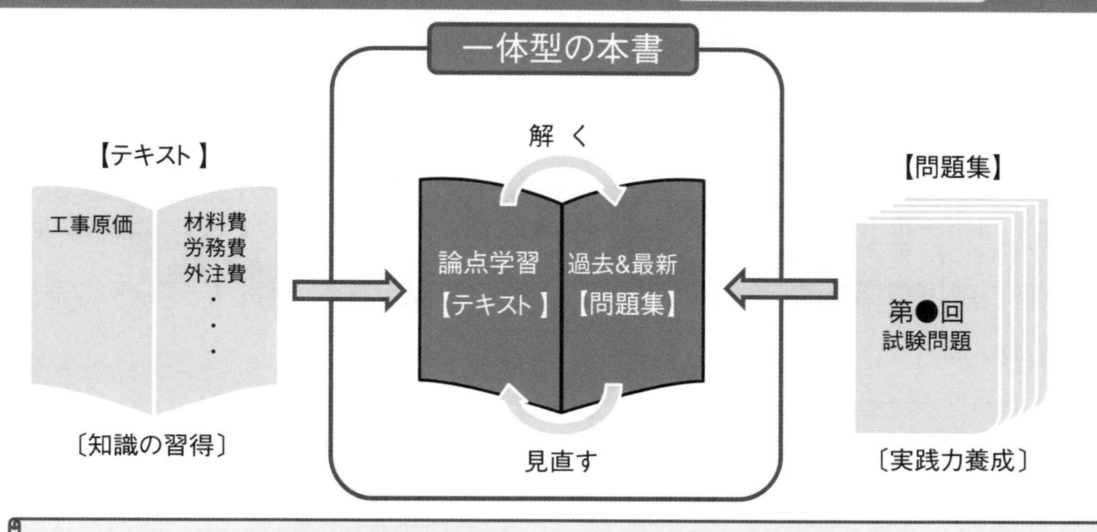

テキストと問題集の回転学習で効率よく実力アップを図ることができるよう工夫されています!

2　過去問題の出題パターンを効率よくマスター!　ヨコ解き学習 を実践

ネットスクールでは、設問ごとに過去問題を解いていくことを「ヨコ解き」と呼んでいます。
第２部に掲載の過去問題はこの「ヨコ解き」がしやすいように掲載するとともに、少ない演習量でも過去の出題パターンをなるべく網羅できるように掲載する過去問題を厳選しています。

	第〇〇回	第〇〇回	第〇〇回	第〇〇回	
ヨコ解き	第１問	第１問	第１問	第１問	
ヨコ解き	第２問	第２問	第２問	第２問	
ヨコ解き	第３問	第３問	第３問	第３問	…
ヨコ解き	第４問	第４問	第４問	第４問	
ヨコ解き	第５問	第５問	第５問	第５問	

※ 第２部の掲載問題数は設問ごとの出題パターンに応じて調整しています。
出題パターンが少ない設問については、少ない問題数でも高い網羅性を実現できるため、少ない学習時間で効率よく学習できるよう、掲載問題数も少なくしています。

設問ごとに出題パターンと解き方をマスターできるように工夫されています!

本試験のプロフィール・ネットスクールの合格率

建設業経理士とは

建設業経理士とは、建設業経理に関する知識と処理能力の向上を図ることを目的として、建設業経理士検定試験に合格した方に与えられる資格です。

1級の試験内容

級別	科目	試験時間	程度
1級	財務諸表	1時間30分	上級の建設業簿記、建設業原価計算及び会計学を修得し、会社法その他会計に関する法規を理解しており、建設業の財務諸表の作成及びそれに基づく経営分析が行えること。
	財務分析	1時間30分	
	原価計算	1時間30分	

合格基準：試験の合格判定は、正答率70%を標準とする。1級は1科目ずつ受験することができます。

試験日

	第 36 回
試験日	令和7年3月9日（日）
申込期間	—
合格発表	—

日程、試験地、申込方法などの詳細につきましては下記にお問い合わせ下さい。
また、第37回試験（令和7年9月実施）の日程は、第36回試験実施後に公表されます。こちらにつきましても下記よりご確認ください（試験申込期間は試験実施日よりもかなり前に設定されますのでご注意ください）。

問い合わせ　一般財団法人 建設業振興基金　経理試験課
https://www.keiri-kentei.jp
〒105－0001　東京都港区虎ノ門4－2－12　虎ノ門4丁目MTビル2号館
TEL　03－5473－4581

1級　原価計算　試験データ

年度	令和2年度上期	令和2年度下期	令和3年度上期	令和3年度下期	令和4年度上期	令和4年度下期	令和5年度上期	令和5年度下期	令和6年度上期
回数	27	28	29	30	31	32	33	34	35
受験者数	1,794人	2,022人	2,033人	1,876人	1,869人	1,719人	1,478人	1,630人	—
合格者数	459人	226人	503人	225人	285人	373人	296人	328人	—
合格率	25.6%	11.2%	24.7%	12.0%	15.2%	21.7%	20.0%	20.1%	—

ネットスクールWEB講座（建設業経理検定）合格率

	2級		1級　財務諸表		1級　財務分析		1級　原価計算	
	WEB講座	全国平均	WEB講座	全国平均	WEB講座	全国平均	WEB講座	全国平均
30～34回試験合格率	75.45%	40.75%	47.83%	27.11%	66.32%	38.00%	42.11%	17.58%

・本ページで公開している合格率は、WEB講座を受講された方への事後アンケートを元に、下記の算式で算定しています。
「合格率 ＝ アンケート回答者のうち合格者数÷アンケート回答者のうち実際に受験された受講生数」
・公開している情報は、これまでの実績となります。上記合格率を保証するものではありません。
・本データは2024年6月現在の情報を元に作成しています。

日商簿記から建設業経理士の攻略法

【日商簿記２級から建設業経理士２級に挑戦する方へのポイント】

▼ 建設業はオーダーメイド。総合原価計算、標準原価計算、直接原価計算、ＣＶＰ分析に関する計算は建設業経理士２級では出題されません。
▼ 外注費を経費から独立させて、原価を材料費・労務費・外注費・経費の４つに分類します。
▼ 特殊商品売買が出題されないのはもちろん、伝票や帳簿に関する問題もほとんど出題されません。
▼ 決算の問題（第５問）は、これまで必ず『精算表』の形式で出題されています。
▼ 原価計算の分野は個別原価計算・部門別原価計算の知識が中心となります。
▼ 建設業特有の勘定科目が多数登場するので、しっかりと覚えましょう。
▼ 月次決算を前提とした決算整理仕訳をマスターする必要があります。

【日商簿記１級から建設業経理士１級（原価計算）に挑戦する方へのポイント】

▼ 建設業経理士では１級でも総合原価計算、標準原価計算の計算問題は、基礎的な内容がほとんどです。
▼ 意思決定会計に関しても、日商簿記検定より素直に理解力が問われる内容の出題となります。
▼ 第５問の総合問題は、個別原価計算の知識があれば、後は基礎と『解き方』をマスターするようにしましょう。
▼ 論述問題は、白紙にしないことが重要です。計算問題を解く際にも、「なぜそのような計算をするのか」といった理由を考えるようにしましょう。

【日商簿記１級から建設業経理士１級（財務諸表）に挑戦する方へのポイント】

▼ 準拠する会計基準・法令のほとんどは、建設業であっても同じなので、日商簿記１級（商業簿記・会計学）で学んだことの大半は共通しています。
▼ ただし、建設業の財務諸表は“建設業法”に規定された表示方法・処理に準ずるため、若干異なる部分があります。その点は注意しましょう。
▼ 計算問題のほとんどはテキストの計算例を理解していれば解けるレベルです。基礎をしっかりと学習しましょう。
▼ 配点の半分は理論（論述・記号選択・正誤）問題です。特に論述問題は、正しい用語とともに、会計処理の理由や背景を理解しておく必要があります。日商簿記の学習のとき以上に、会計処理の理由や背景を意識して学びましょう。

★「財務分析」は日商簿記では学習しなかった内容なので、基礎からしっかり学習しましょう。
※ 損益分岐点分析も、日商簿記で学んだ内容とは考え方が異なるので注意が必要です。

出題パターンを知れば合格は早い！

本試験の出題をパターンごとに分析し、以下にその対策をまとめました。第２部、第３部を学習するさいの参考にしてください。

また、出題を論点ごとに分析したものが論点チェックリスト（本書（7））です。第１部テキスト編で論点ごとに理解したらチェックしてください。出題回数の多い論点に関しては、テキストをよく読んで把握してください。

出題パターンと対策

原価計算

	出題パターン	対　策	配　点	難易度
第１問	200字～300字程度の記述問題が２題、出題されています。	建設業の特性や建設業特有の会計処理をきちんと押さえましょう。	20点	B
第２問	用語補充問題、または分類問題が出題されています。	用語補充問題では、用語群に目を通してから解きましょう。計算方法や計算の流れをイメージしながら文章を読むとよいでしょう。	約10点	B
第３問	社内損料制度を中心に幅広い分野の計算問題が出題されています。	損料の公式は必ず覚えてください。その他の計算にまつわる知識もできるだけ満遍なく押さえておきましょう。	約14点	C
第４問	意思決定会計を中心に原価計算全般から出題されています。	第４問では意思決定会計は頻出なので基礎を固めておいてください。	約16点	C
第５問	完成工事原価報告書の作成、および差異分析が出題されています。	工事原価計算表をもとにして完成工事原価報告書を作成する練習をしましょう。また、材料費の計算と人件費項目はしっかりチェックしておきましょう。	約38点	A
総　評	第１問、第２問が理論問題、第３問、第４問、第５問が計算問題です。第５問は、毎回ほぼ同じパターンの出題なので、完璧にしておきましょう。第１問は異なる分野の設問が２題出るので、どちらか一方でもしっかり書きましょう。基本をきちんとマスターしてから建設業に特有の論点を学習しましょう。			

難易度：A＝比較的易しい　B＝ふつう　C＝比較的難しい

※第26回以降試験回によって、配点が変わっています。

論点別重要度と出題頻度（チェックリスト）

論点	テキストのページ	チェック	過去8回分の出題回数							
			1	2	3	4	5	6	7	8
Chapter 1　イントロダクション										
Section 1 建設業原価計算の世界へようこそ！	1−4									
Section 2 原価の意義とその分類	1−7									
Section 3 工事原価計算とは	1−10									
Chapter 2　工事原価の費目別計算										
Section 1 材料費の計算	1−16									
Section 2 労務費の計算	1−25									
Section 3 経費・外注費の計算	1−31									
Chapter 3　工事間接費の配賦										
Section 1 工事間接費の実際配賦	1−34									
Section 2 工事間接費の予定（正常）配賦	1−36									
Chapter 4　より正確な工事間接費の配賦計算										
Section 1 工事間接費の部門別配賦	1−44									
Section 2 活動基準原価計算	1−64									
Chapter 5　工事別原価計算										
Section 1 工事別原価計算の意義と目的	1−70									
Section 2 工事別原価計算の計算手続	1−71									
Chapter 6　建設業に特有の論点										
Section 1 機材等使用率の特殊な決定方法	1−80									
Section 2 営業費，財務費用等の処理	1−84									
Chapter 7　建設業における総合原価計算										
Section 1 建設業と総合原価計算	1−88									
Section 2 完成品と月末仕掛品の計算	1−89									
Section 3 工程別総合原価計算	1−93									
Section 4 組別総合原価計算	1−97									
Section 5 等級別総合原価計算	1−100									
Section 6 連産品の原価計算	1−104									
Section 7 副産物および作業屑の処理	1−106									
Chapter 8　事前原価計算と原価管理										
Section 1 事前原価計算と予算管理	1−110									
Section 2 原価管理と標準原価計算	1−113									
Section 3 原価企画・原価維持・原価改善	1−121									
Section 4 品質原価計算	1−123									
Section 5 ライフサイクル・コスティング	1−126									
Chapter 9　特殊原価調査（意思決定会計）										
Section 1 短期差額原価収益分析	1−130									
Section 2 設備投資の意思決定	1−136									

攻略マップ

●マスターした項目には、そのチェック・ボックス (□) にチェック・マーク (✓) を記入してください。
●絶対にマスターしておかなければならない基礎的論点および合格に必要な論点を重要度5 (★★★★★) として5段階で示しました。学習にあたっての力配分の参考にしてください。

ROUND I 論点学習

[Start 月 日目標 Finish 月 日目標]

各論点をマスターするための ROUND です。 学習期間 約1カ月

受験学習で大切なことは、合格までの学習の全体量と学習方法、そして自分の学習の進行状況を常に把握することです。この『攻略マップ』を活用して効率的に学習し、合格を実現させてください。

ROUND II パターン学習

[Start　月　日目標
Finish　月　日目標]

学習期間　約1カ月

論点学習で得た知識を本試験での得点力に変えるROUNDです。
(以下の○回は，該当する過去問題を示しています。

理論問題対策

第1問 ― 論述問題
- 原価計算総論　24回①□　28回①□　29回①②□　30回①□　32回①□　34回①②□
- 原価の費目別計算　25回①□
- 工事間接費の配賦　33回②□　35回①②□
- 活動基準原価計算　27回②□
- 総合原価計算　24回②□
- 事前原価計算と原価管理　26回①②□　27回①□　28回②□　31回①□　32回②□　33回①□
- 原価企画・維持・改善　30回②□
- 品質原価計算　25回②□
- 意思決定　31回②□

第2問
- 用語補充問題　26回□　28回□　29回□　31回□　32回□　33回□　35回□
- 分類問題　24回□　25回□
- 正誤問題　27回□　30回□　34回□

計算問題対策

第3問
- 社内損料計算制度　24回□　27回□　32回□
- 原価の費目別計算　31回□
- 工事間接費の配賦　26回□　28回□　30回□　33回□　34回□
- ライフサイクル・コスティング　29回□
- 工事進行基準　25回□　35回□

第4問
- 総合原価計算　27回□
- 標準原価計算　29回□
- 意思決定　24回□　25回□　26回□　28回□　30回□　31回□　32回□　33回□　34回□　35回□

第5問
- 完成工事原価報告書の作成　24回□　25回□　26回□　27回□　28回□　29回□　31回□　32回□　33回□　34回□　35回□
- 工事原価計算表の作成　30回□

ヨコ解きのススメ

ポイントはヨコ解き！

建設業経理士試験は、幾つかのパターンの問題が繰り返し出題されています。
効率的に実力をつけるためには、第１問なら第１問の問題だけを集中的に学習するヨコ解きがオススメです。
第２部「過去問題編」ではヨコ解きをスムーズにできるように、また、短い期間で網羅性を高められるように過去問題を厳選し、「問」別に掲載しています。出題頻度の高い内容は第２部でほぼ網羅できるよう工夫していますので、ぜひ挑戦して下さい。

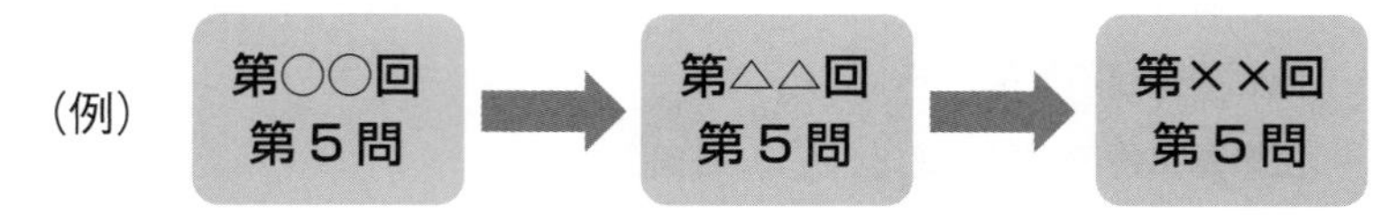

※第２部の掲載問題数は設問ごとの出題パターンに応じて調整しています。出題パターンが少ない設問については、少ない問題数でも高い網羅性を実現できるため、少ない学習時間で効率よく学習できるよう、掲載問題数も少なくしています。

「解き方」を知る！

また、第２部「過去問題編」では、単に過去問題を「問」別に掲載しているだけではなく、「問題の解き方」も掲載しています。
問題の出題パターンに沿った効率的な解き方をおさえることで、効率的に実力をつけられます。
「解き方」をしっかりと頭に入れてから、問題を解いてください。

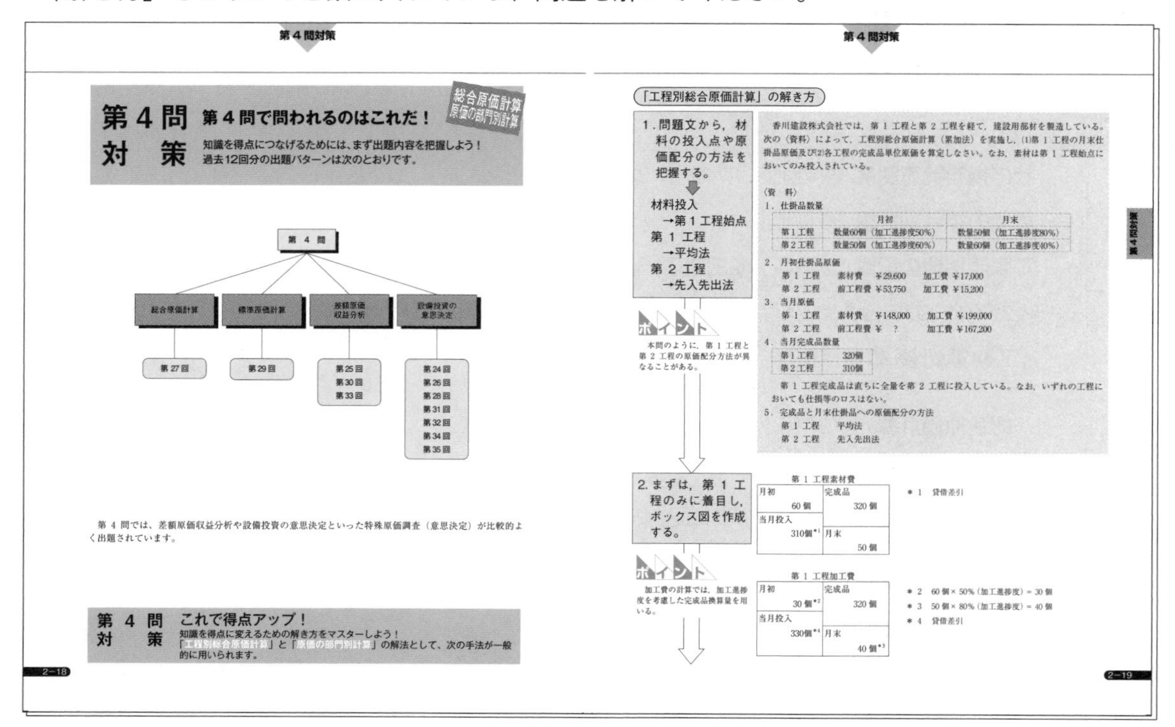

第４問対策

第４問 対策 第４問で問われるのはこれだ！

総合原価計算 原価の部門別計算

知識を得点につなげるためには、まず出題内容を把握しよう！
過去12回分の出題パターンは次のとおりです。

第４問では、差額原価収益分析や設備投資の意思決定といった特殊原価調査（意思決定）が比較的よく出題されています。

第４問 対策 これで得点アップ！
知識を得点に変えるための解き方をマスターしよう！
「工程別総合原価計算」と「原価の部門別計算」の解法として、次の手法が一般的に用いられます。

2-18

第４問対策

「工程別総合原価計算」の解き方

1．問題文から，材料の投入点や原価配分の方法を把握する。
材料投入
→第１工程始点
第１工程
→平均法
第２工程
→先入先出法

ポイント
本問のように，第１工程と第２工程の原価配分方法が異なることがある。

香川建設株式会社では，第１工程と第２工程を経て，建設用部材を製造している。次の〈資料〉によって，工程別総合原価計算（累加法）を実施し，(1)第１工程の月末仕掛品原価及び(2)各工程の完成品単位原価を算定しなさい。なお，素材は第１工程始点においてのみ投入されている。

〈資　料〉
1．仕掛品数量

	月初	月末
第1工程	数量60個（加工進捗度50%）	数量50個（加工進捗度80%）
第2工程	数量50個（加工進捗度60%）	数量60個（加工進捗度40%）

2．月初仕掛品原価
第１工程　素材費　¥29,600　加工費 ¥17,000
第２工程　前工程費 ¥53,750　加工費 ¥15,200
3．当月原価
第１工程　素材費　¥148,000　加工費 ¥199,000
第２工程　前工程費 ¥　？　加工費 ¥167,200
4．当月完成品数量

第1工程	320個
第2工程	310個

第１工程完成品は直ちに全量を第２工程に投入している。なお，いずれの工程においても仕損等のロスはない。
5．完成品と月末仕掛品への原価配分の方法
第１工程　平均法
第２工程　先入先出法

2．まずは，第１工程のみに着目し，ボックス図を作成する。

第１工程素材費

月初 60個	完成品 320個
当月投入 310個*1	月末 50個

＊1　貸借差引

ポイント
加工費の計算では，加工進捗度を考慮した完成品換算量を用いる。

第１工程加工費

月初 30個*2	完成品 320個
当月投入 330個*4	月末 40個*3

＊2　60個×50%（加工進捗度）＝30個
＊3　50個×80%（加工進捗度）＝40個
＊4　貸借差引

第４問対策

2-19

目次
Contents

※第２部「過去問題編」の掲載問題及び問題数について
第２部「過去問題編」については、設問ごとの出題内容や出題パターン・出題傾向と、その対策に要する学習時間・学習負担や合否への影響を鑑みて、設問ごとに掲載問題及び掲載数を厳選・調整しています。そのため、掲載回数及び掲載問題数が設問によって異なります。あらかじめご理解ください。

第１部 テキスト編

第２部 過去問題編

第３部 最新問題編

第１部　テキスト編

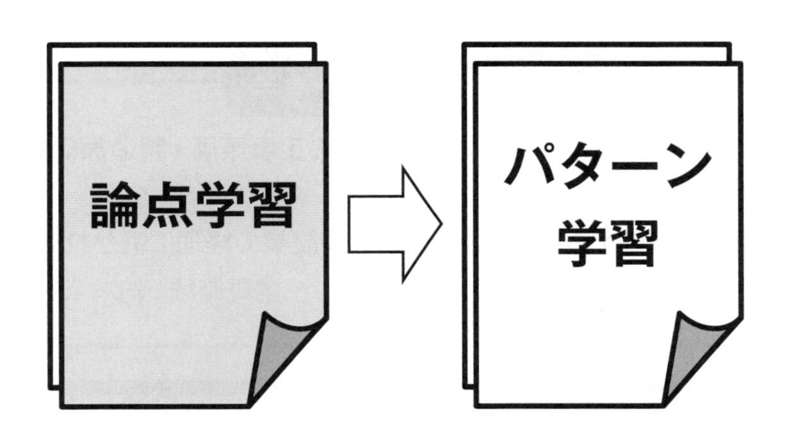

テキスト編では，論点学習を行います。論点学習は，建設業経理士に合格するために必要な知識を身につける学習です。論点学習を効率的に進めるために，テキスト編は次のように構成されています。

① 各 Section の冒頭に「はじめに」を設け，これから学習する Section の内容・特徴・問題点などをイメージしやすくしました。
② 本試験での出題の多くは計算問題です。そこで，解説には随所に計算例をあげて，本試験に対応した知識を習得できるようにしました。
③ 各 Section の最後には，「try it（小問）」を設けています。「try it」を解くことで，論点ごとの理解を確かめてください。

各 Section のはじめにある◈は，重要度を表しています。重要度は５段階に分かれていて，◈の数が多いほど，重要度が高いことを示しています。

Chapter 1

イントロダクション

◆建設業原価計算の世界へようこそ◆

建設業１級原価計算の世界へようこそ！　今日からこの本があなたの勉強のお手伝いをさせていただきます。この本で取り上げるのは建設業における原価計算の方法です。一般のメーカー（製造業）でも，建設業でも製品（＝工事）の原価計算は非常に重要です。

原価計算について差し当たり「製品１単位あたりの生産に要したお金を計算すること」と定義してみましょう。

しかし，建設業は業種形態が一般の製造業と異なるので，一般の原価計算にはない特徴が潜んでいます。

Section 1 重要度 ◈◈◈

建設業原価計算の世界へようこそ！

はじめに ■ ある会社が公共工事としてＢダムの建設を請け負いました。また，この会社はすでにＡダムの建設も請け負っているとします。一口にダムといっても，発注先も違えば仕様も内容も大きく異なります。したがって，原価の集計はＡダムとＢダムのそれぞれについて行います。このような場合に適しているのが個別原価計算です。
建設業は基本的には受注産業であるため，請け負った工事ごとに原価を集計することが合理的です。それでは，はじめに建設業の特質から見ていくことにしましょう。

建設業原価計算の特質

建設業は，わが国の産業構造の中で，独特の形態を有しています。したがって，その原価計算においても建設業の特質が見られます。それらを整理してみましょう。

(1) **受注請負生産業である**…**個別原価計算**が採用されます。
(2) **生産現場が移動的なため，常置性固定資産が少ない**…減価償却計算だけでは適正な建設工事原価を計算できないため，**損料計算**が実施されます。
(3) **外注への依存度が高い**…原価について**材料費・労務費・外注費・経費**の４つに分類します[01]。
(4) **公共工事が多い**…見積原価計算が必要とされます[02]。
(5) **生産期間（工事期間）が長い**…工事収益の計上基準として**工事完成基準**のほかに**工事進行基準**があります。

いずれも，１年を超える期間にわたる工事を行ったときに，どの期間に工事収益が属するのかを決定するための基準です。
工事完成基準…工事が完成し，注文主に引き渡した期の工事収益とします。
工事進行基準…工事進捗度を見積もり，着工から引渡しまでの各期の工事収益とします[03]。

【例】No.100 工事，×１年着工，×３年完成・引渡

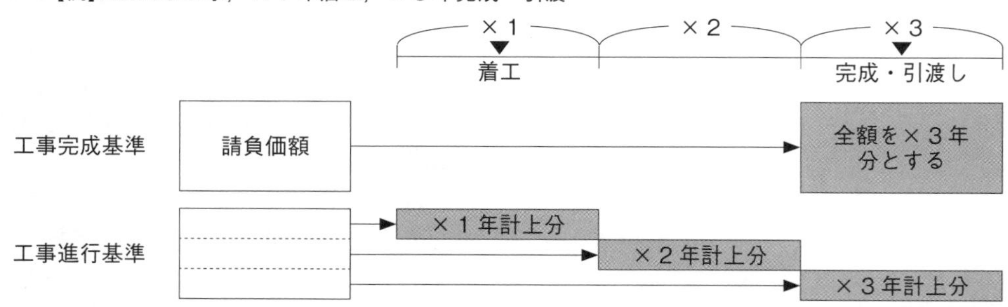

(6) **建設活動と営業活動との区分が不明瞭**…工事原価と営業関係費（販売費及び一般管理費）とに区別する努力が必要となります。

01）一般の製造業では外注費を除く３つに分類しています。

02）入札のための請負価額を算定するために，工事原価を事前に見積もっておくことが必要となります。

03）つまり，工事収益を分割して計上することになります。

建設業原価計算の目的

建設業原価計算の目的は，(1)対内的目的と(2)対外的目的の２つに大別されます。

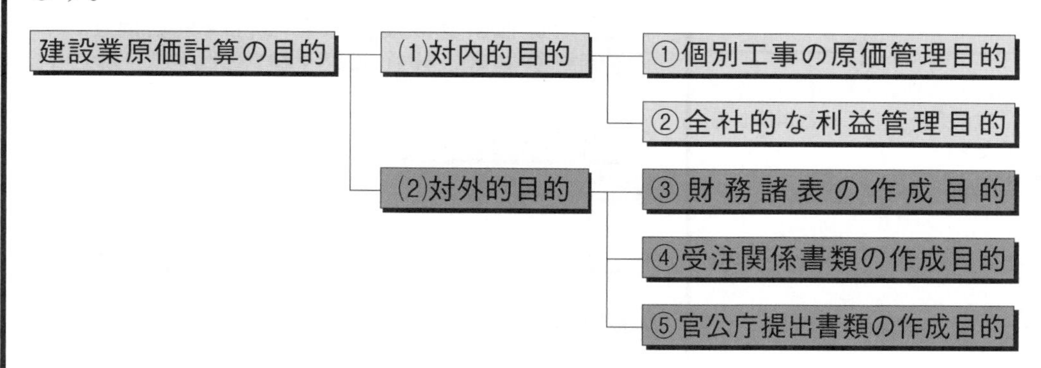

(1)対内的な目的

内部的には経営能率を増進させることが目的となります。

①個別工事の原価管理目的

建設業の現場管理は個別の工事単位で行われます。そのため，工事ごとの実行予算原価（目標発生額）を作成し，日常的に予算を守るための努力をし，そしてその後の予算と実績の差異分析を行い，以後の改善資料として役立てます。

②全社的な利益管理目的

企業の安定的成長のために，必要な利益（目標利益）を定め，目標利益の実現のための目標工事高および目標工事原価を予定計算します。

(2)対外的な目的

外部的には適正な工事原価を算定することが目的となります。

③財務諸表の作成目的

経営成績と財政状態を報告するために必要かつ適正な原価（完成工事原価，未成工事原価）[04]を計算します。

④受注関係書類の作成目的

受注のための積算[05]という原価計算作業を行って請負価額決定の参考にします。

⑤官公庁提出書類の作成目的

社会的責任の大きい公共事業との関連が深いため「公共事業労務費調査」などの調査資料の提出が要求されています。こういった書類の作成には単なる財務諸表の組替え作業でない，部分的原価計算が必要となります。

04）売上原価と仕掛品原価に相当します。

05）工事受注を獲得するまでの関係書類作成と（事前）原価算定のための作業です。

原価計算制度と特殊原価調査

原価計算には過去の実績の記録と，経営上のさまざまな判断（経営意思決定)に役立てるための原価資料の提供という２つの側面があります。

前者を**原価計算制度**，後者を**特殊原価調査**といいます。

①**原価計算制度**…複式簿記と結び付いて，継続的に行われる原価計算です[06]。

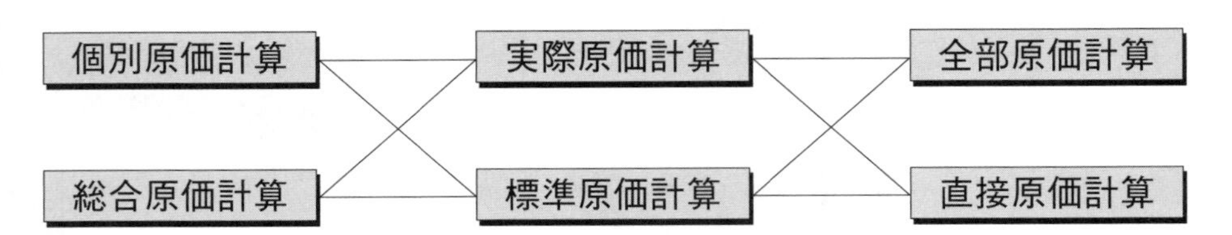

②**特殊原価調査**…経営上のさまざまな判断に役立てるために，必要なときにだけ随時行われる原価計算です。損益分岐点分析や意思決定のための差額原価収益分析などがこの例です。

06）いわゆる工業簿記（または建設業会計）のことと理解してください。

原価の意義とその分類

はじめに 一般の製造業において，原価は材料費・労務費・経費の３つに分けられます。しかし，建設業においては，外注依存度が高く，経費の中の外注費が占める割合が高いことから，これを独立させて材料費・労務費・外注費・経費の４つに分けています。これをまず頭に入れておきましょう。

原価の意義

(1)原価とは

一般に，原価とは「経営活動に用いられたモノやサービスを支出額によって測ったもの」であり，次の要件を満たしたものと考えられています。

① 経済価値の消費であること。
② 一定の給付(生産物)に転嫁(てんか)される価値であること。
③ 経営目的[01]に関連した支出であること。
④ 正常的なものであること。

01) 完成工事高（売上）の獲得のための製造・販売を経営目的と考えてください。

(2)建設業の原価概念

①と②は一般の製造業と基本的に同じですが，建設業では③と④について相違が見られます。

③ 一般の製造業では，通常の資金調達・返還等の財務活動にともなって発生する支払利息などの財務費用は，**経営目的**に関連しないので**非原価**となります。しかし，建設業においては，これらに一部原価性を認めることがあり，経営目的に関連しているか否かの解釈が独特です（例えば，不動産開発事業では，プロジェクトごとの資金調達が行われることが多く，借入資金の利子を個別の工事に跡づけることができるため，利子を原価算入することがあります）。
④ 建設業は，特に天変地異の影響を受けやすいので，たとえ，偶発的事故等によって発生する費用であっても原価性を認めることがあります[02]。

02) 建設中の小さな地震による修理などが，これに該当することがあります。

(3)非原価項目

建設業では，**工事原価**と**販売費及び一般管理費**（**営業費**）に算入されないものが非原価項目となります。

原価の分類

(1)形態別分類

建設業における工事原価をその発生形態によって分類すると，次の①から④の４つに分けられます。

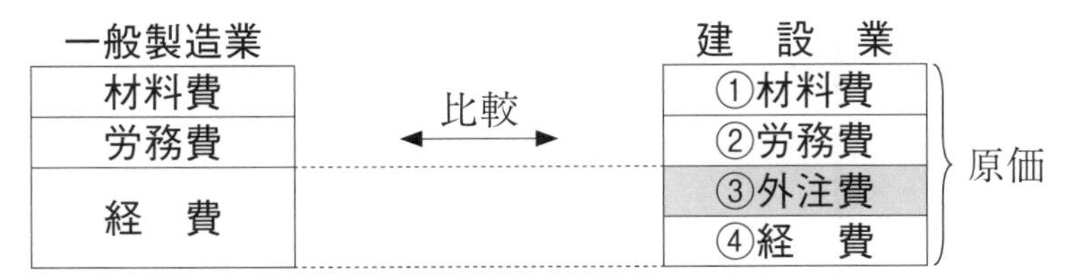

(2)機能別分類

原価が経営上のどのような機能のために生じたかによる分類です。

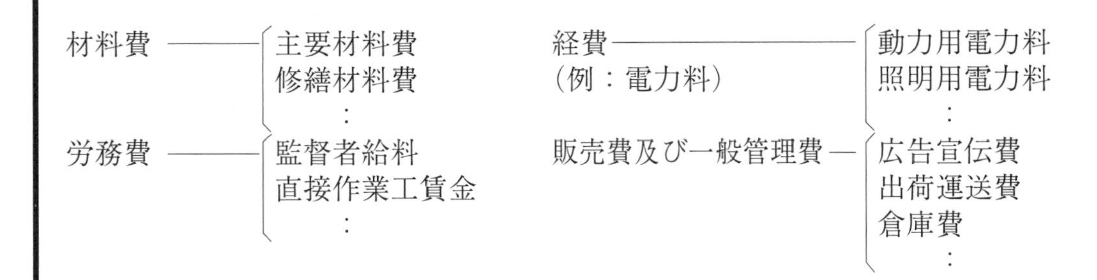

建設業においては、この機能別分類は、工事種類別分類（工種別分類）と呼ばれます。工事種類別分類では、工事原価をまず、純工事費と現場経費（現場管理費）に区分します（詳しくは、P 1-10 参照）。

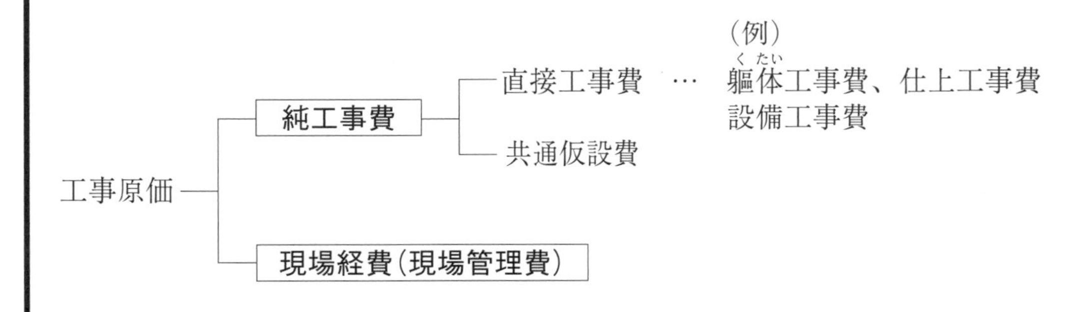

(3)工事との関連における分類

工事ごと（製品ごと）にいくらかかったかが直接認識できるか否かによる分類で，次の２つに分けられます。

①**工事直接費**（現場個別費）…ある特定の工事に対して，いくらかかったかを明らかにすることが可能な原価。

②**工事間接費**（現場共通費）…異なる工事に対して共通に発生し，特定の工事についていくらかかったかを明らかにすることができない原価。

(4)操業度との関連における分類

操業度の変化に応じて原価がどのように反応するかによる分類です。次の4つに分けられます。

①変 動 費…操業度の増減に応じて，比例的に増減する原価。
【例】直接材料費，直接労務費など

②固 定 費…操業度の増減にかかわらず変化しない原価。
【例】支払家賃，火災保険料，固定資産税など

③準変動費…操業度がゼロの場合にも一定の原価が発生し（基本料金等），同時に操業度の増加に応じて比例的に増加する原価。
【例】電力料，水道代など[03)]

④準固定費…ある範囲内の操業度の変化では固定的であり，これを超えると急増し，再び固定化する，つまり階段状に変化する原価。
【例】職長の給料，検査工の賃金など

03）これらには基本料金があるため，準変動費となります。

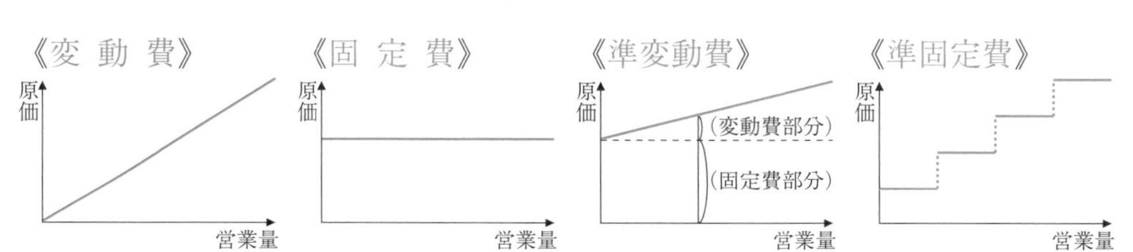

(5)発生源泉別分類

①アクティビティ・コスト…製品を製造すれば発生し，製造しなければ発生しない業務活動原価。

②キャパシティ・コスト…製造・販売活動をしなくても，一定の製造販売能力を維持しようとするかぎり，一定額発生する能力維持原価。

(6)管理可能性に基づく分類

原価が一定の管理者にとって管理可能か否かで次のように分けられます[04)]。

①管理可能費…原価の発生が一定の管理者によって管理できる原価。

②管理不能費…原価の発生が一定の管理者にとって管理できない原価。

04）なお，下級管理者にとって管理不能費であっても，上級管理者にとっては管理可能費となることがあります。

「製造原価」と「工事原価」の異同点

建設業における**工事原価**とは，建設に要した費用であり，製造業における製造原価とその本質において大きく異なることはありません。しかし，今まで述べてきた建設業の特質が反映されて，一部異なる点があげられます。

a. **借入金の利子**などの財務費用も工事原価に含まれることがあります。

b. **偶発的事故**などによる補償費用も工事原価に含まれることがあります。

c. **工事原価**は，工事直接費（現場個別費）と工事間接費（現場共通費）に分けられますが，一般の製造業の製造原価と比べて間接費の割合が低いのが特徴です。

Section 3 重要度 ◈◈◈

工事原価計算とは

はじめに ここでは主に工事費がどのように分類されるのかが重要になります。一般の製造業における製造直接費は工事直接費または現場個別費，製造間接費は工事間接費または現場共通費と呼ばれています。ちょっと覚えておきましょう。

工事原価計算の意義と特質

(1)意義 工事原価計算とは，各工事ごとの原価を集計することをいい，具体的には直接工事費に共通仮設費および現場経費を賦課あるいは配賦して，建設に要した費用を工事原価として算出します。建設業の工事原価計算では，事前にはある工事が企業の運営維持に貢献する利益を含め，採算ベースに乗っているか否かを考慮する「**総原価計算**」が，事後には実際原価の算定が中心となります。

なお，工事費の内訳は次のとおりです。

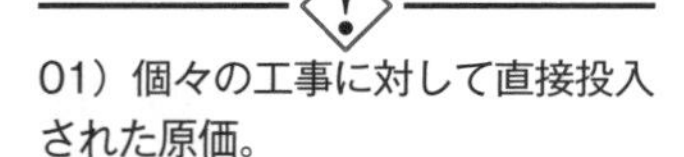

01）個々の工事に対して直接投入された原価。

02）各工事の施工に対して共通に使用されるものの原価。

03）現場管理費ともいい，各工事現場を管理するために必要な経費。

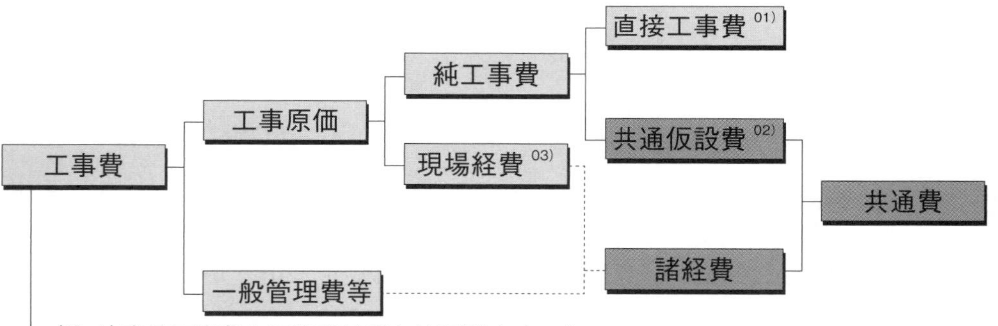

(注 1)直接工事費と工事直接費とは区別すること。
(注 2)一般管理費等には，一般管理費や販売費のほか，借入金利子などの財務費用，法人税や配当金の支払額となるべき利益の部分なども含まれます。したがって，工事原価と一般管理費等の合計である「工事費」が，工事に係る総原価ということになります。

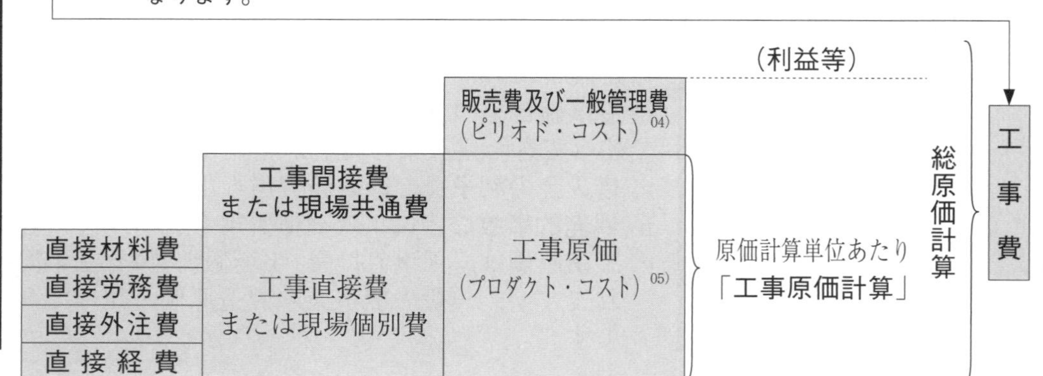

04）期間に集計される原価（期間原価）をいいます。

05）工事（または製品）に集計される原価（製造原価）をいいます。

原価計算の種類

(1)事前原価計算と事後原価計算

原価の測定を請負工事の事前に実施するか，それ以降に実施するかによって，原価計算は**事前原価計算**と**事後原価計算**とに区別されます。

事前原価計算

請負工事の事前に実施される工事原価計算です。

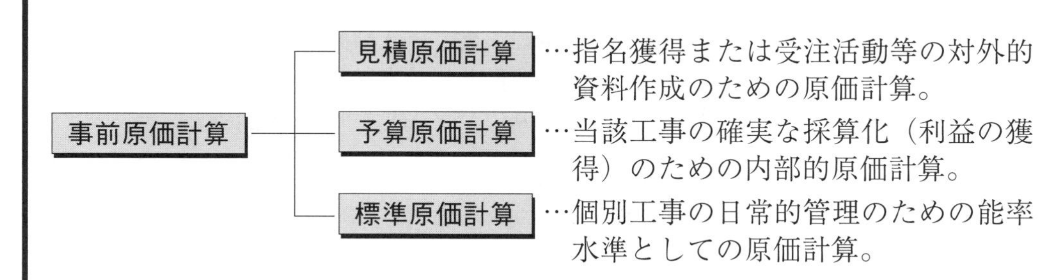

事後原価計算

事後原価計算とは実際原価の測定であり，工事終了後に確定される原価計算です。これは，財務諸表作成のために必要ですが，(1)であげた予算原価計算や標準原価計算と結合して初めて原価管理を効果的に行うことができるのです。

(2)総原価計算と製造原価計算

総原価とは，工事原価に，一般管理費等まで含めたものをいいます。
工事原価計算においては，請負工事の事前には総原価計算中心であり，事後には製造原価計算中心(狭義の工事原価計算)の計算が行われます。

(3)全部原価計算と部分原価計算

工事原価すべてをプロダクト・コストとして集計するものを**全部原価計算**といいます。これに対して，その一部をプロダクト・コストとして集計し，残りをピリオド・コストとして集計するものを**部分原価計算**といいます。部分原価計算の代表的なものが直接原価計算です。

(4)形態別原価計算と工種別原価計算

工事原価の目的に応じた内訳区分のための原価計算です。ここで，形態別原価計算とは，原価を最終的に発生形態別（材料費，労務費，外注費，経費）に把握しようとする原価計算です。

また，作業機能別に把握しようとする原価計算を工種別原価計算と呼んでいます。

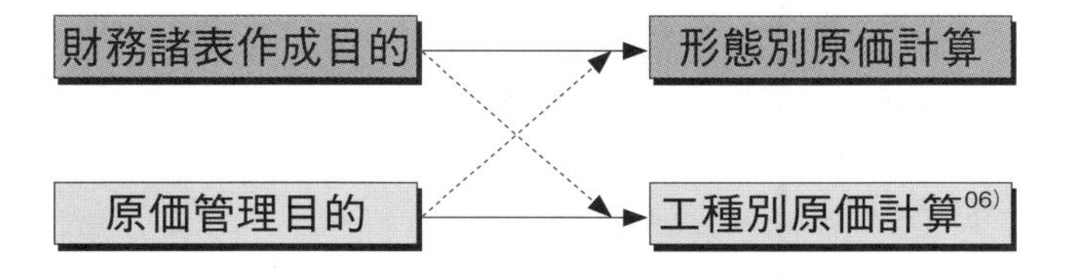

工種別原価計算と工事別原価計算とを混同しないように注意してください。工事別原価計算とは製品別原価計算と類似の概念です。

06) 工種＝工事種類のことです。

(5)付加原価計算と分割原価計算

適用される原価の計算テクニックに基づき区分されています。

①付加原価計算（主に個別原価計算，組別総合原価計算）

直接費の集計後，間接費の配賦額を付加していく原価計算方法のことです。

②分割原価計算（主に総合原価計算）

原価計算期間（通常１カ月）に発生した生産関連費用を種々の生産データ（例：期間生産量）で分割して単位原価を求めるという原価計算方法のことです。

ａ）単純分割計算　（単純総合原価計算）
ｂ）等価係数計算　（等級製品，連産品等）
ｃ）差引計算　　　（副産物，仕損等）

工事原価計算制度の概要

工事原価計算制度は，次の４つのステップからなります。

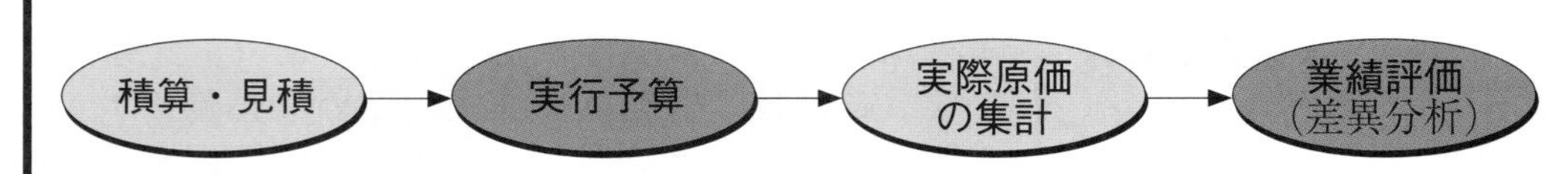

なお，ここでいう実際原価は，次の３つのステップに従って集計されます。

07）工事別原価計算とは，原価要素を一定の工事単位に集計し，工事別原価を算定する手続をいい，原価計算における最終の計算段階です。工種別原価計算と混同しないように注意してください。

建設業の勘定連絡

建設業における勘定連絡図は，次のようになります。この場合，典型的な勘定と勘定とのつながり（勘定連絡）[08] を把握したうえで，そこから仕訳をイメージできることが大切です。

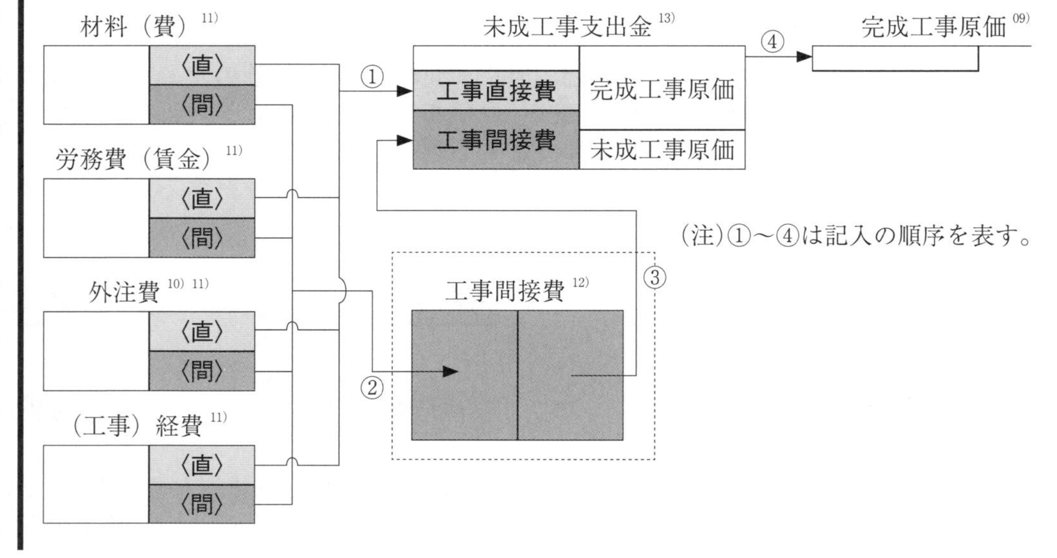

08）工事原価計算システムとしては，①すべての項目を勘定科目化する方法と，②工事台帳を補助元帳化して利用する方法とがあります。後者の場合には，未成工事支出金を統制勘定（統括勘定）として，工事台帳を補助元帳として活用することになります。

09）完成した建造物はすぐに引き渡されるため，製品勘定にあたる勘定はありません。

10）外注費を加え製造原価を４つに分類します。

11）Chapter2 では原価の費目別計算（材料費会計，労務費会計，経費・外注費会計に細分される）について学習します。

12）Chapter3 では工事間接費の会計について学習します。

13）Chapter5 では工事原価計算について学習します。

一般製造業における勘定連絡図と比較すると，基本的な勘定とのつながりは同じですが，次のような違いが生じます。

	建設業		一般製造業
①	外注費	→	経費に含まれる
②	工事間接費	→	製造間接費
③	未成工事支出金	→	仕掛品
④	完成工事原価	→	売上原価

一般製造業における勘定連絡図

14）製品の完成後，一定期間在庫したあと，販売することが前提となります。したがって製品勘定を設ける必要があります。
建設業の場合，工事（製品に相当）の完成後，すぐに引渡しされるため，製品勘定に相当する勘定は存在しません。

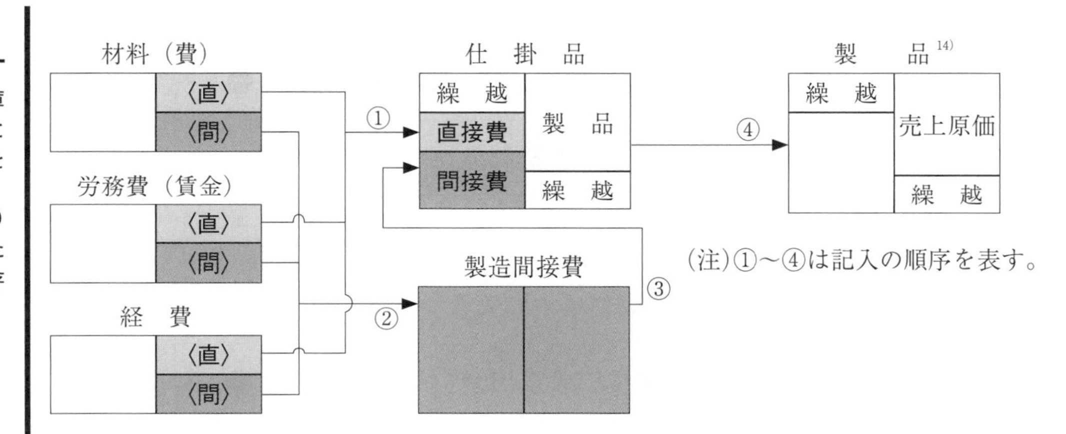

（注）①～④は記入の順序を表す。

建設業会計特有の勘定科目など

建設業は，完成品の価格が高いことや着工から完成までの期間が長いことなどの特徴を持っています。そのため，建設業会計は製造業会計とは異なる部分があります。

ここでは，一般の製造業会計を学んだ人のために，建設業会計に特有の勘定科目や用語を一覧表にします。

	製造業	建設業	3級	2級	1級		
					財務諸表	原価計算	財務分析
損益計算書上の用語							
	売上高	完成工事高	●	●	●	●	●
	売上原価	完成工事原価	●	●	●	●	●
	売上総利益	完成工事総利益			●		●
貸借対照表上の用語							
	売掛金	完成工事未収入金	●	●	●	●	●
	仕掛品	未成工事支出金	●	●	●	●	●
	買掛金	工事未払金	●	●	●	●	●
	前受金	未成工事受入金	●	●	●		●
その他							
	製造原価	完成工事原価	●	●	●	●	●
	製造間接費	工事間接費		●		●	
	製造部門	施工部門		●		●	

Chapter 2

工事原価の費目別計算

◆費目別計算とは◆

さぁ，ここからが建設業原価計算の各論です。**Chapter 2** では費目別計算について学びます。一般の製造業における費目別計算と基本的には同じですが，仮設材料費の計算や，経費から外注費が独立していることなど，建設業独特の処理が見られることが特徴です。

Section 1 重要度 ◈◈◈◈◈

材料費の計算

はじめに たとえばビルの建設１つをとってみても基盤となる鋼材，壁板，窓ガラスから，その運送費，作業員の賃金，下請会社に支払う外注費，それらを管理統括する人々の給料まで，さまざまな費用が生じます。これらの費用は工事原価を構成し，請負価額を計算するうえで重要な資料となるものですが，ただ雑然と計上していたのでは適切な管理を行うことはできません。そこで費用として支出したものをその性質に従って分類する手続が必要となります。
それでは，いったいどのように費用を分類するか，まずは材料費から検討します。材料費には材料の購入代価のみではなく，その材料の運送費や保管費なども含まれます。そこで材料費の範囲やその計算方法をマスターする必要があります。特に建設業独特の仮設材料費については注意してください。

建設業における材料費の考え方

製品の製造のために外部から購入した物品を**材料**といい，この材料の消費額を**材料費**といいます。たとえば工事の施工に関連して購入した，セメント，コンクリート，鉄筋，木材，ブロック，砂利などがあげられます。なお，建設業では，工事用足場や仮設建物などの損耗額を**仮設材料費**として取り扱っている点が特徴的です。これらの仮設材料費については後述します。

建設業における材料費の計算方法

材料費を計算するためにはまず，材料の購入原価を基礎とします。

購入原価とは材料を購入してから出庫するまでに要した原価をいいます。購入原価は，原則として実際の購入原価[01]としますが，必要ある場合には，予定価格などを用いて計算することができます。

01）値引，割戻しがあった場合には，送り状価額からその額を控除します。ただし，割引額は通常は営業外収益として処理するので控除しません。

材　　料

工事未払金など（買掛金に相当） → 購入原価

材料の購入原価は次の式で計算されます。

購入原価＝購入代価＋材料副費（付随費用）

(1)購入代価 ● 材料の送状記載価額であり，材料主費ともいいます。

(2)材料副費 ● 材料の購入から出庫までに要する付随費用をいい，さらに次の２つに分けることができます[02]。

①外部副費：材料が仕入先から納入されるまでに要する費用であり，引取費用ともいいます。

【例】買入手数料，引取運賃，保険料，関税など

②内部副費：材料の引取り後，工事現場に出庫されるまでに要する費用であり，材料取扱費ともいいます。

【例】購入事務，検収，選別，整理，手入れ，保管などに要した費用

しかしながら，実際にはすべての材料副費を購入原価に算入することは困難ですので[03]，材料副費の一部を材料の購入原価に含めない処理も認められます。この場合の材料副費は工事間接費となります(Chapter 3 参照)。

02) 両者の違いは次の図で示すことができます。

仕入先 —購入→ 材料倉庫（外部副費）

材料倉庫 —出庫→ 工事現場（内部副費）

03) 整理や保管に要する費用を正確に原価に算入することが困難な場合が多いのです。

材料副費の処理

材料副費を材料の購入原価に算入する方法には次の２通りがあります。

(1)直課法 ● 購入代価に実際発生額を直接的に賦課する方法（材料副費が当該材料に個別的に発生していることが明らかな場合)。

(2)配賦法 ● 適切な配賦基準によって関係材料に配賦する方法（材料副費が各種の材料に共通発生している場合)。この方法には，実際配賦法と予定配賦法があり，予定配賦法では予定配賦率を使用します。

$$予定配賦率=\frac{一定期間の材料副費発生予定額}{一定期間の配賦基準数値総計(予定購入代価・量など)}$$

材料費の計算

(1)材料購入の処理方法 ● 材料購入の処理方法としては次の２つがあります。

原則：購入時資産処理法 ◆ 材料の購入のつど，購入原価を決定し材料在庫として貯蔵し，消費のさいに材料費に振り替える方法です。この処理法では材料の受払記録が必要となります。

材料費＝消費価格×実際消費量

容認：購入時材料費処理法 ◆ 材料購入後ただちに消費したと仮定し，購入のさいに材料費として処理しておき，工事終了後に未消費分の材料評価額を資産としての材料勘定に振り替える方法です。この処理法では材料の受払記録は必要ありません。

(2)実際消費量の計算 ● 実際消費量の計算には次の２つの方法があります。

原則：継続記録法 ◆ 受払記録により，帳簿上での消費量と残量を確認していく方法。

長所：帳簿残高と実際残高を比較することで材料管理が行える。

短所：記帳の手間がかかり煩雑である。

例外：棚卸計算法 ◆ 材料の購入時にのみ記録を行って，消費量は期末に棚卸を行い，在庫量から逆算する方法。

材料消費量＝期首在庫量＋期中仕入量－期末在庫量

長所：計算事務手続が簡略化される。

短所：材料の在庫管理に適さない。

(3)消費価格の計算 ● 材料の消費価格には次の2つがあります。

原則 ◆ 実際消費価格

　なお，同種の材料購入原価が異なる場合は次のいずれかの方法によって計算します。

　〈個別法，先入先出法，移動平均法，総平均法〉

容認 ◆ 予定消費価格

仮設材料費の意義と処理方法

(1)仮設材料費の意義 ● 仮設材料とは，建設工事用の足場，型わく，山留用材，ロープ，シート，危険防止用金網などのように各工事のために共用され，工事の完了とともに撤去される仮設部分のことです。このような材料の消費額を仮設材料費と呼び，これらは工事間接費として各工事に配賦されます。

(2)仮設材料費の処理方法 ● **①社内損料計算方式**[04)]

　あらかじめ仮設材料の使用による損耗分などの各工事負担額を1日あたりについて予定し，使用日数をかけて，工事原価に算入する計算方式です。この方式では，後日差異の調整をすることになります(Chapter 6 参照)。

②すくい出し方式[04)]

　仮設材料の使用開始の時点で，取得原価の全額を工事原価として処理し，工事完了の時点における評価額を当該工事原価から控除することによって消費額を計算する方式です。

　つまり使用開始時点の材料価値に比べて，工事完了時点の材料価値が小さくなるとの前提のもと，その差額が工事期間における材料価値の減少分（つまり材料消費額）として費用計上されるのです。　(計算についてはtry it 参照)

04)原価計算の立場上は，①が原則，②が例外(重要性の乏しいもののみ)ですが，法人税法では，全面的に②すくい出し方式を許容しています。

try it　**例題**　**材料費①～材料副費の計算**

Q　以下の資料にもとづき(問1)～(問2)に答えなさい。

■資　料■

当社は，甲社から5種類の部品を向こう1年間にわたり購入する契約を締結した。

(1)　材料関係の予算データ

①予定購入代価総額……40,000,000円　　③予定購入回数……40回

②材料副費予算額　　　　　　　　　　　④予定購入数量……6,000kg

仕入運賃………	400,000円
検収費………	300,000円
保険料………	140,000円
購入事務費………	360,000円
合　計	1,200,000円

(2) 材料取引の一部

本日，甲社からA部品が納入された。送状価額300,000円（掛），数量は120kgである。なお，購入回数は1回であった。

(問1)

(1) 購入代価を配賦基準とした場合の予定配賦率を求めなさい。

(2) (1)で求めた予定配賦率を用いてA部品の1kgあたりの購入原価を求めなさい。

(3) 材料購入にともなう仕訳を示しなさい。

(問2)

費目別配賦率によった場合のA部品1kgあたりの購入原価を求めなさい。ただし，材料副費の配賦基準は次のとおりとする。

仕入運賃…購入代価　　保険料…購入代価

検収費…購入数量　　購入事務費…購入回数

解答

(問1) (1) 予定配賦率：3 %

(2) A商品の1kgあたりの購入原価：2,575円／kg

(3)

(借)			(貸)		
	材料	309,000		工事未払金	300,000
				材料副費	9,000

(問2) A部品の1kgあたりの購入原価：2,658.75円／kg

解説

(問1)

(1) 予定配賦率：$\frac{1{,}200{,}000円}{40{,}000{,}000円} \times 100 = 3\%$

(2) A部品 1kgあたりの購入原価：300,000円÷120kg = 2,500円／kg

1kgあたりの購入原価：2,500円／kg × 103% = 2,575円／kg

(問2)

	費目別配賦率	予定配賦額	
仕入運賃	$\frac{400{,}000円}{40{,}000{,}000円} \times 100 = 1\%$	300,000円×1％＝	3,000円
検収費	$\frac{300{,}000円}{6{,}000\,kg} = 50円／kg$	50円／kg×120kg＝	6,000円
保険料	$\frac{140{,}000円}{40{,}000{,}000円} \times 100 = 0.35\%$	300,000円×0.35％＝	1,050円
購入事務費	$\frac{360{,}000円}{40回} = 9{,}000円／回$	9,000円／回×1回＝	9,000円
			19,050円

1kgあたりの購入原価：(300,000円＋19,050円)÷120kg = 2,658.75円／kg

例題 材料費②〜材料費の計算

Q 建設業を営んでいるＷＳ㈱の当月の資料にもとづき，（問１）～（問３）に答えなさい。

■資　料■

1．当月における直接材料の購入・払出しに関するデータ

月初在庫高	当月購入高	当月払出高
@ 1,000 円× 50kg	@ 1,030 円× 400kg	@ ? 円× 378kg

＊ 1 当社では直接材料の購入はすべて掛けにより行っている。
＊ 2 当社では直接材料の実際消費額の計算は、先入先出法を採用している。なお，予定価格は@ 960 円に設定している。
＊ 3 当月において減耗は一切生じなかった。

2．当月における各工事に対する直接材料消費量は次のとおりである。

	No.101	No.102	No.103	No.104	No.105	No.106
消費量	50kg	36kg	74kg	96kg	58kg	64kg

3．作業進捗状況

No.101 ～ No.106 の工事はすべて，当月中に注文を受けたものであり，前月から繰り越されたものはなかった。

No.102 と No.105 は当月末現在，作業途中であるが，それ以外はすべて作業が終了し，発注先への引渡しがなされている。

（問１）　工事原価計算表を完成させなさい。なお，材料の消費額の計算は予定価格による。備考欄には，完成または仕掛中と記入すること。

（問２）　直接材料の購入時には実際購入原価で受入記帳をし，消費時に予定価格を用いている場合を前提として，勘定連絡図を完成させなさい。

（問３）　直接材料の購入時に予定価格で受入記帳をしている場合を前提として，勘定連絡図を完成させなさい。

解答欄

（問 1）

工事原価計算表　（単位：円）

	No.101	No.102	No.103	No.104	No.105	No.106
当月工事原価						
直接材料費						
合　計	×××	×××	×××	×××	×××	×××
備　考						

（問2）消費額を予定価格で計算する場合　（単位：円）

材　料

前月繰越	（　）	（　）	（　）
（　）	（　）	（　）	（　）
（　）	（　）	（　）	（　）
	（　）		（　）

未成工事支出金（一部）

前月繰越	（　）	（　）	（　）
（　）	（　）	（　）	（　）
（　）	（　）	（　）	（　）
	（　）		（　）

材料消費価格差異

（　）	（　）	（　）	（　）

（問3）予定価格で受入記帳をする場合　（単位：円）

材　料

前月繰越	（　）	（　）	（　）
（　）	（　）	（　）	（　）
（　）	（　）	（　）	（　）
	（　）		（　）

未成工事支出金（一部）

前月繰越	（　）	（　）	（　）
（　）	（　）	（　）	（　）
（　）	（　）	（　）	（　）
	（　）		（　）

材料受入価格差異

（　）	（　）	（　）	（　）
（　）	（　）	（　）	（　）

材料消費価格差異

（　）	（　）	（　）	（　）

解答

（問1）

工事原価計算表　（単位：円）

	No.101	No.102	No.103	No.104	No.105	No.106
当月工事原価						
直接材料費	48,000	34,560	71,040	92,160	55,680	61,440
合　計	×××	×××	×××	×××	×××	×××
備　考	完　成	仕掛中	完　成	完　成	仕掛中	完　成

(問2) 消費額を予定価格で計算する場合　(単位：円)

材　料

前月繰越	(50,000)	(未成工事支出金)	(362,880)
(工事未払金)	(412,000)	(次月繰越)	(74,160)
(―――)	(―――)	(材料消費価格差異)	(24,960)
	(462,000)		(462,000)

未成工事支出金（一部）

前月繰越	(―――)	(完成工事原価)	(272,640)
(材　料)	(362,880)	(次月繰越)	(90,240)
(―――)	(―――)	(―――)	(―――)
	(362,880)		(362,880)

材料消費価格差異

(材　料)	(24,960)	(―――)	(―――)

(問3) 予定価格で受入記帳をする場合　(単位：円)

材　料

前月繰越	(48,000)	(未成工事支出金)	(362,880)
(工事未払金)	(384,000)	(次月繰越)	(69,120)
(―――)	(―――)	(―――)	(―――)
	(432,000)		(432,000)

未成工事支出金（一部）

前月繰越	(―――)	(完成工事原価)	(272,640)
(材　料)	(362,880)	(次月繰越)	(90,240)
(―――)	(―――)	(―――)	(―――)
	(362,880)		(362,880)

材料受入価格差異

(前月繰越)	(2,000)	(材料消費価格差異)	(24,960)
(工事未払金)	(28,000)	(次月繰越)	(5,040)

材料消費価格差異

(材料受入価格差異)	(24,960)	(―――)	(―――)

解説

05) 1,030円／kg×400kg
＝412,000円

06) 960円／kg×50kg=48,000円(No.101)
同様にして No.102 以下の予定消費額を求めます。
48,000円(No.101)+34,560円(No.102)+71,040円(No.103)
+92,160円(No.104)+55,680円(No.105)+61,440円(No.106)
=362,880円

07) 362,880円−387,840円
＝Δ24,960円(借方差異)

08) 完成工事原価：48,000円+71,040円+92,160円+61,440円= 272,640円

(問1)(問2)

材　料 (先入先出法)

	払出 / 残高
(@1,000円) 50kg	378kg
(@1,030円) 400kg	
	72kg

実際消費額および月末材料の計算

① 実際消費額：(1,000円／kg×50kg)＋(1,030円／kg×328kg)＝387,840円

② 月末材料：1,030円／kg × 72kg ＝ 74,160円

1. 材料購入時

(借)	材料	412,000 [05]	(貸) 工事未払金	412,000

2. 工事別予定消費額の計算

(借)	未成工事支出金	362,880 [06]	(貸) 材料	362,880

3. 材料消費価格差異の把握

(借)	材料消費価格差異	24,960 [07]	(貸) 材料	24,960

4. 完成工事原価および月末未成工事原価の計算

(借)	完成工事原価	272,640 [08]	(貸) 未成工事支出金	272,640

月末未成工事原価：34,560円＋55,680円＝90,240円

（問 3）

1. 材料購入時

材料勘定借方記入額：960 円／ kg × 400kg ＝ 384,000 円
実 際 購 入 原 価：1,030 円 ／ kg × 400kg ＝ 412,000 円
差引：材料受入価格差異 Δ 28,000 円（借方差異）

（借）材料	384,000	（貸）工事未払金	412,000
材料受入価格差異	28,000		

09）（問 2）と同様です。

2. 工事別予定消費額の計算

（借）未成工事支出金	362,880 09)	（貸）材料	362,880

3. 月末材料の計算

月末材料：960 円／ kg × 72kg ＝ 69,120 円

4. 材料消費価格差異の把握

（借）材料消費価格差異	24,960 09)	（貸）材料受入価格差異	24,960

5. 完成工事原価および月末未成工事原価の計算

（借）完成工事原価	272,640 09)	（貸）未成工事支出金	272,640

try it

例題 材料費③～仮設材料のすくい出し方式

Q

下記資料は，AR株式会社（会計期間X1年10月1日～X2年9月30日）におけるX1年11月次の原価計算関係資料である。
なお，当月は工事番号No.101からNo.104までの工事を実施し，No.101，No.102，No.103の工事が完了したが，No.104の工事は月末現在未完了である。

■資　料■

仮設材料の処理はすくい出し方式を採用している。当月中の仮設材料投入額と工事終了時点における仮設材料評価額は次のとおり。

工事番号	No.101	No.102	No.103	No.104
仮設材料投入額	—	72,360 円	157,428 円	64,260 円
仮設材料評価額	18,000 円	21,600 円	45,000 円	仮設工事未完了

［設問］ 各工事における仮設材料費を求めなさい。

解答

No.101	0円
No.102	50,760円

No.103	112,428円
No.104	64,260円

解説

No.101　仮設材料は前月に投入されているので，当月発生の仮設材料費は0となります。

No.102　72,360円－21,600円＝50,760円

No.103　157,428円－45,000円＝112,428円

No.104　64,260円－0円＝64,260円

コラム 心のふるさと

昔の人達はみんな『ふるさと』をもっていた。しかし，最近はこんなに素敵なものをもっている人は決して多くない。

私自身「ふるさとはどこですか」と聞かれると，確かに生まれ落ちたのは大阪の西成ではあるが，とてもそこをふるさととは呼べない。したがって，ふるさとのない人の一人になってしまう。

しかし，それは肉体の話である。そして，誰しも，心にもふるさとがある。

それは，その人の心の中に目盛がつき，自分なりの物差し（価値観）が出来た時代であり，またそのときを過ごした場所であり，一つ一つの風景や人や，言葉が心に焼きつけられている。

そしてその頃の自分は，何ものかに没頭して，夢中になって，必死になっていたはずである。そうでないと，自分なりの物差しなどできるはずはないのだから。

良いことがあったり，悪いことがあったり，人生の節目を迎えたりしたときに，ふと，心のふるさとに立ちかえり，そこに今でも住んでいる心の中の自分自身に話しかけたりする。

私の場合は，明らかに大学時代を過ごした京都の伏見・深草界隈である。吉野家でバイトをし，学費を作り，未来は見えず，それでも必死になって資格をとり，彼女と一緒に暮らし始めた，あの頃である。

この季節，京都の山々が紅く燃え立ち，人々の声がこだまする。

そして，やがて，やわらかな風花が舞い降りる。

私の心のふるさとにも…。

労務費の計算

はじめに 材料は，買ったときに購入の処理，使ったときに消費の処理が行われます。賃金も同じで，賃金を支払うと労働力の購入，作業員が作業すると労働力の消費として処理します。前者を支払賃金，後者を消費賃金といいます。
支払賃金がいくらかということは，受け取る作業員ばかりでなく，会社にとっても重要な問題です。というのも，工事ごとの労務費は支払賃金にもとづいて計算されるからです。

建設業における労務費の考え方

建設業でいう労務費の範囲は以下のとおりです。

工事に関する労務費（広義）

直接工事に従事する者 （作業員に支払われる賃金および給料等） 建設業における労務費	技術や現場事務に携わる者 （現場管理者に支払われる給料手当等） 工事経費

また，外注費であっても，その大部分が労務費であると認められるものについてはこれを労務費に含めて記載することができます(Section 3 参照)。

賃金計算期間と工事原価計算期間

それぞれの期間の意味は次のとおりです。
賃金計算期間…賃金の支払対象となる期間。
原価計算期間…原価計算を行う１サイクル，通常，暦日の１カ月[01]。
一般に原価計算期間と賃金計算期間には**ズレ**がありますので，以下のような修正が必要です。

原価計算期間における要支払額＝当月支払賃金－前月未払賃金＋当月末払賃金

01）建設業のような個別受注業では，本来の意味の原価計算期間以外に工事の受注から完成引渡しまでの工事期間を原価計算期間とする場合もあります。

《原価計算期間における要支払額》

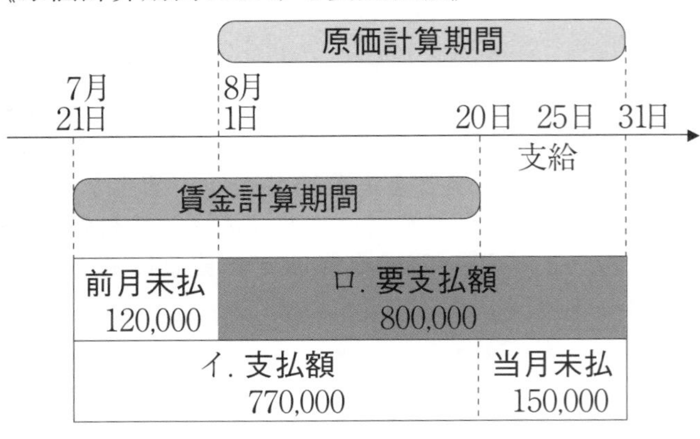

[説　明]
① 7/21 ～ 8/20 までの賃金を計算し，8/25 に支払います(図のイ)。
② 8/1 ～ 31 において支払うべき賃金(図のロ)を計算するために，イからこれに含まれる 7/21 ～ 31 における賃金 120,000 円を控除します。
③ 次に②で求めた賃金に，当月における未払賃金(8/21 ～ 31)を加えると，要支払額 800,000 円(図のロ)を求めることができます。

消費賃金の計算

当月の作業にかかった賃金を**消費賃金**といいます。消費賃金の計算は直接作業員であるか間接作業員であるかによって異なります。

(1)作業員の分類 ● 多くの工事では作業員をその職種にもとづいて，直接作業員と間接作業員とに分けています。

直接作業員 ◆ 直接作業を行う作業員 。

間接作業員 ◆ 直接作業以外の作業(＝間接作業)を行う作業員 。

(2)直接作業員の消費賃金 ● **直接作業員**の消費賃金は次のように計算されます。

> 直接労務費＝消費賃率×直接作業時間
> 間接労務費＝消費賃率×（間接作業時間＋手待時間）

直接作業員の消費賃率 ◆ 直接作業員の消費賃率には，実際賃率と予定賃率があり，次の算式によって計算されます。

$$消費賃率＝\frac{基本給＋加給金^{02)}}{総就業時間^{03)}}$$

02)分子の金額は賃率の算定基礎となる労務費ですが，諸手当を含めることもあります。
03)分母の時間数は，支払対象となる総就業時間です。

賃率の種類

直接作業員の消費賃率には，次の種類があります。

- 個　別　賃　率 04)…実際個別賃率と予定個別賃率
- 平　均　賃　率　…職種別平均賃率と総平均賃率
  - 職種別平均賃率 05)…実際職種別平均賃率と予定職種別平均賃率
  - 総　平　均　賃　率 06)…実際総平均賃率と予定総平均賃率

04)個々の直接作業員ごとに計算される消費賃率です。
05)同一作業を行う直接作業員の賃率を平均化した消費賃率です。
06)工事作業全体の直接作業員の賃率を平均化した消費賃率です。

● まとめ ●

消費賃率の相互関係についてまとめると次のとおりです。なお，このうち**予定職種別平均賃率**がもっとも多く用いられます。

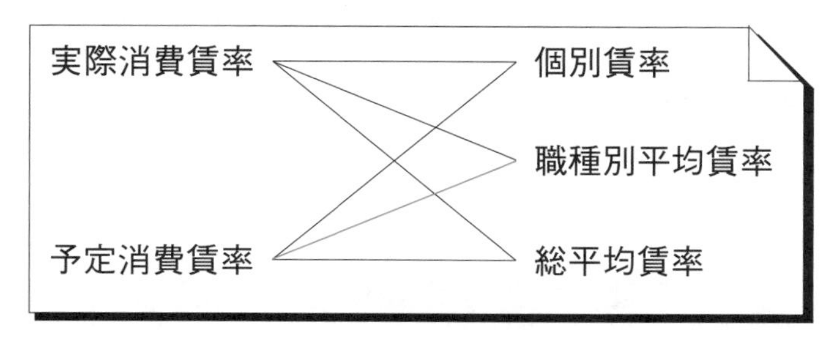

直接作業員の時間記録 ◆ 直接作業員の一日の作業時間は以下の内訳からなっていますが，次の点に注意します。

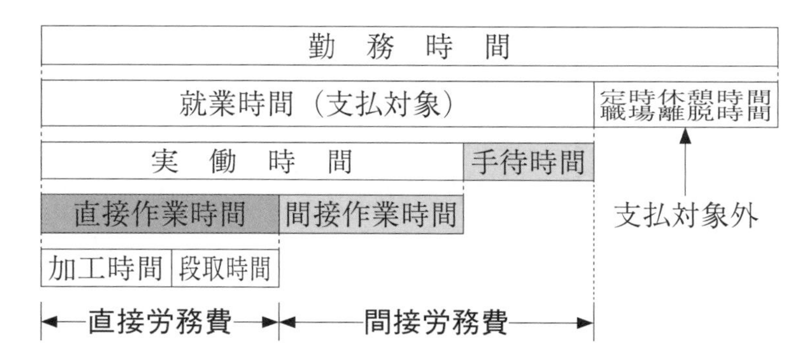

支払対象となる時間→就業時間（**直接作業時間＋間接作業時間＋手待時間**）

勤務時間…作業員が出勤してから業務が終了するまでの時間。

定時休憩時間…昼食などのために設けられた休憩時間。

職場離脱時間…私用外出，面会，診療など作業員が自らの責任で職場を離れた時間（賃金の支払対象とはなりません）。

手待時間…停電や材料待ち，工具待ち等による作業員の責任以外の原因によって作業ができない場合の不働時間。手待時間は，手待時間票によって把握します（賃金の支払対象となります）。

直接作業時間…直接作業員が，直接に工事に従事している時間。

間接作業時間…直接作業員が，補助的な作業を行った時間。

段取時間…作業前の準備時間や，作業途中における機械の調整，工具の取替えのための準備時間。

賃率差異の把握 ◆ 予定賃率によって直接作業員の賃金消費額を算定した場合には，賃率差異が把握されます。賃率差異は以下のように求めます。

賃率差異＝（予定賃率－実際賃率）×実際直接作業時間

(3)間接作業員の消費賃金 ● 間接作業員については，計算の手間を省くため直接作業員のような作業時間の記録は行われません。そこで間接作業員の消費賃金は，**原価計算期間における要支払額**を当月の消費額とします[07]。

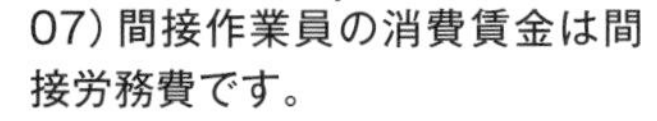

07) 間接作業員の消費賃金は間接労務費です。

原価計算期間における要支払額
　　＝当月支払賃金－前月未払賃金＋当月未払賃金

(4)消費賃金の勘定記入

直接労務費…直接作業員が行う直接作業の労務費→未成工事支出金勘定
間接労務費…上記以外の労務費→工事間接費勘定

例題　賃金計算

Q

次の資料にもとづき，必要な仕訳を行うとともに，7月の賃金勘定の記入を示しなさい。なお，未払賃金勘定も使用している。

■資　料■

(1)　直接作業員の労務費は，予定平均賃率で計算する。

年間予定賃金総額	38,880,000 円
年間予定就業時間	64,800 時間

(2)　7月の直接作業員作業時間の内訳

直接作業時間	4,800 時間
間接作業時間	400 時間
手　待　時　間	100 時間
合　　計	5,300 時間

(3)　直接作業員出勤票の総括（7/1 より 7/31 まで）

7/1 より　7/20 まで	3,440 時間
7/21 より　7/31 まで	1,860 時間
合　　計	5,300 時間

(4)　給与計算票の総括（6/21 より 7/20 まで）

賃金総額		4,200,000 円（うち間接作業員分 900,000 円）
控 除 額		
所　得　税	300,000 円	
社会保険料	150,000 円	450,000 円
差引：現金支給額		3,750,000 円

(5)　6月末の未払賃金は 1,320,000 円（うち間接作業員分 240,000 円）である。

(6)　7月末の未払賃金のうち，直接作業員分は予定平均賃率で計算する。間接作業員分は 256,000 円である。

解答欄

①前月未払賃金の再振替仕訳：
（借）　　（貸）
②当月支給額の記帳：
（借）　　（貸）
③当月消費額の記帳：
（借）　　（貸）
④当月未払賃金の計上：
（借）　　（貸）
⑤賃率差異の計上：
（借）　　（貸）

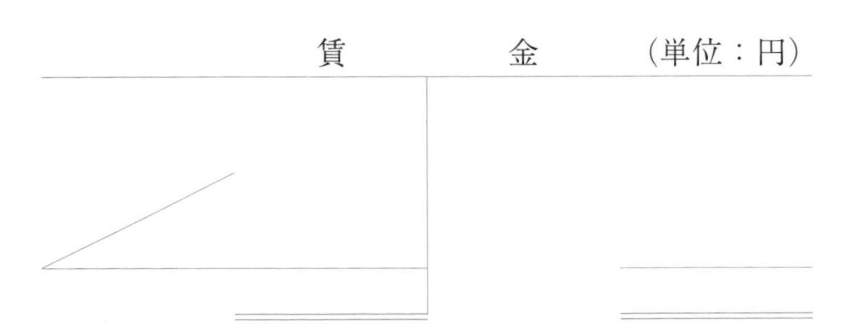

解答

①前月未払賃金の再振替仕訳：

（借）	未払賃金	1,320,000	（貸）	賃金	1,320,000

②当月支給額の記帳：

（借）	賃金	4,200,000	（貸）	現金	3,750,000
				所得税預り金	300,000
				社会保険料預り金	150,000

③当月消費額の記帳：

（借）	未成工事支出金	2,880,000	（貸）	賃金	4,096,000
	工事間接費	1,216,000			

④当月未払賃金の計上：

（借）	賃金	1,372,000	（貸）	未払賃金	1,372,000

⑤賃率差異の計上：

（借）	賃率差異	156,000	（貸）	賃金	156,000

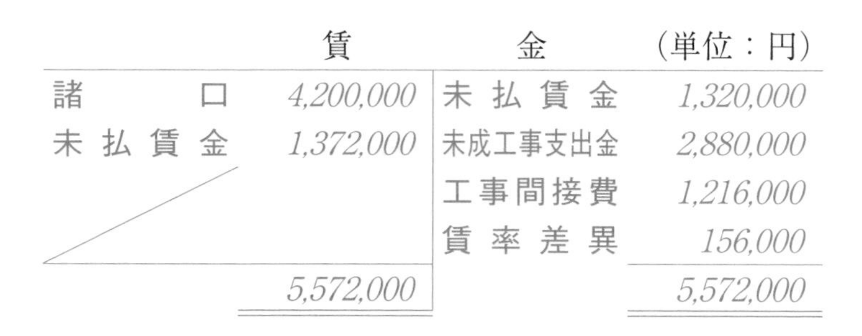

賃　金　(単位：円)

借方	金額	貸方	金額
諸口	4,200,000	未払賃金	1,320,000
未払賃金	1,372,000	未成工事支出金	2,880,000
		工事間接費	1,216,000
		賃率差異	156,000
	5,572,000		5,572,000

解説

1. 予定平均賃率：$\dfrac{38,880,000\text{円}}{64,800\text{時間}} = 600\text{円／時間}$

2. 勘定記入

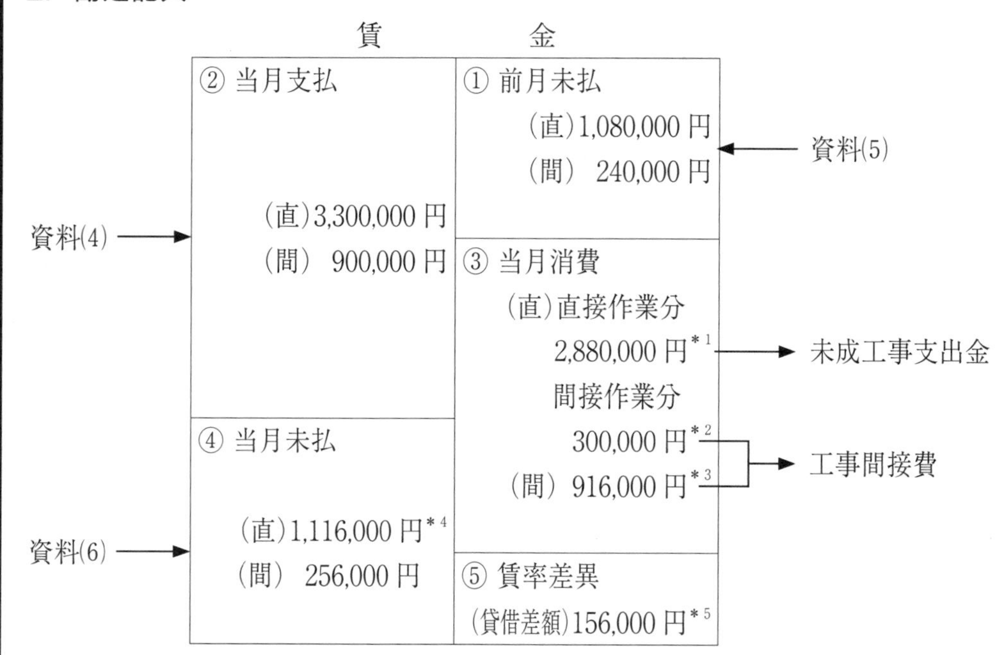

＊1　600円／時間×4,800時間＝2,880,000円

＊2　600円／時間×(400時間＋100時間)＝300,000円

＊3　間接作業員の要支払額：900,000円－240,000円＋256,000円＝916,000円

＊4　600円／時間×1,860時間＝1,116,000円

＊5　次のように求めることもできます(なお，間接作業員分から賃率差異は生じません)。

(2,880,000円＋300,000円)〔直接作業員・当月消費〕－(3,300,000円－1,080,000円＋1,116,000円)〔直接作業員・要支払額〕＝Δ156,000円〔(借方差異)〕

経費・外注費の計算

はじめに 工事には材料費や労務費以外にも，さまざまな費用が生じます。それらをひとくくりにして経費として処理するので，経費には，さまざまな性質を有するものが集まってきます。そこで，それを区分してその区分ごとに異なった計算手続がとられます。特に外注費は建設業会計において重要ですので，独立して明記する点に注意してください。

建設業における経費の考え方

建設業では**外注依存度**が高く，工事原価に占める**外注費**の割合が大きいため，外注費は経費とは切り離して，独立させています。したがって，建設業における経費は，材料費，労務費，外注費以外のすべての費用が該当します。

経費は，大部分が現場共通費，つまり工事間接費です。

なお，建設業では経費について次のように定義しています。

『完成工事について発生し，又は負担すべき材料費，労務費及び外注費以外の費用で，動力用水光熱費，機械等経費，設計費，労務管理費，租税公課，地代家賃，保険料，従業員給料手当，退職金，法定福利費，福利厚生費，事務用品費，通信交通費，交際費，補償費，雑費，出張所等経費配賦額等のもの』

経費の分類と計算方法

(1)分類 経費は材料費，労務費，外注費以外の費用であり，その内容は多種多様です。このような経費をいくつかの観点から分類すると次のようになります。

01)異なる原価要素となるものも，消費目的が同じため，それらをまとめて1つの費用とする場合があります。これを複合費といいます。（例：修繕材料費＋修繕工の給料＋外部修繕業者への支払額＝修繕費等）

02)この分類は費目設定のためではなく，計算に必要な区分です。

形態別分類[01]	機能別分類		測定方法による分類[02]
動力用水光熱費	直接経費	仮設経費	支払経費
減価償却費		機械等経費	
従業員給料手当		運搬費	月割経費
福利厚生費	間接経費	現場管理費	
通信交通費		…………	測定経費
賃借料			
…………		その他経費	発生経費

(2)計算方法 ● 測定方法によって分類された経費はそれぞれ計算方法が異なります。

支払経費 ◆ 実際の支払額または請求額をもって消費額とする経費。
【例】旅費交通費，通信費，保管料，雑費など

月割経費 ◆ 一定期間の発生額の月割額をもって消費額とする経費。
【例】減価償却費，賃借料，保険料，修繕費など

測定経費 ◆ メーターで消費量を測定することによって消費額を計算する経費。
【例】電力料，ガス代，水道料など

発生経費 ◆ 実際発生額をもって消費額とする経費。
【例】棚卸減耗費，仕損費など

建設業における外注費の考え方と計算方法

(1)考え方 ● **外注費**とは，工種の一部を他の会社に発注したさいの支払額です。したがって材料費，労務費，経費を混合したものです。ただし，工事の発注者が材料を提供することによるいわゆる労務外注費は，臨時雇用者に対する賃金と本質的に異ならないので，外注費から除き，労務費に含めて記載することができます。[03)]

なお，建設業では外注費について次のように定義しています。

「工種・工程別等の工事について，素材，半製品，製品等を作業とともに提供し，これを完成することを約する契約に基づく支払額。ただし，労務費に含めたものを除く」

03）この場合，完成工事原価報告書の労務費の下に労務外注費として内書きします（Chapter 5 section 2完成工事原価報告書参照）。
労務外注費の定義は次のようです。
「労務費のうち，工種別・工程別等の工事の完成を約する契約でその大部分が労務費であるものに基づく支払額」

(2)計算方法 ● ①出来高払い…支払いのつど，外注費(未成工事支出金)を計上

(借)外　　注　　費　×××(貸)現　金　預　金　×××

②工事代金の前払い

a）前渡時に前渡金（未成工事支出金で処理）を認識します。

(借)未成工事支出金　×××(貸)現　金　預　金　×××

なお，工事にかかる前渡金は，**「未成工事支出金」**に含めて表示をし，独立した科目としては表示しないので注意してください。

b)前渡金を工事の出来高に応じて外注費に振り替えます。

(借)外　　注　　費　×××(貸)未成工事支出金　×××

外注費は多額であり，①の方法では手続が煩雑となるので②のほうが多く用いられます。

Chapter 3

工事間接費の配賦

◆工事間接費?!　製造間接費と似ています。◆

Chapter 3 では工事間接費の配賦について学びます。これは通常の製造業における製造間接費の配賦と同じです。名称が異なることに気をつけましょう。

Section 1

重要度 ◈◈◈

工事間接費の実際配賦

はじめに 工事に関して発生する費用の中には，直接どの工事で発生したかを特定できないものがあります。しかし，そのような費用も工事に必要であることには違いないので，工事原価の中に含める必要があります。これらを工事間接費といいます。ここでは工事間接費の各工事への割振り方について学習します。

工事間接費とは

建設業において各工事に共通して発生する原価のことを工事間接費といいます[01]。

01）現場共通費ともいいます。

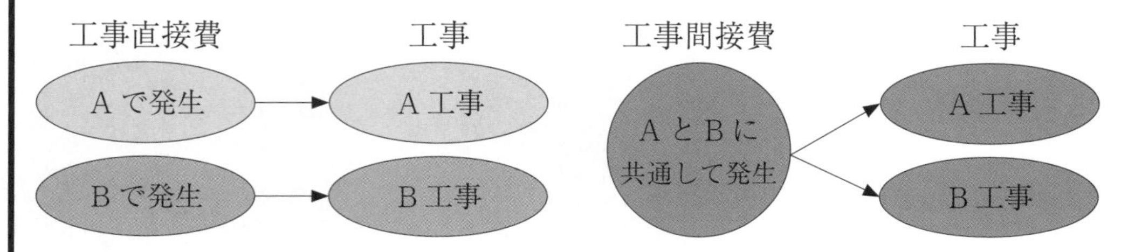

工事間接費の例としては次のようなものがあります。
①材料の取得原価に算入されなかった材料副費。
②複数の工事に共通して発生した技術担当者，現場管理者の給料手当。
③複数の工事に使用される設備や物品の損耗分。

適正な工事原価の算定のためには，これら工事間接費をどのように配賦するのかが重要な意味を持ちます。

工事間接費の処理

工事間接費の処理では，(1)工事間接費を集計したとき，(2)工事間接費を配賦したときの2つの点に注意してください。

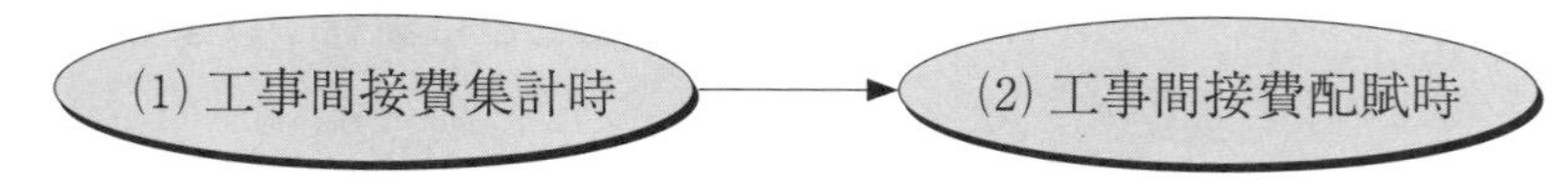

(1)集計時 各費目の勘定（材料勘定，賃金勘定など）の貸方から，工事間接費勘定（費用の勘定）の借方に工事間接費実際発生額を振り替えます。

(借)	工事間接費	1,000	(貸)	材料	500
				賃金	300
				経費	200

(2)配賦時

工事間接費を各工事に対して配賦します[02)]。たとえば，上記の工事間接費発生額1,000円を直接作業時間を配賦基準として，A工事（直接作業時間300時間）とB工事（直接作業時間200時間）に配賦するとしましょう。

02）各工事別原価を正しく集計するためです。

①**実際配賦率を求める。**

$$\frac{\text{実際配賦率}}{\text{2円／時間}} = \frac{\text{工事間接費実際発生額1,000円}}{\text{配賦基準（300時間＋200時間）}}$$

②**各工事への配賦額を決定する。**

A工事への配賦額　600円＝2円／時間×直接作業時間（A）300時間
B工事への配賦額　400円＝2円／時間×直接作業時間（B）200時間

工事間接費勘定貸方から未成工事支出金勘定（資産の勘定）借方へ振り替えます。

（借）未成工事支出金　1,000[03)]（貸）工事間接費　1,000

03）この金額はA工事とB工事への配賦額の合計です。

上記の方法を工事間接費の**実際配賦**といいます。

工事間接費の配賦基準

工事間接費を配賦する基準としては次の方法があります。
①**価額法**…直接材料費，直接労務費，素価（直接材料費＋直接労務費）を基準とする方法。
②**時間法**…直接作業時間，機械作業時間，車両運転時間を基準とする方法。
③**数量法**…材料や製品の個数，重量等を基準とする方法。
④**売価法**…完成工事高を基準とする方法。

ここで問題となるのは配賦基準として何を選ぶのかということです。実際には費目の特質や企業の置かれている状況等を考慮して，工事間接費の発生と因果関係のある適当な配賦基準を選択します。①～③は，生産過程の価値移転現象を重視する考え方（価値移転主義）にもとづいており，④は各生産物の工事間接費負担能力を重視する考え方（負担能力主義）です。原価計算は，本来的には価値移転主義によるべきですが，例外的に負担能力主義による処理が許される場合もあります。

Section 2　重要度 ◈◈◈◈◈

工事間接費の予定（正常）配賦

はじめに Section 1 では，工事間接費の実際発生額を各工事に跡づけする方法について学習しました。材料費計算や労務費計算に予定価格法や予定賃率法があるように，ここでも，あらかじめ工事間接費がどのくらい発生するかを見積もり，工事に跡づけする方法について学習します。

予定（正常）配賦の意義

予定配賦は，来年度（1年間）の工事間接費予算と基準操業度から配賦率を算定し，それにもとづく配賦を行う方法です。正常配賦は，予定配賦より長期となる，来年度以降2～3年にかけて共通する配賦率を算定し，配賦を行う方法です。

予定配賦を行った場合，実際配賦を行う場合と比べ，以下のような特質があります。

(1) 迅速性

予定配賦の場合は，あらかじめ予定配賦率を算定してあるので，期末を待たずに間接費を配賦することができ，実際配賦に比べて工事にさいしてかかった費用を迅速に計算することができます。

(2) 正常性

異常な要素を含まない配賦率を使用することにより，配賦の正常性を確保することができます。

予定配賦のフロー

01）配賦基準の数値を掛けるだけです。

工事間接費についても予定配賦率を用いることで簡単かつ迅速に計算できます[01]。予定配賦率を用いた工事間接費配賦のフローは次のようになります。

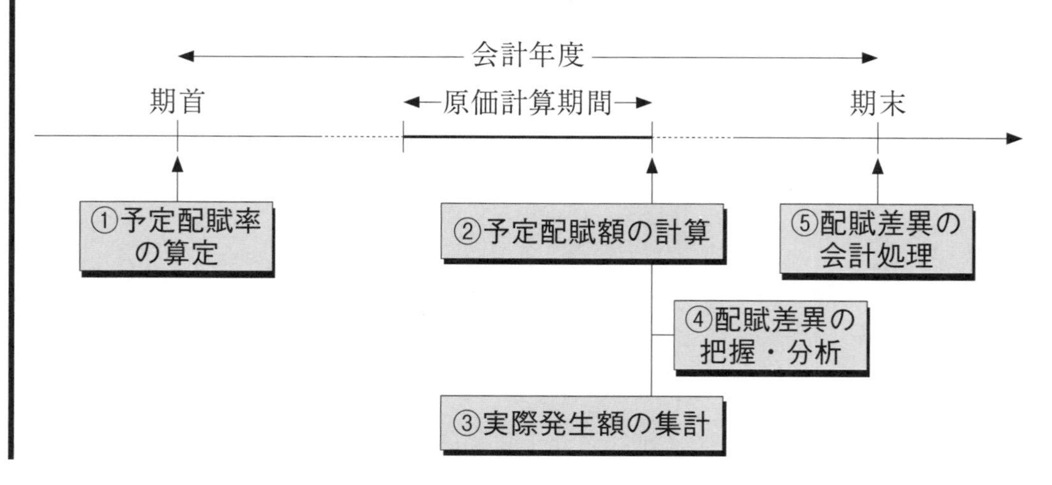

予定配賦率の算定

予定配賦率は会計年度(または原価計算期間)の始めに算定しておきます。

(例) $\dfrac{\text{工事間接費予算(発生予定額)150,000円}}{\text{基準操業度(予定直接作業時間)500時間}}$ = 予定配賦率 300円/時間

工事間接費予算

工事間接費予算は発生予定額であると同時に「いくら以内におさえるか」という目標値でもあります。

工事間接費予算には,(1)公式法変動予算と(2)固定予算があります。

(1)公式法変動予算

公式法変動予算では**変動工事間接費**と**固定工事間接費**のそれぞれについて予算を設定します。

①**変動工事間接費**…操業度に比例して増減する工事間接費です。
【例】直接工の間接作業賃金,補助材料費など

②**固定工事間接費**…操業度に関係なく一定額が発生する工事間接費です。
【例】減価償却費,賃借料など

〈参考〉
VR:変動費率
FR:固定費率
ER:配賦率
NH:基準操業度

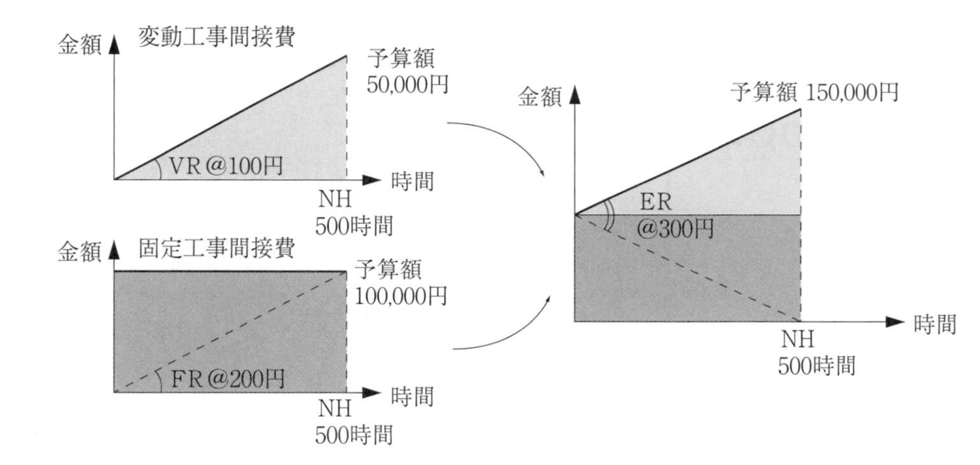

(2)固定予算

固定予算では変動費と固定費とを区別せずに総額で予算を設定します。
公式法変動予算では変動費率と固定費率を合計して配賦率とするのに対して,固定予算では予算総額を基準操業度で割って配賦率とします。

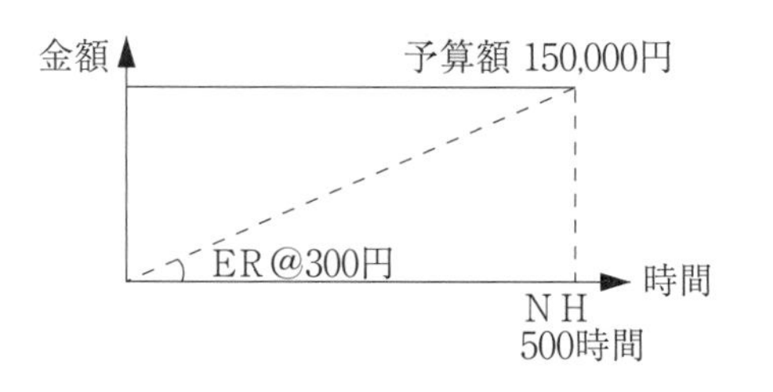

各工事への予定配賦

予定配賦率によって各工事へ工事間接費を予定配賦します。次の例を用いて見ていきましょう。

■取　引■

1．工事間接費の予定配賦率 300 円／時間
2．直接作業時間を基準として工事間接費を予定配賦する。当月の直接作業時間は 480 時間（A工事が 200 時間，B工事が 180 時間，C工事が 100 時間）であった。
3．当月の工事間接費実際発生額は 160,000 円であった。

この取引では各工事への予定配賦額は次のとおりです。

工事原価計算表

	A工事	B工事	C工事	合計
工事間接費	60,000 円	54,000 円	30,000 円	144,000 円

300 円／時間　└× 200 時間　└× 180 時間　└× 100 時間

①予定配賦額と②実際発生額は次の処理を行います。

①予定配賦	（借）未成工事支出金	144,000	（貸）工事間接費	144,000
②実際発生額集計	（借）工事間接費	160,000	（貸）諸口	160,000

配賦差異の処理

予定配賦額と実際発生額が異なるため，工事間接費勘定に貸借差額が生じます。

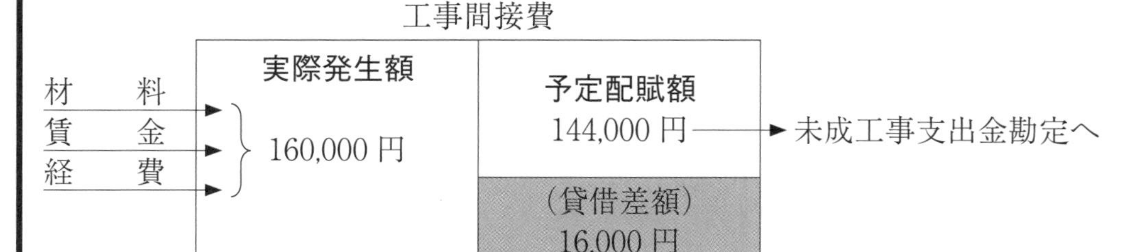

貸方に発生した 16,000 円の差額を工事間接費配賦差異といいます[02]。

02)「予定」から「実際」を引いて「＋」であれば貸方（有利）差異,「△」であれば借方（不利）差異となります。

差異の計上	（借）工事間接費配賦差異	16,000	（貸）工事間接費	16,000

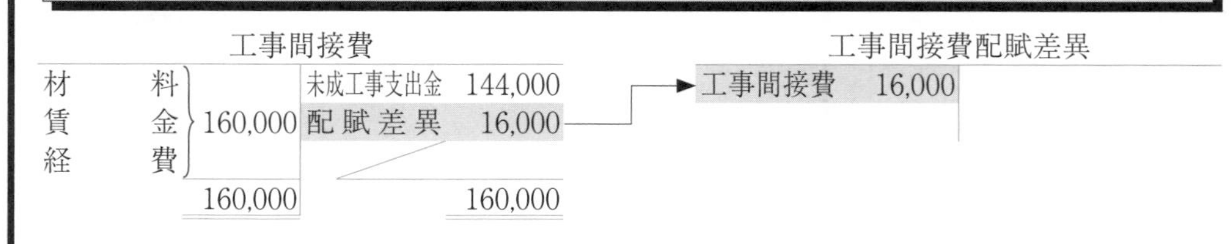

会計年度末の処理

年度末における工事間接費配賦差異は原則として**完成工事原価に加減**します。

配賦差異の分析

原価管理に役立てるために，配賦差異の発生原因を分析します[03]。配賦差異は，予算差異と操業度差異に分けることができます。

03）ここでは公式法変動予算を前提とします。

(1) 予算差異

予算許容額より費用が多くかかった（少なくて済んだ）ことによる工事間接費の超過額（節約額）です。補助材料，消耗品や電力などの浪費（節約）によって発生します。

(2) 操業度差異

当初予定しただけの操業を行わなかった（それ以上の操業を行った）ことによる工事間接費の配賦不足（超過）を示しています。需要減少（増加）による受注の不足（超過）や機械の故障による生産停止などが原因で発生します。

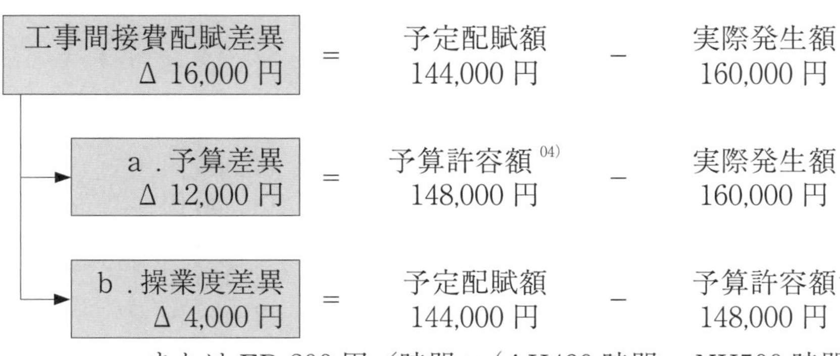

または FR 200 円／時間 ×（AH480 時間 − NH500 時間）

04）実際操業度 480 時間において発生が予定されている金額。VR100 円／時間 × AH 480 時間 + FC 100,000 円

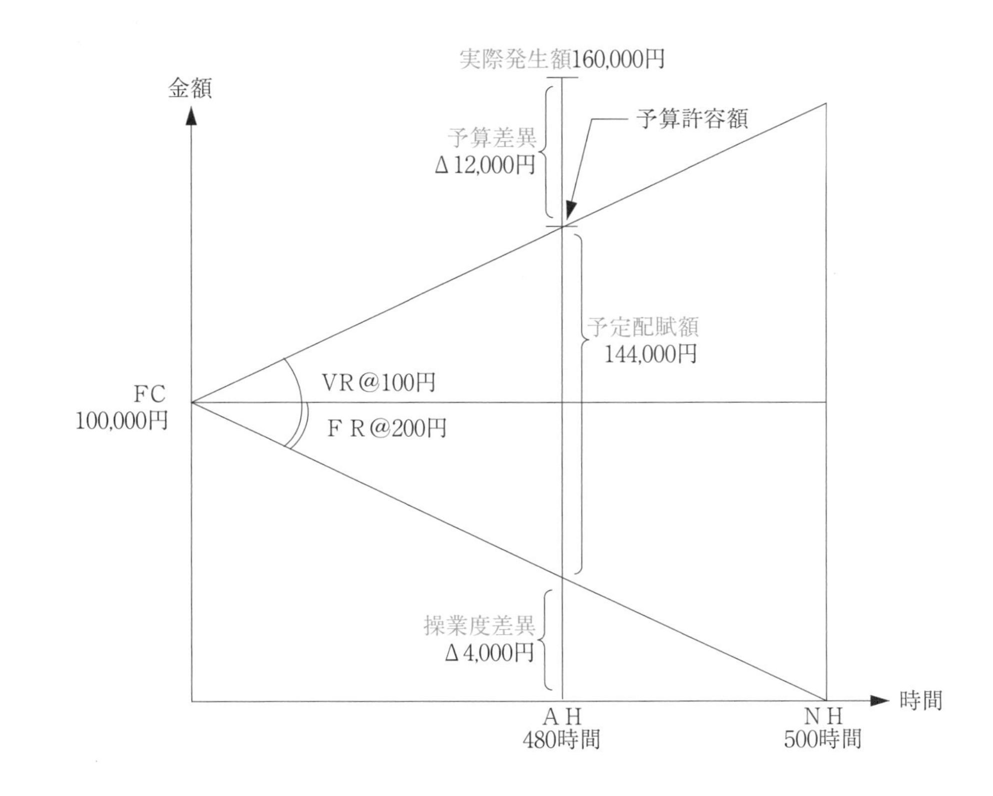

〈参考〉
VR：変動費率
FR：固定費率
FC：固定費予算額（月間）
AH：実際作業時間
NH：基準操業度（月間）
なお，基準操業度とは工事間接費予算を設定したときの活動量をいい，次の種類があげられます。
①次期予定操業度
原価計算期間で現実に予想される操業度
②長期正常操業度
数年間の平均化された操業度
③実現可能最大操業度
会社の設備等の能力を最大限に発揮したときに期待される操業度

予算差異と操業度差異では，とるべき対策が違ってきます。予算差異については，工事管理者に対して浪費を防ぐよう注意するべきでしょう。操業度差異については，営業部門の努力を促して，多くの工事を受注し，操業度を引き上げるべきです。こうした努力が実を結べば，やがて工事原価にムダがなくなっていくことが期待できます。

try it

例題　工事間接費の予定（正常）配賦

次の資料により，(1)予定（正常）配賦率および(2)各工事への予定（正常）配賦額を求め，(3)工事間接費関係の諸勘定（現場共通費勘定，予算差異勘定，操業度差異勘定）に記入しなさい。

■資　料■

1．工事間接費予算（年間）

費　目	固　定　費	変　動　費
間接材料費	50,000円	50円／時間
間接労務費	100,000円	75円／時間
減価償却費	250,000円	－
動　力　費	50,000円	25円／時間
保　険　料	150,000円	－
	600,000円	150円／時間

2．基準操業度（年間）　3,000時間

3．当月の実際操業度

No.1工事	No.2工事	合　計
120時間	80時間	200時間

4．当月の工事間接費実際発生額　81,000円

解答欄

(1)予定（正常）配賦率：　　　円／時間

(2)予定（正常）配賦額：No.1工事への配賦額　　　円

No.2工事への配賦額　　　円

(3)工事間接費関係諸勘定

現場共通費

実際発生額	(　　)	No.1工事への配賦額	(　　)
		No.2工事への配賦額	(　　)
		配賦差異	(　　)
	(　　)		(　　)

予算差異

(　　)	

操業度差異

(　　)	

解答

(1)予定(正常)配賦率: 350 円／時間

(2)予定(正常)配賦額: No.1 工事への配賦額 42,000 円

No.2 工事への配賦額 28,000 円

(3)工事間接費関係諸勘定

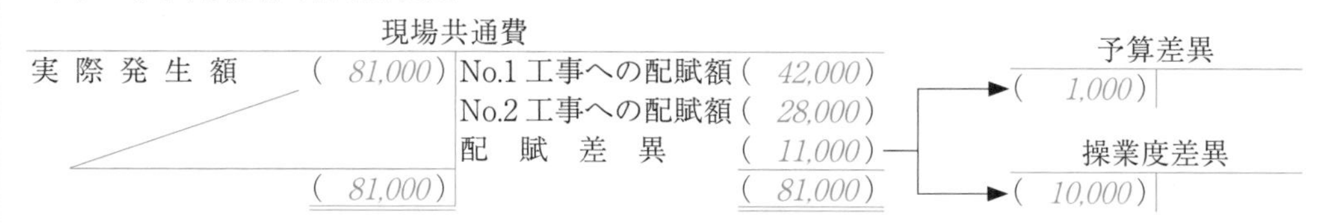

解説

(1) 予定(正常)配賦率：150 円／時間 + $\frac{600,000\text{円}}{3,000\text{時間}}$ = 350 円／時間

(2) 予定(正常)配賦額：No.1 工事への配賦額 350 円／時間×120 時間 = 42,000 円

No.2 工事への配賦額 350 円／時間× 80 時間 = 28,000 円

合計 70,000 円

(3) 総差異：70,000 円 − 81,000 円 = Δ 11,000 円（不利差異）

差異分析

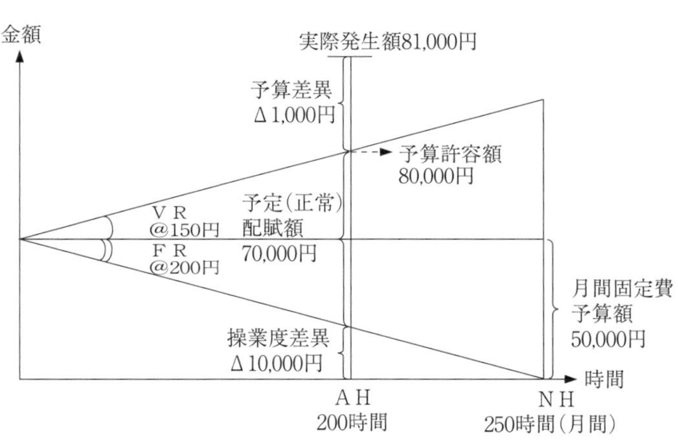

予算許容額：150 円／時間× 200 時間 + $\frac{600,000\text{円}}{12\text{カ月}}$ = 80,000 円

予算差異：80,000 円 − 81,000 円 = Δ 1,000 円(不利差異)

操業度差異：70,000 円 − 80,000 円 = Δ 10,000 円(不利差異)

または 200 円／時間×(200 時間 − 250 時間)

= Δ 10,000 円（不利差異）

参　考　固定予算による差異分析

■設　例■

1．工事間接費予算額　600,000 円
2．基準操業度　2,000 時間
3．実際操業度　1,600 時間
4．工事間接費実際発生額 564,000 円

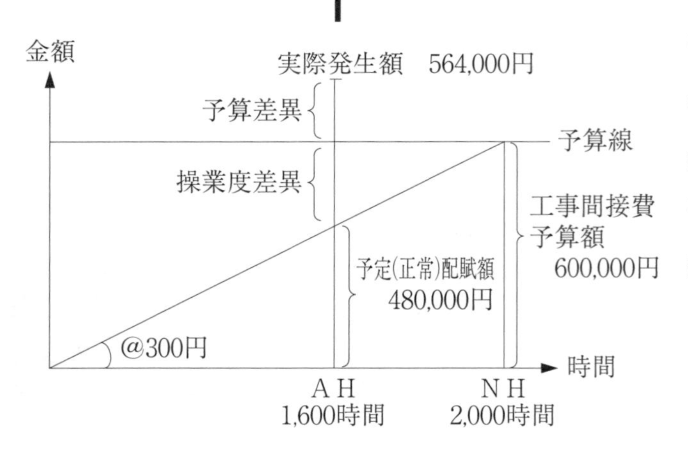

予定(正常)配賦率：$\dfrac{600,000\text{ 円}}{2,000\text{ 時間}}$ = 300 円／時間

予定(正常)配賦額：300 円／時間× 1,600 時間 = 480,000 円

総　差　異:480,000 円 − 564,000 円 = Δ 84,000 円(不利差異)

予 算 差 異:600,000 円 − 564,000 円 = 36,000 円(有利差異)

操業度差異:480,000 円 − 600,000 円 = Δ 120,000 円(不利差異)

または,

300円／時間×(1,600時間 − 2,000時間) = Δ 120,000円(不利差異)

Chapter 4

より正確な工事間接費の配賦計算

◆工事間接費をより正確に配賦するためには？◆

Chapter 4 ではより正確な工事間接費の配賦計算について学びます。

通常の製造業と同様，伝統的な部門別配賦計算と活動基準原価計算がありますが，どちらも計算自体は難しくありません。

それぞれの“配賦の基準”に着目してみていきましょう。

Section 1　重要度 ◈◈◈◈

工事間接費の部門別配賦

はじめに 正確な工事原価を算定するには，工事間接費は発生額と関連の深い基準を選んで配賦するのがよいとされています。
しかし実際にどういった基準が工事間接費と関連するかは作業の内容や方法によって異なります。手作業が中心であれば間接労務費の工事間接費総額に占める割合が高くなるので，直接作業時間が関連します。また機械化が進んでいれば，機械の減価償却費や機械を動かすための電力料などが大部分を占めるので，機械作業時間が適切な配賦基準となるでしょう。
ただし，それぞれの現場では作業の内容や方法は多様です。ある現場では，機械を使って材料を切削し，人手で組み立てているとしたら，この現場では直接作業時間で配賦すべきでしょうか，それとも機械作業時間がよいのでしょうか。

部門別計算の意義

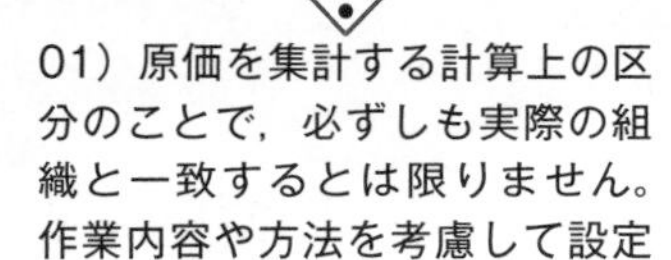

01）原価を集計する計算上の区分のことで，必ずしも実際の組織と一致するとは限りません。作業内容や方法を考慮して設定します。

02）部門別配賦では部門ごとに配賦率を算定します。これを部門別配賦率といいます。

03）総括配賦では全体で１つの配賦率を算定します。これを総括配賦率といいます。

現場で多様な作業が行われているために，工事間接費の全体をまとめて配賦する適当な基準がない場合があります。このような場合には，無理に１つの基準を使うのではなく，いくつかの**原価部門**[01]に分けて，原価部門ごとに配賦します。これを**部門別配賦**[02]といいます。また，全体の工事間接費をまとめて配賦する方法を**総括配賦**（そうかつ）[03]といいます。

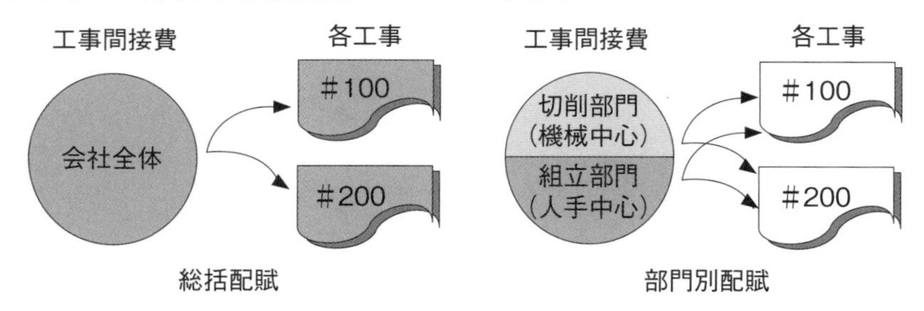

部門別配賦によれば，製造の実態を反映した正確な配賦計算ができます。切削部門で機械を使い，組立部門で人手で作業するのであれば，前者は機械作業時間で，後者は直接作業時間で配賦するのが合理的でしょう。そのためには，原価部門を設定し，工事間接費を部門別に分けることが必要です。

原価部門は**施工部門**と**補助部門**に分けられます。

(1)施工部門 ● 直接工事の施工を担当する部門のことです。コンクリート工事部門，設備工事部門，防水工事部門などがこれにあたります。

(2)補助部門 ● 工事の施工には直接には携わらず，施工部門を補助したり，現場における管理をする部門のことです。

(ａ)補助サービス部門(サービスを提供する部門)

【例】仮設部門，機械部門，車両部門など

(ｂ)現場管理部門(各工事現場の管理活動を行う部門)

【例】材料管理部門，労働管理部門など

部門別計算の流れ

施工部門(Ａ，Ｂ)と補助部門(甲，乙)に分けた場合，工事間接費は次のような流れを経て各工事に実際配賦されます。

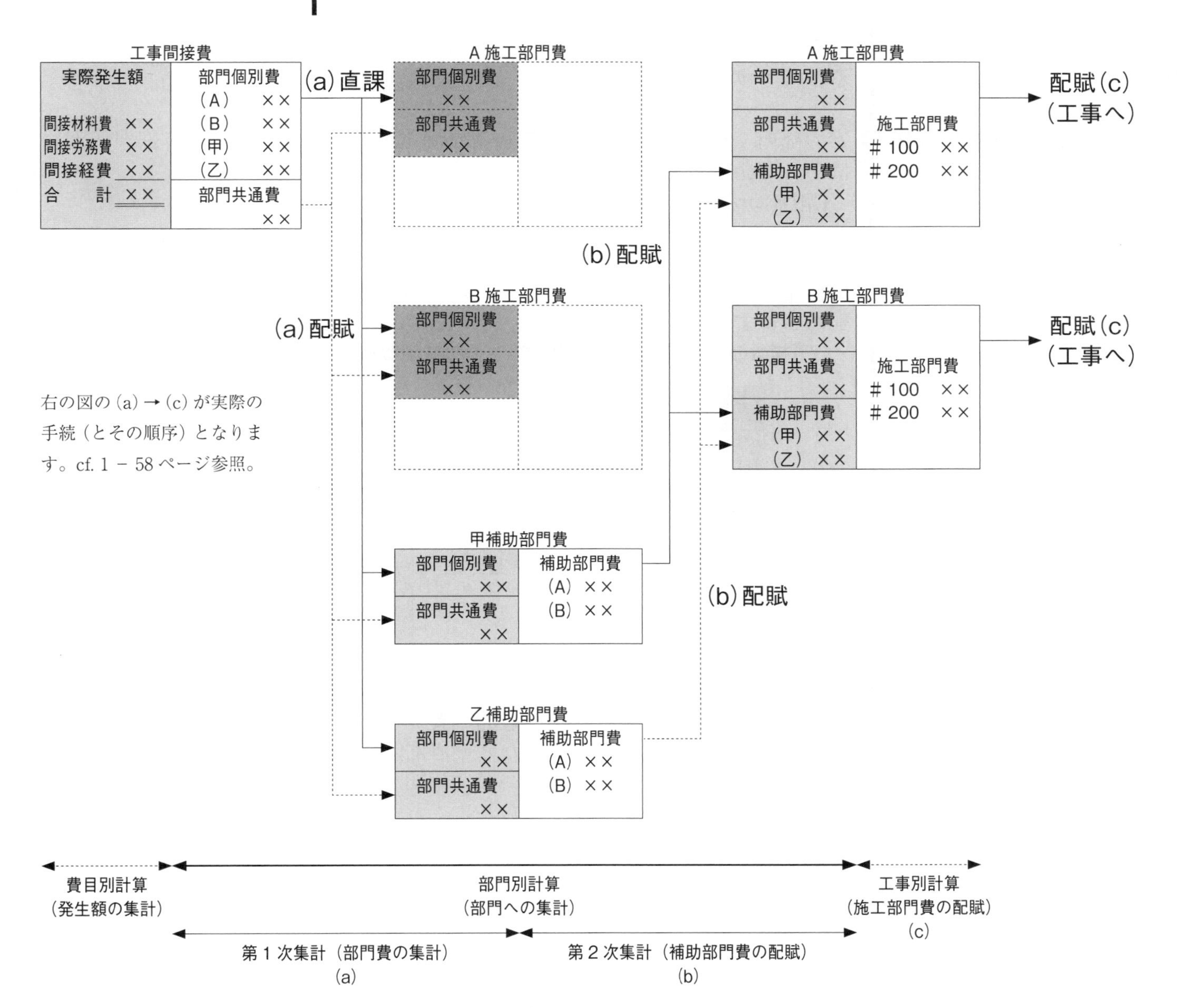

右の図の(a)→(c)が実際の手続(とその順序)となります。cf. 1－58ページ参照。

第１次集計 ● 部門費の集計

工事原価の費目別計算により把握した工事間接費を部門ごとに集計します。部門ごとに集計した工事間接費を**部門費**といいます。

第２次集計 ● 補助部門費の配賦

部門費のうち，補助部門に集計された額は施工部門に再び配賦されます。したがって，工事間接費はすべて施工部門に集計されます。

部門費の第１次集計

第１次集計とは，発生した工事間接費がどの部門で発生したかを直接把握できるか否かにより部門個別費と部門共通費に分け，部門ごとに分類集計する手続です。

(1)部門個別費 ● どの部門で発生したかを**特定できる**原価をいいます。そのため，部門個別費はそれが発生した部門に直課します。

【例】補助材料費，各部門の職長の給料など

(2)部門共通費 ● 複数の部門に共通して発生しており，どの部門で発生したかを**特定できない**原価をいいます。そのため，部門共通費は適切な配賦基準によって各部門に配賦します。

【例】複数の部門が共通して使用する建物の減価償却費，固定資産税，火災保険料など

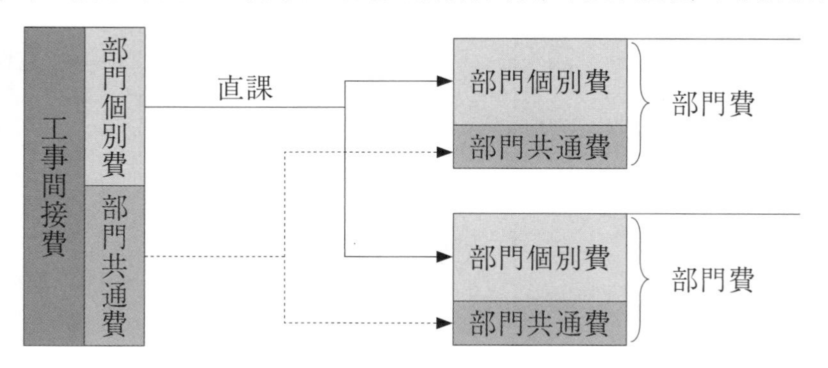

■ 部門共通費の配賦基準となる一般的な条件

①配賦すべき関係部門に**共通**した基準であること。

②配賦すべき費目と配賦基準との間に**相関関係**があること。

③配賦基準の資料が**たやすく**得られること。

部門共通費	配賦基準の例
建物減価償却費……	各部門の占有面積
不動産賃借料……	各部門の占有面積
建物保険料……	各部門の占有面積
建物固定資産税……	各部門の占有面積
建物修繕費……	各部門の占有面積
機械保険料……	各部門の機械帳簿価額
動力費……	各部門の機械馬力数または各部門の見積消費量
電灯料（照明用）……	各部門の電灯ワット数
材料保管費……	各部門への出庫額
試験研究費……	各部門の直接作業時間
従業員募集費……	各部門の従業員数または直接作業時間
福利費……	各部門の従業員数

try it 例題 第１次集計

次の資料によって，部門費の集計を行いなさい。

■資　料■

1．部門個別費

甲施工部門	乙施工部門	X 補助部門	Y 補助部門	Z 補助部門
600,000 円	400,000 円	200,000 円	100,000 円	120,000 円

2．部門共通費

福利費………　200,000 円
建物減価償却費………　340,000 円
動力費………　200,000 円

3．部門共通費の配賦基準

	甲施工部門	乙施工部門	X 補助部門	Y 補助部門	Z 補助部門
従業員数	30 人	20 人	10 人	20 人	20 人
占有面積	60 ㎡	50 ㎡	20 ㎡	10 ㎡	30 ㎡
動力消費量	80kwh	60kwh	30kwh	10kwh	20kwh

解　答　欄

部門費配賦表（一部）　（単位：円）

摘要	配賦基準	合計	施工部門		補助部門		
			甲	乙	X	Y	Z
部門個別費		1,420,000	600,000	400,000	200,000	100,000	120,000
部門共通費							
福利費	従業員数						
減価償却費	占有面積						
動力費	動力消費量						
部門費合計							

解　答

部門費配賦表（一部）　　　　　　　（単位：円）

摘要	配賦基準	合計	施工部門		補助部門		
			甲	乙	X	Y	Z
部門個別費		1,420,000	600,000	400,000	200,000	100,000	120,000
部門共通費							
福利費	従業員数	200,000	① 60,000	40,000	20,000	40,000	40,000
減価償却費	占有面積	340,000	② 120,000	100,000	40,000	20,000	60,000
動力費	動力消費量	200,000	③ 80,000	60,000	30,000	10,000	20,000
部門費合計		2,160,000	860,000	600,000	290,000	170,000	240,000

解　説

部門個別費……部門ごとの発生額が明らかであるため，その発生部門へ直課します。
部門共通費……部門ごとの発生額が明らかではないため，適当な基準によって関係部門へ配賦します。

【計算過程】

①福利費

$$\frac{200,000\text{円}}{100\text{人}^{04)}} \times 30\text{人} = 60,000\text{円}$$

②建物減価償却費

$$\frac{340,000\text{円}}{170\text{m}^2\ ^{05)}} \times 60\text{m}^2 = 120,000\text{円}$$

③動力費

$$\frac{200,000\text{円}}{200\text{kwh}^{06)}} \times 80\text{kwh} = 80,000\text{円}$$

04) 従業員数の合計。

05) 各部門の占有面積の合計。

06) 動力消費量の合計。

部門費の第２次集計

(1)補助部門費の施工部門への配賦

補助部門に集計された部門費は，その補助部門のサービスの提供先である関係部門に対して配賦されます。補助部門の用役提供先は，施工部門だけでなく他の補助部門であることもありますが，最終的にはすべて施工部門に集計されます。これを**補助部門費の施工部門への配賦**，または部門費の**第２次集計**といいます。

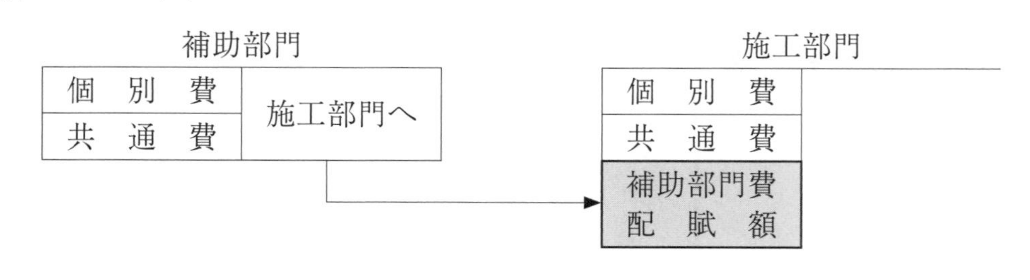

(2)補助部門間相互の用役の授受について

補助部門が複数ある場合には，補助部門間相互の用役の授受の処理が問題となります。これには次の処理方法があります(①～③)。

①直接配賦法

補助部門間相互の用役の授受を無視し，補助部門費を施工部門に対してのみ配賦する方法です。

現実の状況

甲補助部
A施工部
ア.[07)]
イ.[07)]
乙補助部
B施工部

計算上の扱い

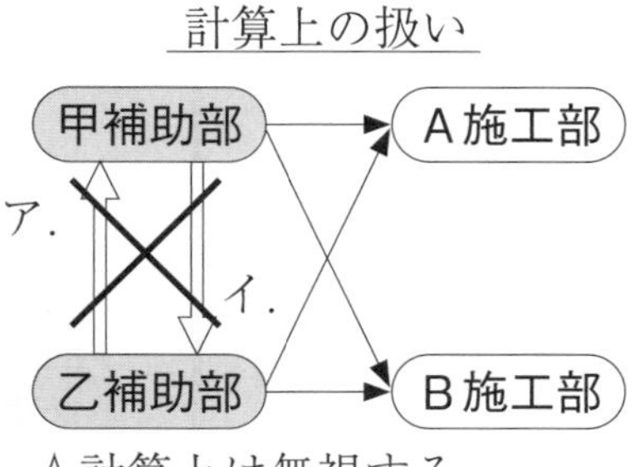

☆計算上は無視する。

②相互配賦法

補助部門相互の用役の授受を考慮し，補助部門費を他の補助部門にも配賦する方法です。

現実の状況

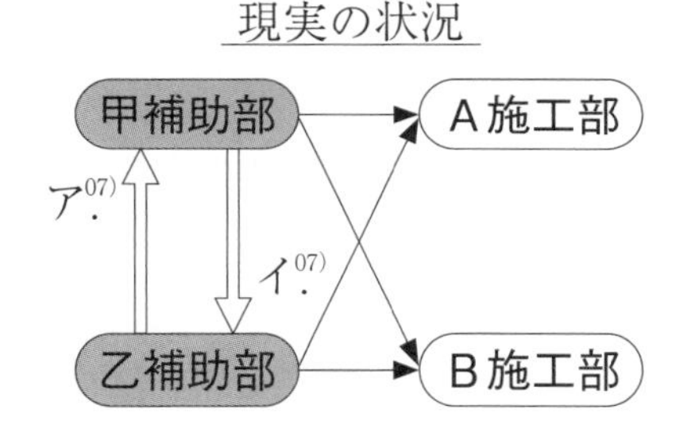

計算上の扱い

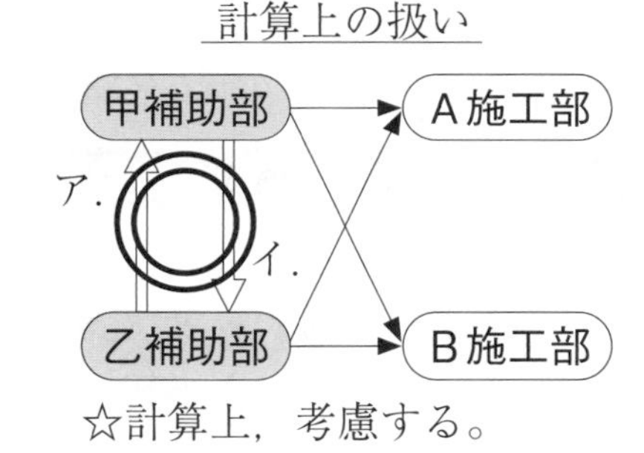

☆計算上，考慮する。

相互配賦法は，さらに次の方法に分けられます。ここでは，簡便法と連立方程式法について取り上げます。

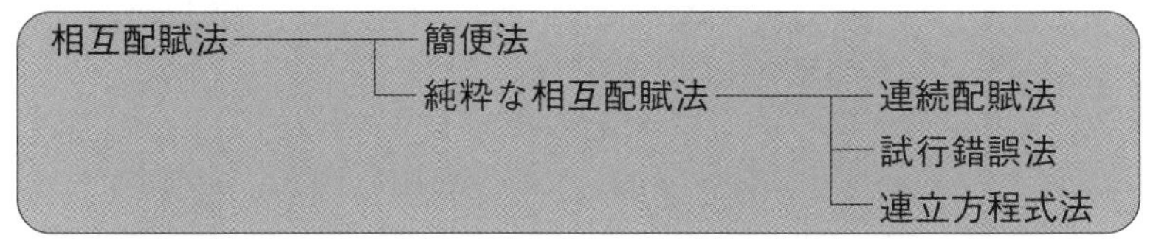

a．簡便法

直接配賦法を一部加味した方法です。

第１次配賦では補助部門間相互の配賦を行い（純粋な相互配賦），**第２次配賦**では補助部門間相互の配賦を無視して配賦（直接配賦）する方法です。

b．連立方程式法

用役の授受に従って，各補助部門間相互に配賦しあった補助部門費を**連立方程式**によって算出し，配賦する方法です。（計算については try it 参照）

③階梯式配賦法

補助部門間相互の用役の授受をある程度考慮し，段階的に配賦する方法をいいます。

07) ア.現場管理サービスの提供など
イ.車両サービスの提供など

現実の状況

甲補助部 → A施工部
甲補助部 → B施工部
乙補助部 → A施工部
乙補助部 → B施工部
ア.[07]（乙補助部 → 甲補助部）
イ.[07]（甲補助部 → 乙補助部）

計算上の扱い

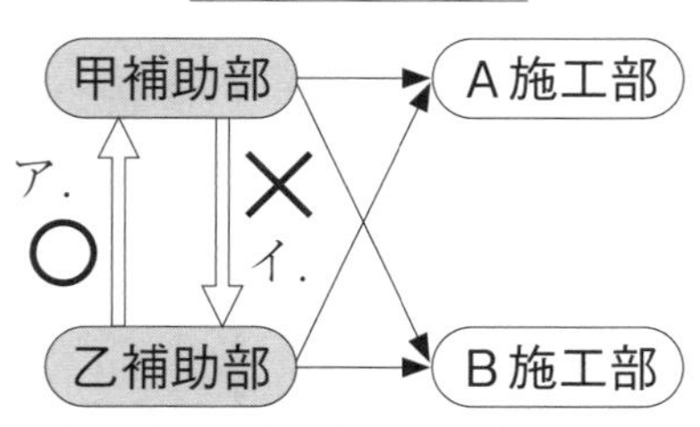

☆一部は無視し，一部認める。

この方法では，補助部門に順位づけをして次のように処理します[08]。

> 08）上（高順位）から下（低順位）へは原価を配賦します。下から上へは原価を配賦しません。

高順位の補助部門から**低順位**の補助部門への用役提供	⇒**配賦**
低順位の補助部門から**高順位**の補助部門への用役提供	⇒**無視**

〈補助部門の順位づけ〉

第１の判断基準　他の補助部門への用役提供数の多い部門ほど高順位とします。

↓ 同数の場合

第２の判断基準　補助部門の第１次集計費（個別費＋共通費）の多い部門を高順位とします。
つまり高順位の補助部門から順に部門費配賦表の**右から左**へと記入します。

try it　例題　補助部門費の配賦（階梯式配賦法）

次の資料により，階梯式配賦法によって補助部門費の配賦を行い，部門費配賦表を完成しなさい。

■資　料■

1．部門費（単位：円）

施工部門		補助部門		
甲部門	乙部門	A部門	B部門	C部門
65,000	48,000	30,360	27,000	54,000

2．補助部門の用役提供割合

	施工部門		補助部門		
	甲部門	乙部門	A部門	B部門	C部門
A部門	50%	30%	—	20%	—
B部門	40%	30%	20%	—	10%
C部門	40%	40%	10%	10%	—

解　答　欄

部門費配賦表　（単位：円）

摘　要	合　計	施工部門		補助部門		
		甲部門	乙部門			
部門費	224,360	65,000	48,000			
計						

解　答

09) 54,000円×40%＝21,600円

10)（27,000円＋5,400円）$\times\dfrac{40\%}{40\%+30\%+20\%}$ ＝14,400円

11)（30,360円＋5,400円＋7,200円）$\times\dfrac{50\%}{50\%+30\%}$ ＝26,850円

部門費配賦表　（単位：円）

摘　要	合　計	施工部門		補助部門		
		甲部門	乙部門	A部門	B部門	C部門
部門費	224,360	65,000	48,000	30,360	27,000	54,000
C部門		09) 21,600	21,600	5,400	5,400	54,000
B部門		10) 14,400	10,800	7,200	32,400	
A部門		11) 26,850	16,110	42,960		
計	224,360	127,850	96,510			

解　説

[補助部門の順位づけ]

(1) 他の補助部門への用役提供数

A部門→B部門　：1件（第3位）

B部門→A部門，C部門：2件 ｝同数

C部門→A部門，B部門：2件 ｝同数

(2) 同数の部門の部門費（第1次集計額）の大小

B部門…27,000円→第2位

C部門…54,000円→第1位

〈注〉補助部門の施工部門化

補助部門が提供しようとする用役や物品生産が大規模化し，外部にも販売されるようになった場合，補助部門を施工部門として取り扱うことがあります。この場合には，第2次集計は省略され，補助部門費を各工事に配賦します。

（例）仮設部門，機械部門，車両部門等

try it　例題　連立方程式法

以下の資料を参照して相互配賦法（連立方程式法）による部門費配賦表を作成しなさい。

■資　料■

1．部門費

	A施工部門	B施工部門	甲補助部門	乙補助部門
変動費	7,500円	14,500円	3,000円	4,000円
固定費	350,000円	458,000円	67,000円	96,000円
計	357,500円	472,500円	70,000円	100,000円

2．補助部門用役提供割合

	A施工部門	B施工部門	甲補助部門	乙補助部門
甲補助部門	60%	20%	−	20%
乙補助部門	20%	60%	20%	−

解　答　欄

費　　　目	摘　　要	施工部門		補助部門	
		A	B	甲	乙
部　門　費					
甲補助部門費					
乙補助部門費					
製造部門費					

解　答

費　　　目	摘　　要	施工部門		補助部門	
		A	B	甲	乙
部　門　費	1,000,000	357,500	472,500	70,000	100,000
甲補助部門費		56,250	18,750	△ 93,750	18,750
乙補助部門費		23,750	71,250	23,750	△ 118,750
製造部門費	1,000,000	437,500	562,500	―――	―――

解　説

他部門からの配賦額を含めた甲補助部門費：ｘとする
他部門からの配賦額を含めた乙補助部門費：ｙとする

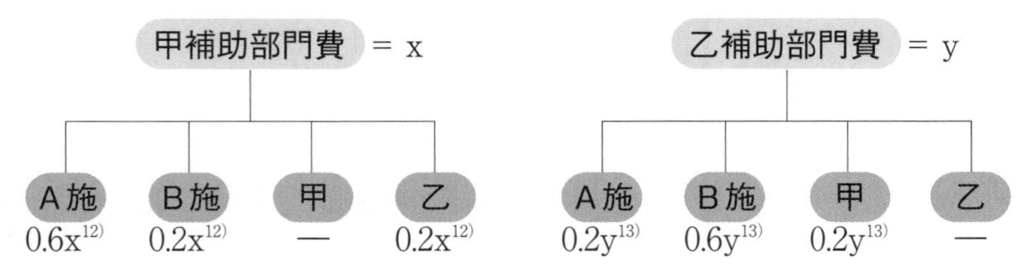

12）0.6，0.2，0.2は資料２の用役提供割合のことです。
13）0.2，0.6，0.2は資料２の用役提供割合のことです。

甲補助部門費は，Ａ施工部門・Ｂ施工部門・乙補助部門に配賦します。
乙補助部門費は，Ａ施工部門・Ｂ施工部門・甲補助部門に配賦します。
ここで，補助部門費は，すべて施工部門費に割り振らなくてはいけません。
そして，配賦するときに用いる補助部門費は他の補助部門費から配賦される分を加えたものになります。
そのため，次の式が成立します。

$x = 70{,}000\text{円} + 0.2y$ [14]
$y = 0.2x + 100{,}000\text{円}$ [15]

この連立方程式を解くと，$\begin{cases} x = 93{,}750 \\ y = 118{,}750 \end{cases}$

14）部門別に集計された70,000円のほか，乙補助部門費（ｙ）の20%を加えた金額がｘに等しい，という式です。
15）部門別に集計された100,000円のほか，甲補助部門費（ｘ）の20%を加えた金額がｙに等しい，という式です。

甲補助部門費
- 0.6 × 93,750円 = 56,250円（Ａ施工部門）
- 0.2 × 93,750円 = 18,750円（Ｂ施工部門）
- 0.2 × 93,750円 = 18,750円（乙補助部門）

乙補助部門費
- 0.2 × 118,750円 = 23,750円（Ａ施工部門）
- 0.6 × 118,750円 = 71,250円（Ｂ施工部門）
- 0.2 × 118,750円 = 23,750円（甲補助部門）

(3)配賦方法の分類

補助部門費の配賦方法として，どの方法を採用するかにより，配賦額が異なります。

単一基準配賦法と複数基準配賦法

補助部門費の施工部門への配賦は，変動費と固定費を区別し，別個の基準による配賦をするかどうかで次の２つに大別されます。

単一基準配賦法とは，変動費・固定費の区別なく関係部門の**用役消費量**の割合で配賦する方法をいいます。

複数基準配賦法とは，変動費・固定費を区別し，**変動費**は**用役消費量**の割合で，**固定費**は**用役消費能力**の割合で配賦する方法をいいます。

	発生形態		配賦基準
変動費→	用役提供量（操業度）にともなって比例的に増減する原価	→	用役消費量の割合で配賦（単一基準配賦法と同じ）
固定費→	補助部門の用役提供能力を維持するために固定的に発生する原価	→	用役消費能力の割合で配賦

try it **例題** **単一＆複数基準配賦法・実際額配賦**

当工場ではA，B２つの施工部門と電力部門を有している。下記の資料をもとに問いに答えなさい。

■資　料■

1．電力部門用役消費能力および消費量

	A施工部門	B施工部門	合　計
用役消費能力	12,000kwh	8,000kwh	20,000kwh
実際用役消費量	8,500kwh	6,500kwh	15,000kwh

2．電力部門費の実際発生額

120,000円（うち固定費90,000円）

(問１)　単一基準配賦法・実際配賦によって電力部門費配賦額を求めなさい。
(問２)　複数基準配賦法・実際配賦によって電力部門費配賦額を求めなさい。

解　答

(問１)　A施工部門への電力部門費配賦額　*68,000* 円
　　　　B施工部門への電力部門費配賦額　*52,000* 円

(問２)　A施工部門への電力部門費配賦額　*71,000* 円
　　　　B施工部門への電力部門費配賦額　*49,000* 円

解　説

（問１）変動費・固定費の区別なく関係部門の実際用役消費量の割合で配賦します。

$$120{,}000円 \times \frac{8{,}500kwh}{15{,}000kwh} = 68{,}000円 \rightarrow A施工部門へ$$

$$120{,}000円 \times \frac{6{,}500kwh}{15{,}000kwh} = 52{,}000円 \rightarrow B施工部門へ$$

（問２）変動費・固定費を区別し，変動費は実際用役消費量の割合で，固定費は用役消費能力の割合で配賦します。

変動費：$(120{,}000円 - 90{,}000円) \times \frac{8{,}500kwh}{15{,}000kwh} = 17{,}000円 \rightarrow A施工部門へ$

〃　：$(120{,}000円 - 90{,}000円) \times \frac{6{,}500kwh}{15{,}000kwh} = 13{,}000円 \rightarrow B施工部門へ$

固定費：$90{,}000円 \times \frac{12{,}000kwh}{20{,}000kwh} = 54{,}000円 \rightarrow A施工部門へ$

〃　：$90{,}000円 \times \frac{8{,}000kwh}{20{,}000kwh} = 36{,}000円 \rightarrow B施工部門へ$

電力部門費配賦額

A施工部門：17,000円＋54,000円＝71,000円

B施工部門：13,000円＋36,000円＝49,000円

※電力部変動費の内訳は，発電機用の燃料費であり，電力部固定費の内訳は発電機の減価償却費，固定資産税，火災保険料等であるとします。電力部変動費は，施工部門がどれだけ電力を消費したか，言い換えれば，実際用役消費量に比例して発生します。
これに対して，電力部固定費は実際電力消費量に関係なく，発電機を何機保有しているか，言い換えれば，施工部門の用役消費能力に関係して発生します。
したがって，複数基準配賦法は，変動費と固定費の発生の実態をそれぞれ反映しているといえ，合理的な計算結果が得られます。

部門費の各工事への配賦

第１次集計，第２次集計を通じて，各施工部門に分類集計された工事間接費を各工事に集計します。

try it 例題 部門別計算―まとめ①

当工場ではA，B２つの施工部門と電力部門を有している。下記の資料をもとにA施行部門・B施行部門・甲補助部門・未成工事支出金の各勘定の記入を示しなさい。

■資　料■

1．当工場の原価部門は２つの施工部門（A施工部門とB施工部門）と１つの補助部門（甲補助部門）から構成されている。

2．補助部門費は，複数基準配賦法により施工部門へ配賦する。

	A施工部門	B施工部門	合　計
用役提供能力	12,000kwh	8,000kwh	20,000kwh
実際用役提供量	9,000kwh	7,000kwh	16,000kwh

3．当月の実際データ

	A施工部門	B施工部門	甲補助部門	
部門個別費	150,000 円	110,000 円	110,000 円	(うち固定費 80,000 円)
実際操業度	700MH [16]	360DLH [16]		
部門共通費	100,000 円（5：4：1で配賦する）			

（注）部門共通費の配賦額は各部門の固定費として処理する。

16) MH…Machine Hour（機械時間）
DLH…Direct Labor Hour
（直接作業時間）
それぞれ頭文字をとったものです。

解答欄

A施工部門

借方		貸方	
工事間接費	(　　　)	未成工事支出金	(　　　)
甲補助部門	(　　　)		
	(　　　)		(　　　)

甲補助部門

借方		貸方	
工事間接費	(　　　)	A施工部門	(　　　)
		B施工部門	(　　　)
	(　　　)		(　　　)

B施工部門

借方		貸方	
工事間接費	(　　　)	未成工事支出金	(　　　)
甲補助部門	(　　　)		
	(　　　)		(　　　)

未成工事支出金

借方		貸方	
A施工部門	(　　　)		
B施工部門	(　　　)		

解　答

A施工部門

借方		貸方	
工事間接費	(200,000)	未成工事支出金	(270,875)
甲補助部門	(70,875)		
	(270,875)		(270,875)

甲補助部門

借方		貸方	
工事間接費	(120,000)	A施工部門	(70,875)
		B施工部門	(49,125)
	(120,000)		(120,000)

B施工部門

借方		貸方	
工事間接費	(150,000)	未成工事支出金	(199,125)
甲補助部門	(49,125)		
	(199,125)		(199,125)

未成工事支出金

借方		貸方	
A施工部門	(270,875)		
B施工部門	(199,125)		

解　説

本問は，次のような流れにもとづいて勘定記入を行います。

補助部門 →(実際配賦)→ 施工部門 →(実際配賦)→ 未成工事支出金

1．部門別実際発生額の算定

甲補助部門費については，複数基準配賦法により配賦します。

実際工事間接費部門別配賦表　（単位：円）

費　目	施工部門		補助部門
	A施工部門	B施工部門	甲補助部門
部門個別費	150,000	110,000	110,000
部門共通費	50,000	40,000	10,000
部門費合計	200,000	150,000	120,000
甲補助部門費*			
変　動　費	16,875	13,125	
固　定　費	54,000	36,000	
施工部門費	270,875	199,125	

＊甲補助部門費の配賦

変動費→実際用役提供量により実際配賦

$(120,000円 - 90,000円) \times \frac{9,000kwh}{16,000kwh} = 16,875円$ →A施工部門

$(120,000円 - 90,000円) \times \frac{7,000kwh}{16,000kwh} = 13,125円$ →B施工部門

固定費→用役提供能力により実際配賦

$90,000円 \times \frac{12,000kwh}{20,000kwh} = 54,000円$→A施工部門

$90,000円 \times \frac{8,000kwh}{20,000kwh} = 36,000円$→B施工部門

部門費の予定配賦

(1)意義 工事間接費の配賦方法は次のように分類できます。

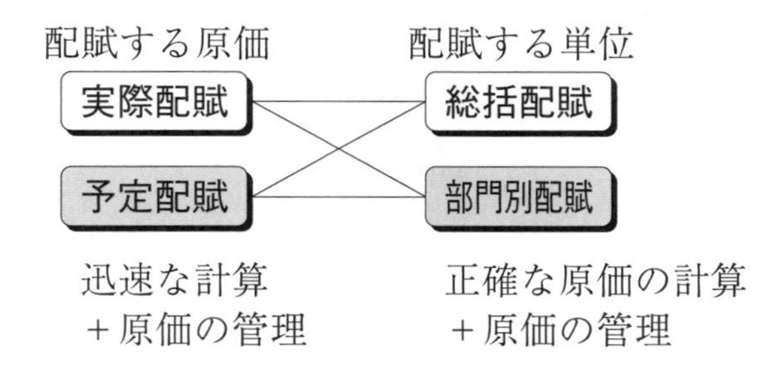

予定配賦の利点（**迅速**な計算）と部門別配賦の利点（**正確**な原価の計算）をあわせもつ方法として，部門別予定配賦があります。

部門別配賦は**原価管理**にも役立ちます。原価を部門別に集計することで，その部門の管理者の責任を明らかにすることができるからです。

(2)手続 部門費の予定配賦の手続は次のとおりです。

(a)予定(正常)配賦率の算定 …部門別予定配賦率＝$\dfrac{\text{施工部門費予算(施工部門費の予定発生額)}}{\text{基準操業度(予定直接作業時間など)}}$

(b)予定(正常)配賦 …予定配賦率×配賦基準(実際操業度)

(c)実際発生額の集計
- ・第1次集計
- ・第2次集計

(d)配賦差異の把握・分析
- ・予算差異
- ・操業度差異

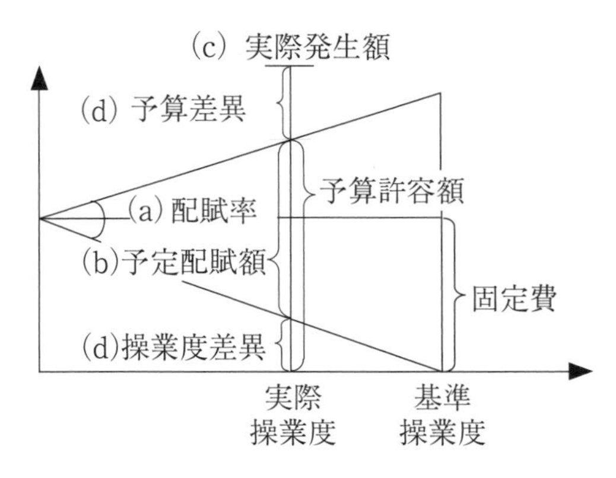

部門費予定配賦の勘定連絡図

施工部門（A，B）と補助部門（甲，乙）に分けた場合，工事間接費は次のような流れを経て各工事に予定配賦されます。

右の図の（a）→（d）が実際の手続（とその順序）となります。cf. 1 − 45ページ参照。

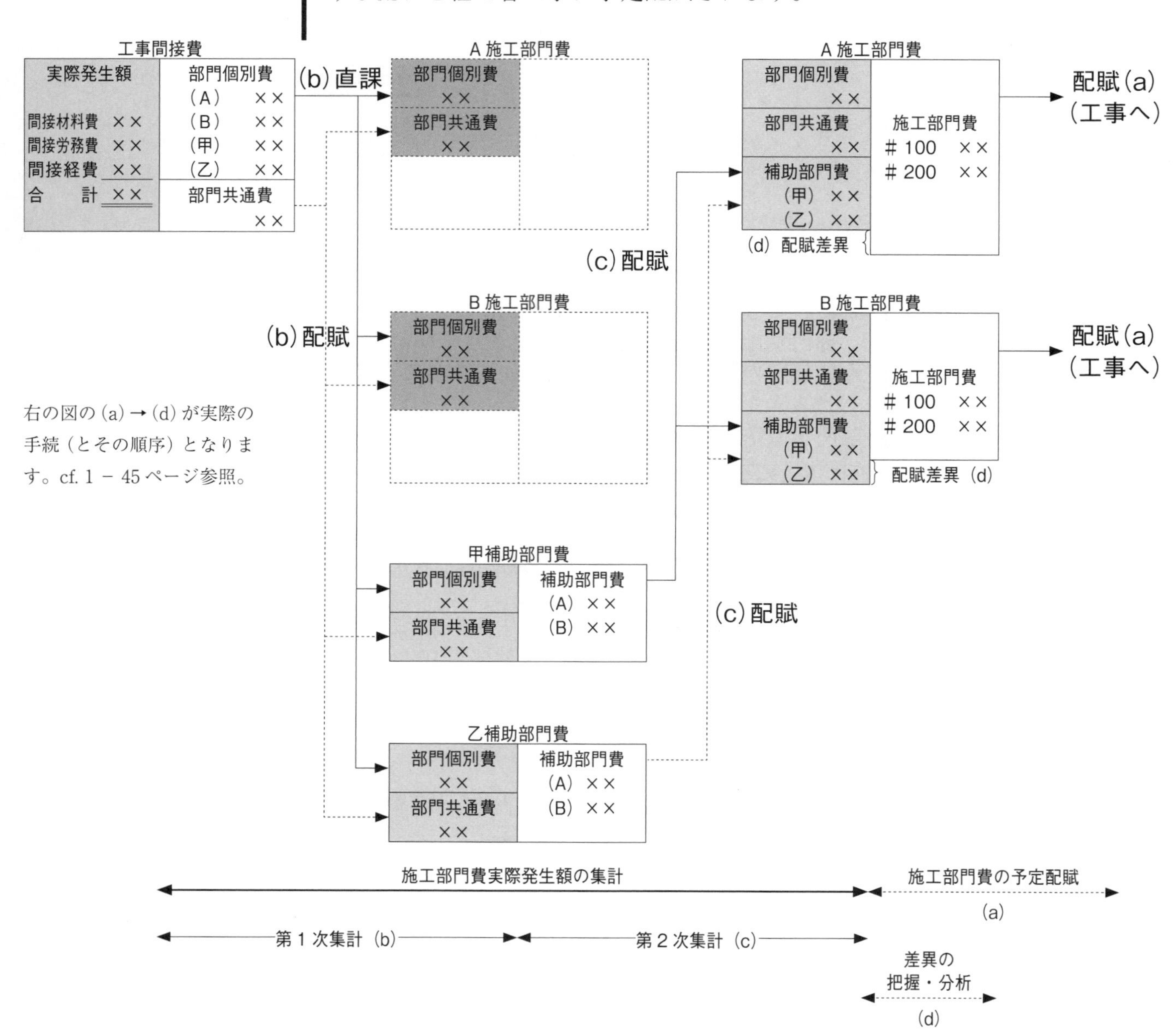

try it 例題 部門別計算―まとめ②

Q 当工場ではAとBの2つの施工部門と甲補助部門を有している。次の資料にもとづいて工事間接費に関する勘定記入を行いなさい。

■資　料■

1．当工場の原価部門は2つの施工部門（A施工部門とB施工部門）と1つの補助部門（甲補助部門）から構成されている。

2．各原価部門の基準操業度（月間）およびそのときの部門個別費予算額は次のとおりである。

	合　計	A施工部門	B施工部門	甲補助部門
部門個別費				
変動費	211,400円	96,150円	62,250円	53,000円
固定費	199,200円	82,750円	42,450円	74,000円
合　計	410,600円	178,900円	104,700円	127,000円
基準操業度		750機械時間（MH）[17]	400直接作業時間（DLH）[17]	

（注）上記の甲補助部門変動費は資料4．の用役提供能力20,000kwhにもとづく予算である。

3．部門共通費予算額（月間）は100,000円であり，5：4：1の割合でA施工部門とB施工部門と甲補助部門に配賦する。なお，部門共通費はすべて固定費である。

4．補助部門費実際発生額は，複数基準配賦法（変動費，固定費の実際額を区別して配賦する）により施工部門へ配賦する。

	A施工部門	B施工部門	合　計
用役提供能力	12,000kwh	8,000kwh	20,000kwh
実際用役提供量	9,000kwh	7,000kwh	16,000kwh

予定用役提供量は用役提供能力に等しいとする。

5．当月の実際データ

	A施工部門	B施工部門	甲補助部門
部門個別費	150,000円	110,000円	116,400円
実際操業度	700MH	360DLH	（うち，固定費74,000円）
部門共通費	100,000円（5：4：1で配賦する）		

（注）部門共通費については予算の配賦をしたときと同様に固定費としなさい。

6．補助部門から各施工部門へは実際配賦，各施工部門から各工事へは予定配賦を行っている。

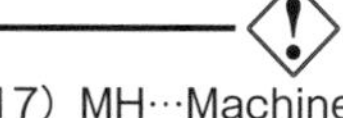

17）MH…Machine Hour
DLH…Direct Labor Hour
それぞれ頭文字をとったものです。

解答欄

A施工部門

工事間接費 (　　)	未成工事支出金 (　　)
甲補助部門 (　　)	
配賦差異 (　　)	
(　　)	(　　)

甲補助部門

工事間接費 (　　)	A施工部門 (　　)
	B施工部門 (　　)
(　　)	(　　)

B施工部門

工事間接費 (　　)	未成工事支出金 (　　)
甲補助部門 (　　)	配賦差異 (　　)
(　　)	(　　)

未成工事支出金

A施工部門 (　　)	
B施工部門 (　　)	

解答

A施工部門

工事間接費 (200,000)	未成工事支出金 (290,360)
甲補助部門 (74,250)	
配賦差異 (16,110)	
(290,360)	(290,360)

甲補助部門

工事間接費 (126,400)	A施工部門 (74,250)
	B施工部門 (52,150)
(126,400)	(126,400)

B施工部門

工事間接費 (150,000)	未成工事支出金 (179,550)
甲補助部門 (52,150)	配賦差異 (22,600)
(202,150)	(202,150)

未成工事支出金

A施工部門 (290,360)	
B施工部門 (179,550)	

解説

本問は次のような流れにもとづいて勘定記入を行います。

補助部門 →(実際配賦)→ 施工部門 →(実際配賦)→ 未成工事支出金

1．部門別予定配賦率の算定

資料2，3，4から，部門別予定配賦率を算定します。甲補助部門費の配賦は複数基準配賦法によるので，変動費と固定費を区別して配賦します。

部門費配賦表（予算額）　　(単位：円)

費目	施工部門				補助部門	
	A施工部門		B施工部門		甲補助部門	
	変動費	固定費	変動費	固定費	変動費	固定費
部門個別費	96,150	82,750	62,250	42,450	53,000	74,000
部門共通費	—	50,000	—	40,000	—	10,000
甲補助部門費*1	31,800	50,400	21,200	33,600	53,000	84,000
合計	127,950	183,150	83,450	116,050		
基準操業度	750MH		400DLH			
配賦率	@ 170.6	@ 244.2	@ 208.625	@ 290.125		
	@ 414.8		@ 498.75			

←資料2より（部門個別費）
←資料3より（部門共通費）

＊１　甲補助部門費の配賦

変動費→予定用役提供量により予定配賦

$\frac{53,000\text{円}}{20,000\text{kwh}} = 2.65\text{円}/\text{kwh}$

2.65円／kwh×12,000kwh＝31,800円→Ａ施工部門
2.65円／kwh× 8,000kwh＝21,200円→Ｂ施工部門

固定費→用役提供能力により予定配賦

$84,000\text{円} \times \frac{12,000\text{kwh}}{20,000\text{kwh}} = 50,400\text{円}$→Ａ施工部門

$84,000\text{円} \times \frac{8,000\text{kwh}}{20,000\text{kwh}} = 33,600\text{円}$→Ｂ施工部門

２．予定配賦額の計算

Ａ施工部門　414.8 円／ MH × 700MH ＝ 290,360 円
Ｂ施工部門　498.75 円／ DLH × 360DLH ＝ 179,550 円

３．部門別実際発生額の算定

甲補助部門費については，変動費，固定費の実際額を複数基準配賦法により配賦します。

部門別配賦表（実際額）　（単位：円）

費　目	施工部門		補助部門
	Ａ施工部門	Ｂ施工部門	甲補助部門
部門個別費	150,000	110,000	116,400
部門共通費	50,000	40,000	10,000
部門費合計	200,000	150,000	126,400
甲補助部門費＊2			
変　動　費	23,850	18,550	
固　定　費	50,400	33,600	
施工部門費	274,250	202,150	

＊２　甲補助部門費の配賦

変動費→実際用役提供量により実際配賦

$(126,400\text{円} - 84,000\text{円}) \times \frac{9,000\text{kwh}}{16,000\text{kwh}} = 23,850\text{円}$→Ａ施工部門

$(126,400\text{円} - 84,000\text{円}) \times \frac{7,000\text{kwh}}{16,000\text{kwh}} = 18,550\text{円}$→Ｂ施工部門

固定費→用役提供能力により実際配賦

$84,000\text{円} \times \frac{12,000\text{kwh}}{20,000\text{kwh}} = 50,400\text{円}$→Ａ施工部門

$84,000\text{円} \times \frac{8,000\text{kwh}}{20,000\text{kwh}} = 33,600\text{円}$→Ｂ施工部門

部門費の配賦方法には実際配賦と予定配賦があります。

施工部門と補助部門（補助サービス部門と現場管理部門）の配賦パターンは以下のとおりです。

施工部門[18]	補助サービス部門	現場管理部門[19]
実際配賦	実際配賦	実際配賦
予定配賦	予定配賦	予定配賦

18）建設業では，純粋な施工部門を設けることは少ないですが，準施工部門に相当する補助部門（仮設部門，機械部門，車両部門など）を施工部門として扱うことがあります。

19）現場管理部門費は各工事に直接配賦されることもあります。

速解法 ■連立方程式

I 問題文をチェックする

次の資料によって工事間接費部門別配賦表を完成させなさい。

	施工部門		補助部門		
	A施工部門	B施工部門	甲補助部門	乙補助部門	丙補助部門
部門費	11,900	9,800	5,600	2,100	5,600
補助部門費配賦割合（%）					
甲補助部門	50	30		20	
乙補助部門	50	40	10		
丙補助部門	30	30	30	10	

補助部門費の配賦は純粋の相互配賦法（連立方程式法）による。

I　連立方程式法の場合，補助部門の部門個別費および補助部門費配賦割合のデータを使用します。

II 資料を加工する

	施工部門		補助部門		
	A施工部門	B施工部門	甲補助部門	乙補助部門	丙補助部門
部門費	11,900	9,800	5,600	2,100	5,600
補助部門費配賦割合（%）			+	+	+
甲補助部門	50x	30x	—	20x	—
乙補助部門	50y	40y	10y	—	—
丙補助部門	30z	30z	30z	10z	—
			‖	‖	‖
			x	y	z

II　①　最終的な補助部門費をx，y，zとします。

甲補助部門費	乙補助部門費	丙補助部門費
↓	↓	↓
x	y	z

②　補助部門費配賦割合の表の横各列にx，y，zをそれぞれ書き込みます。

—	20x	—
10y	—	—
30z	10z	—

③　補助部門費配賦割合の表の縦各列に＋を書き込みます。

III 連立方程式をたてる

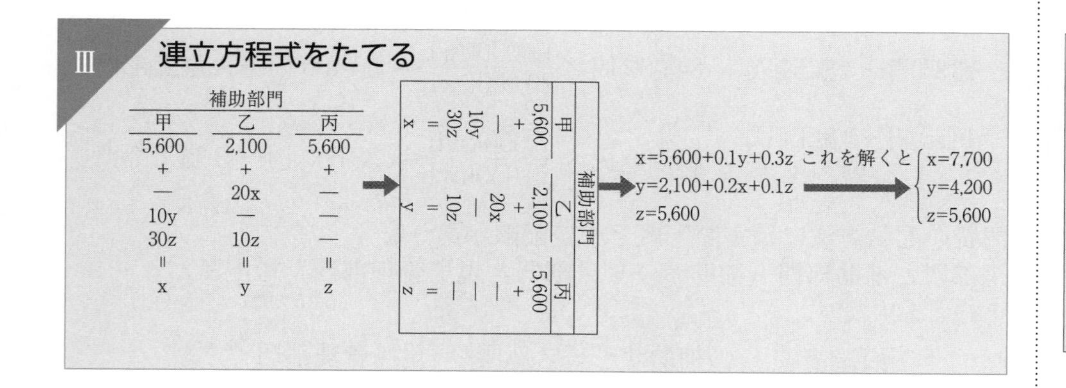

III　x, y, zを書き込んだ補助部門費の資料を$\frac{1}{4}$回転させ，そのまま式に直します。連立方程式の解が，そのまま補助部門費の金額となります。

Ⅳ 部門別配賦表の作成―（1）

部門別配賦表

費　　目	合　計	施工部門		補助部門		
		A	B	甲	乙	丙
部　門　費	35,000	11,900	9,800	5,600	2,100	5,600
甲補助部門費	x ＝（7,700）					
乙補助部門費	y ＝（4,200）					
丙補助部門費	z ＝（5,600）					
施行部門費						

Ⅳ　部門別配賦表の作成
まずⅠのデータの部門費を，書き込みます。
次にⅢで求めた補助部門費額を合計欄に記入します。

Ⅴ 部門別配賦表の作成―（2）

部門別配賦表

費　　目	合　計	施工部門		補助部門		
		A	B	甲	乙	丙
部　門　費	35,000	11,900	9,800	5,600	2,100	5,600
甲補助部門費		3,850 *)	2,310	△ 7,700	1,540	—
乙補助部門費		2,100	1,680	420	△ 4,200	—
丙補助部門費		1,680	1,680	1,680	560	△ 5,600
施行部門費	35,000	19,530	15,470	—	—	—

Ⅴ　補助部門費を施行部門へ配賦し，施行部門費を計算します。
＊)7,700×50%=3,850

Section 2

重要度◈◈

活動基準原価計算

はじめに 現代のメーカーは，嗜好の多様化に応じて多品種少量生産へと移行しつつあります。それを支えているのはコンピュータ化の進んだ工場（の自動化）で，今日では加工作業の多くは機械によって行われるようになりました（データをインプットするだけで，多様な作業が可能になったのです）。他方で，加工以外のさまざまな活動が増えています。これらの結果，工場で発生する原価の中身が変化して，製造間接費が増加する傾向にあります。
こうした中で，いかにして製造間接費を正確に配賦するか，また，効果的に管理していくかが問題とされるようになりました。活動基準原価計算はそのための方法の１つです。
建設業においても，このような活動基準原価計算が注目を集めています。

活動基準原価計算とは

(1)意義 活動基準原価計算（Activity Based Costing；以下 ABC と略す）とは，工事の施工にかかわるさまざまな活動に焦点をあて，当該活動をもって原価と工事を結び付ける計算方法です。

(2)ABC の特徴 ABC の最大の特徴は，さまざまな活動に対してそれぞれ原価を集計することにより，工事の原価をより正確に計算することにあり，戦略的かつ有用な原価計算を行うことが可能となります。
　以下において，伝統的な工事間接費の配賦計算との比較を示します。

ABC

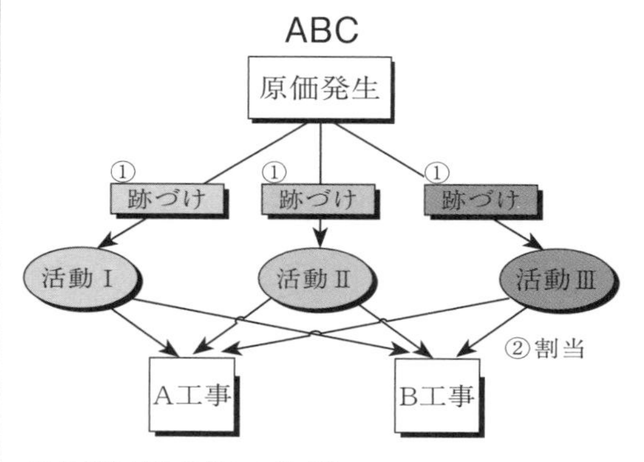

①活動別原価の集計
　一定の活動によって発生した原価を，その活動に跡づけます[01]。
②工事別原価の集計
　活動の利用に応じて，集計された原価を工事に割り当てます[02]。

伝統的な工事間接費の配賦計算

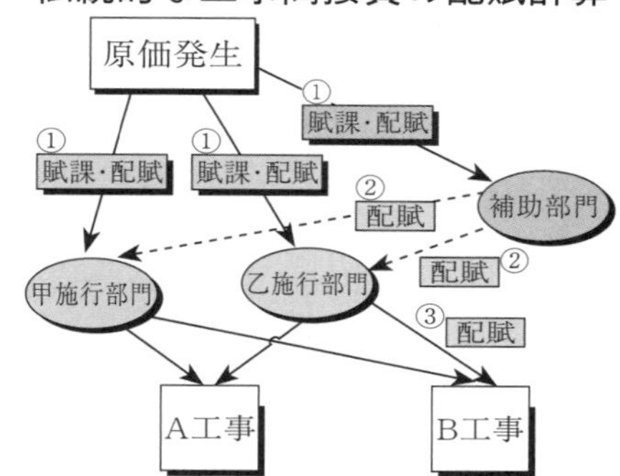

①原価を，部門個別費と部門共通費とに分け，部門別個別費の賦課および部門共通費の配賦を行います。
②補助部門費を施工部門に配賦します。
③施行部門を適当な操業度（直接作業時間，機械作業時間など）を基準として工事に配賦します。

01）跡づけとは？

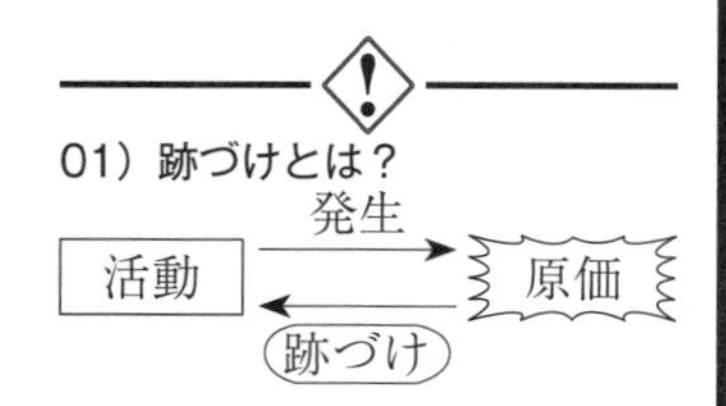

02）配賦と割当
　計算手続としては，配賦と割当はまったく同じです。
工事間接費の伝統的な処理において「配賦」という表現を用いているので，これと区別するために ABC では「割当」という表現を用います。

try it

例題　ABCの計算手続

ＷＢＴ工業(株)では，Ａ工事，Ｂ工事を施工している。以下の資料によって，各工事の原価を(１)伝統的な工事間接費の配賦計算によった場合(直接作業時間を配賦基準とする)と(２)ABCによった場合とに分けて算定しなさい。

■資　料■

Ⅰ　原価データ

１．直接材料費　a材料（A工事用）30円／kg
　　　　　　　　b材料（B工事用）40円／kg

２．直接労務費　直接工賃率　　　　50円／時

３．工事間接費と活動別資源消費量

工事間接費			活動別資源消費量				
費目	金額(円)		機械作業	段取	購買	技術	合計
燃料費	7,000	燃料消費量（kl）	14	0	0	6	20
工事消耗品費	5,000	工事消耗品消費量(単位)	10	5	5	5	25
間接工賃金	32,000	間接作業時間（時間）	18	12	0	10	40
合計	44,000						

Ⅱ　生産データ

		A工事	B工事	合　計
１．材料消費量	a材料	100 kg	—	100 kg
	b材料	—	100 kg	100 kg
２．直接作業時間		200時間	50時間	250時間
３．機械加工時間		150時間	50時間	200時間
４．段取回数		１回	７回	８回
５．材料発注回数		４回	６回	10回
６．工事指図書枚数		２枚	６枚	８枚

解　答

(1)　伝統的な工事間接費の配賦計算によった場合

A工事　48,200 円　B工事　15,300 円

(2)　ABCによった場合

A工事　33,475 円　B工事　30,025 円

解　説

1．伝統的な工事間接費の配賦計算

(1)　直接材料費，直接労務費の計算

A工事 直接材料費　30円／kg　× 100 kg　＝　3,000 円
　　　直接労働費　50円／時間× 200 時間＝ 10,000 円
B工事 直接材料費　40円／kg　× 100 kg　＝　4,000 円
　　　直接労務費　50円／時間× 50 時間　＝　2,500 円

(2)　工事間接費の計算

配賦率：$\dfrac{\text{工事間接費総額}\quad 44{,}000\text{円}}{\text{直接作業時間合計}\quad 250\text{時間}}$ ＝@ 176 円／時間

A工事　@ 176 円／時間× 200 時間＝ 35,200 円
B工事　@ 176 円／時間×　50 時間＝　8,800 円

(3)　工事原価の計算

直接材料費 3,000 円＋直接労務費 10,000 円＋工事間接費 35,200 円＝ 48,200 円
直接材料費 4,000 円＋直接労務費 2,500 円＋工事間接費 8,800 円＝ 15,300 円

2．ABC（活動基準原価計算）によった場合の計算手続

直接材料費と直接労務費の計算は，伝統的方法と同じです。工事間接費の計算が異なります。

(1)　活動別原価の集計

	金額（円）	機械作業	段　取	購　買	技　術
燃　料　費 03)	7,000	4,900	0	0	2,100
工事消耗品費 04)	5,000	2,000	1,000	1,000	1,000
間接工賃金 05)	32,000	14,400	9,600	0	8,000
	44,000	21,300	10,600	1,000	11,100

機械作業活動原価（@ 350 円× 14kl）＋（@ 200 円× 10 単位）＋（@ 800 円× 18 時間）＝ 21,300 円
段取活動原価（@ 350 円×　0kl）＋（@ 200 円×　5 単位）＋（@ 800 円× 12 時間）＝ 10,600 円
購買活動原価（@ 350 円×　0kl）＋（@ 200 円×　5 単位）＋（@ 800 円×　0 時間）＝　1,000 円
技術活動原価（@ 350 円×　6kl）＋（@ 200 円×　5 単位）＋（@ 800 円× 10 時間）＝ 11,100 円

03）燃料費　$\dfrac{7{,}000\text{円}}{20\text{kl}}$ ＝@350 円

04）工事消耗品費　$\dfrac{5{,}000\text{円}}{25\text{単位}}$ ＝@200 円

05）間接工賃金　$\dfrac{32{,}000\text{円}}{40\text{時間}}$ ＝@800 円

06) 機械作業 21,300円 / 200時間 =@106.5円

07) 段　取 10,600円 / 8回 =@1,325円

08) 購　買 1,000円 / 10回 =@100円

09) 技　術 11,100円 / 8枚 =@1,387.5円

(2) 工事別原価の集計

機械作業活動原価については機械加工時間，段取活動原価については段取回数，購買活動原価については材料発注回数，技術活動原価については製造指図書枚数によって，それぞれの製品に原価を割り当てます。

	A工事		B工事	
機械作業[06]	@ 106.5円× 150時間 =	15,975円	@ 106.5円× 50時間 =	5,325円
段　取[07]	@ 1,325円× 1回 =	1,325円	@ 1,325円× 7回 =	9,275円
購　買[08]	@ 100円× 4回 =	400円	@ 100円× 6回 =	600円
技　術[09]	@ 1,387.5円× 2枚 =	2,775円	@ 1,387.5円× 6枚 =	8,325円
合　計		20,475円		23,525円

(3) 工事原価の計算

直接材料費 3,000円＋直接労務費 10,000円＋工事間接費 20,475円＝ 33,475円

直接材料費 4,000円＋直接労務費 2,500円＋工事間接費 23,525円＝ 30,025円

コラム 工事進行基準を悪用！東芝不正経理事件（2015年）

請負金額200億円，見積総工事原価120億円，当期発生原価30億円としたとき，当期の工事収益は次のように計算しますね。

$$\text{正しい工事収益} = \frac{30\text{億円}}{120\text{億円}} \times 200\text{億円} = 50\text{億円}$$

「これでは利益が足りない！チャレンジしろ！」と言われた社員は見積総工事原価を下げにかかります。仮に見積総工事原価を100億円に下げたとすると，当期の工事収益は次のようになります。

$$\text{不正な工事収益} = \frac{30\text{億円}}{100\text{億円}} \times 200\text{億円} = 60\text{億円}$$

“チャレンジ”の結果，工事収益は10億円アップし，さらに当期発生工事原価は30億円のままなので，そのまま当期の工事利益のアップとして処理することになります。

これは，明らかに『不正』ですね。

Chapter 5

工事別原価計算

◆計算結果の集計です◆

Chapter 5 では工事別原価計算について学びます。工事別原価計算とはひと言でいうと ***Chapter 4*** までの計算結果の集計です。本試験では毎年，ここでの学習内容である工事原価計算表と完成工事原価報告書の作成が求められていますので，様式には慣れておきましょう。

Section 1 重要度 ◈◈

工事別原価計算の意義と目的

はじめに 工事別原価計算は，費目別計算，部門別計算を経て最終段階で行われる計算手続です。この段階で工事別の完成工事原価および未成工事原価が確定することになります。

工事別原価計算の意義

(1)意義 工事別原価計算とは発生した原価を工事ごとに集計し，各工事の工事原価を求める手続をいいます。これは原価計算における第3次の計算段階です[01]。

01）第1段階で費目別計算を行い，第2段階で部門別計算を行っています。

(2)形態 一般の製造業の製品別計算では，経営における生産形態の違いに対応して次のように区分されます。

①単純総合原価計算
②等級別総合原価計算
③組別総合原価計算
④個別原価計算

建設業は，個別受注生産のため④が原則ですが，①～③の総合原価計算を適用する場合もあります(Chapter 7 参照)。

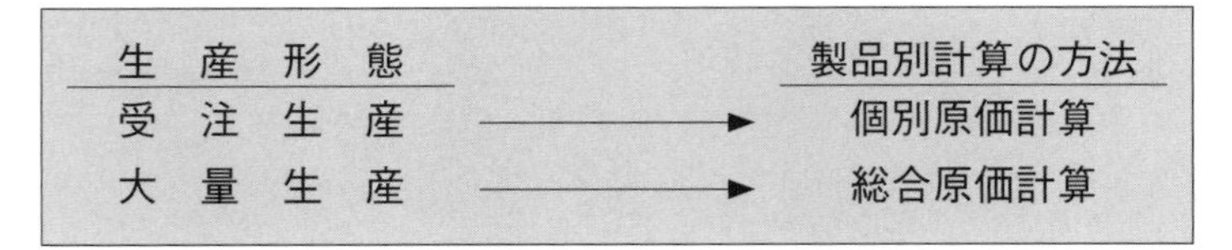

生産形態		製品別計算の方法
受注生産	→	個別原価計算
大量生産	→	総合原価計算

工事別原価計算の目的

外部利害関係者への情報開示のための**財務諸表を作成**するために工事別に原価を計算します。

工事別原価計算の計算手続

はじめに 工事別原価計算により，工事原価は工事ごとに集計され，財務諸表作成や予算編成，事後原価の把握などに用いられることになります。
ここでは，工事別原価計算独特のシステムや具体的手続について紹介します。

工事別原価計算と個別原価計算手続

(1) 個別原価計算としての工事別原価計算

製品別原価計算は生産形態に応じて**総合原価計算**と**個別原価計算**に分けられることは，Section 1で述べてきました。建設業では，個別受注生産という特質のため主として**個別原価計算**が適用されます。

個別原価計算としての工事別原価計算は，部門別個別原価計算が正規の計算手続です。

費目別計算 → 部門別計算 → 工事別原価計算

しかし，建設業では直接費の割合が高く，施工部門のコストがほとんど直接費のため，**単純個別原価計算**（原価計算を簡略化するために部門別計算を省略した個別原価計算）を採用することが多くなります。これは受注産業であるという建設業の特質とその会計慣行の影響の強さによるものです。

費目別計算 → 工事別原価計算

(2) 工事別原価計算の特徴

①一般に工事指図書の番号別に原価を集計しますが，工事契約前の業務(たとえば企画，調査，見積もり等)に時間がかかる場合は，採算原価[01]を算定するために仮工事番号をつけることがあります。
②個別原価計算のもとでは工事の完了によって原価の集計は終わります。したがって，必ずしも原価計算期間を特定する必要はありません（ただし財務諸表を作成するために，期間の完成工事原価と未成工事原価の確定が必要となります)。
③工事間接費の配賦のために，部門別計算や損料計算などの工夫がされています。

01)「採算」という言葉には「利益があがる」という意味があります。
したがって，ここでは利益があがるだけの原価ということになります。

(3) 個別原価計算手続

①工事直接費の各工事への賦課
…工事直接費は各工事ごとの発生額が明らかなため，各工事に賦課します。
②工事間接費の各工事への配賦
…工事間接費は各工事に共通して発生し，工事ごとの発生額が不明のため，配賦基準を設けて配賦します。

工事原価の内訳

(1)形態別原価と工種別原価

工事原価の分類方法には次の２つの方法があります。

①**形態別原価（材料費，労務費，外注費，経費）**…外部報告用データである財務諸表作成のための**事後原価計算で重視**されます[02]。

②**工種別原価**…注文獲得時の工事原価の見積もりや工事実行予算作成などの**事前原価計算で重視**されます。外部報告用に公表されることはありません。

02）財務諸表作成目的のためだけでなく，原価管理上も有効な面があります。なぜなら原価管理の重点が明らかになるからです。

(2)今後の原価計算システム

今後の原価計算システムとしては，形態別と工種別の原価区分を統合化していくことが望ましいと考えられています。工種別原価を事後の原価把握に使用したり，形態別原価を事前の実行予算の作成に使用することがその例です。

工事台帳と原価計算表

(1)工事台帳

工事台帳とは，日々の取引を工事別に集計する帳簿です。その様式は，企業が必要とする原価データによって異なります。

【例】
- 小規模工事や単一種類の工事の請負企業→形態別データのアウトプット
- 総合的建設工事の請負企業→形態別だけではなく工種別のデータの把握も必要

ただ，帳簿システムがコンピュータ化されていれば，工事台帳から把握しなくてもデータの入手が可能です。

(2)原価計算表

原価計算表とは，工事原価を計算，集計，明示するために使用する表で，記録簿，運算表，報告書などとして使われることもあります。

(3)工事台帳と原価計算表の関係

①工事台帳は，小規模企業では原価計算表の役割を兼ねることができます。

②工事別の原価データを１つの表にまとめるため，工事台帳の集計表が，原価計算表という関係にあります。

さらに工事台帳の集計表としての原価計算表に，予算との対比や消化率等の表示を加えると，原価管理表として有効なデータとなります。

工事別原価計算の具体的手続

(1)具体的手続

①受注工事別に工事番号を定め，**工事指図書**を発行します[03]。

②工事指図書別に工事直接費と工事間接費に大別し（なお，建設業では，工事現場ごとに各工事が実施されますので，工事直接費と工事間接費は現場個別費と現場共通費の区分と同一になります），工事直接費を材料費，労務費，外注費，経費に整理します[04]。

③**工事直接費**を，発生のつどまたは定期的に，形態別または工種別の工事台帳に記入します。

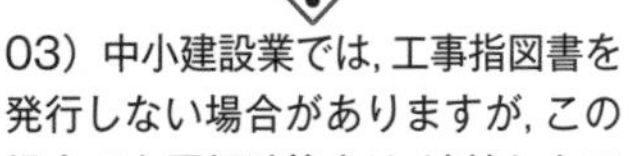

03）中小建設業では，工事指図書を発行しない場合がありますが，この場合でも原価計算上は，連続した工事番号を付さなければなりません。

04）部門別計算を行うか否かに注意します。部門別計算を行うことで，より厳密な原価計算となります。

④**工事間接費**（**現場共通費**）を**工事間接費台帳**（**現場共通費台帳**）に記入し，定期的に各工事番号に**配賦**します。
⑤各工事台帳に集計された工事原価を**未成工事支出金**（仕掛品と同じ）として処理し，その工事の完成引渡時に**完成工事原価**に振り替えます。

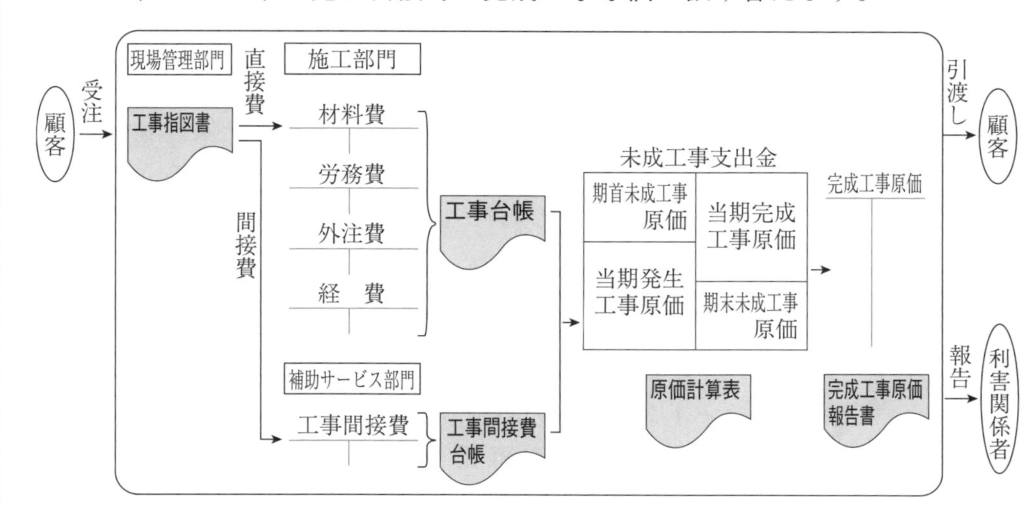

完成工事原価報告書

(1)完成工事原価報告書とは　原価計算の結果を社内および社外へ報告するものです（内部用のものは原価計算表を代用することも多くなります）。なお，外部報告書としての「**完成工事原価報告書**」は，財務諸表としての損益計算書・完成工事原価の内訳明細書です。

(2)様式　建設省[05]令「建設業法施行規則」様式第16号「損益計算書」の中で示されている様式は以下のとおりです。

05）国土交通省となっています。

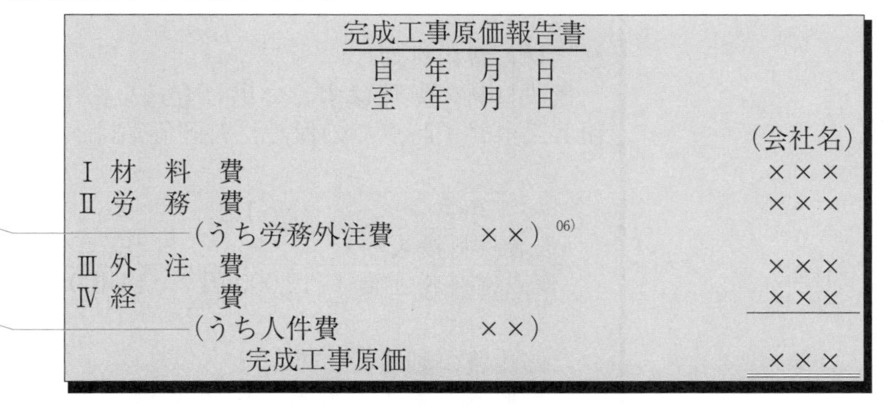

完成工事原価報告書
自　年　月　日
至　年　月　日

（会社名）

Ⅰ 材　料　費		×××
Ⅱ 労　務　費		×××
（うち労務外注費	××）[06]	
Ⅲ 外　注　費		×××
Ⅳ 経　　　費		×××
（うち人件費	××）	
完成工事原価		×××

「うち労務外注費」をカッコ書きする。

「うち人件費」をカッコ書きする。

06）平成11年3月31日付の改正より労務外注費を労務費に含める場合にはその内書きが必要になりました。

(3)作成　完成工事原価報告書は次の点に注意して作成します。
①完成した工事の原価について集計すること。
②原価を前月発生と当月発生に分けることなく，費目別に集計すること。

③**材料費**とは実質的には直接材料費のことをいいますが，共通仮設材料の損耗額などの間接費の配賦額も含むことがあります。

④**労務費**とは，実質的に直接労務費であり，現場管理者などの一般的労務費は含みません。また，外注費のうちその大部分が労務費のものは労務費の区分に計上することができ，この場合は労務外注費として内書きします。

⑤**外注費**とは工種別の作業を発注したもので実質的に直接費です。また，外注費であっても上記④の処理をしたものは含まれません。

⑥**経費**とは動力用水光熱費等の工事経費ですが，工事間接費的な材料費，労務費[07]も含まれます。ただし，そのうち人件費（従業員給料手当，退職金，福利厚生費，法定福利費）は経費欄の下に内書きすることになります。

07）現場管理者の人件費などです。

try it

例題　工事別原価計算

Q

下記資料は，ＭＣ株式会社（会計期間×１年10月１日～×２年９月30日）における×１年11月の原価計算関係資料である。設問に答えなさい。

なお，当月は工事番号No.101からNo.104までの工事を実施し，No.101，No.102，No.103の工事が完了したが，No.104の工事は月末現在未完了である。

（問１）「工事原価計算表」を完成しなさい。

（問２）国土交通省令様式に定める「完成工事原価報告書」を月次報告書として作成しなさい。

■資　料■

1．月初未成工事原価1,818,960円の内訳（Ｎｏ.101工事分）

材　料　費	538,320円	（うち仮設材料費78,000円）
労　務　費	584,640円	
外　注　費	474,000円	（うち労務外注費54,000円）
経　　　費	222,000円	（うち人件費30,480円）

2．材料費の処理

仮設材料の処理はすくい出し方式を採用している。当月中の仮設材料投入額と工事終了時点での仮設材料評価額は次のとおり。

工事番号	No.101	No.102	No.103	No.104
仮設材料投入額	－	48,240円	104,952円	42,840円
仮設材料評価額	12,000円	14,400円	30,000円	仮設工事未完了

3．外注費の処理

工事原価計算表上のNo.101の外注費のうち，151,500円はその大部分が労務費なので，完成工事原価報告書においては，労務費として計上することとしている。

4．当月の経費に関する資料

直接経費の内訳

工事番号	No.101	No.102	No.103	No.104
動力用水光熱費	58,560 円	90,480 円	132,720 円	39,840 円
従業員給料手当	0	104,400	124,800	0
法定福利費	29,520	63,360	89,040	12,240
通信交通費	17,280	27,120	48,960	20,640
福利厚生費	44,640	57,840	70,320	36,960
合計	150,000	343,200	465,840	109,680

（注）人件費の算定にあっては，退職金および同引当金繰入額は考慮しない。

（問 1）

工事原価計算表

×1年11月次

（単位：円）

工事番号	No.101	No.102	No.103	No.104	合計
月初未成工事原価	①	—	—	—	
当月発生工事原価					
1 材料費					
1）A 材料	299,832	449,544	711,840	188,976	1,650,192
2）B 材料	386,208	493,488	772,416	171,648	1,823,760
3）仮設材料	②	③	④	⑤	
材料費計	⑥	⑦	⑧	⑨	
2 労務費					
G 工事費	1,243,776	1,511,424	2,574,144	232,224	5,561,568
3 外注費	1,319,040	2,090,400	1,467,360	1,019,520	5,896,320
4 経費					
1）直接経費	150,000	343,200	465,840	109,680	1,068,720
2）機械部門費	130,272	297,360	501,264	90,624	1,019,520
3）共通人件費	32,480	39,470	67,223	6,065	145,238
4）現場管理費	48,720	59,206	100,835	9,097	217,858
経費計	361,472	739,236	1,135,162	215,466	2,451,336
当月完成工事原価	⑩	⑪	⑫	—	
月末未成工事原価	—	—	—	⑬	

（問 2）

完成工事原価報告書

自　×1年11月1日　至　×1年11月30日（単位：円）

ＭＣ株式会社

Ⅰ 材料費		（ ⑭ ）
Ⅱ 労務費		（ ⑮ ）
	（うち労務外注費 ⑯ ）	
Ⅲ 外注費		（ ⑰ ）
Ⅳ 経費		（ ⑱ ）
	（うち人件費 ⑲ ）	
	完成工事原価	（ ⑳ ）

解　答

①	1,806,960	②	0	③	33,840	④	74,952
⑤	42,840	⑥	686,040	⑦	976,872	⑧	1,559,208
⑨	403,464	⑩	5,417,288	⑪	5,317,932	⑫	6,735,874
⑬	1,870,674	⑭	3,748,440	⑮	6,119,484	⑯	205,500
⑰	5,145,300	⑱	2,457,870	⑲	753,573	⑳	17,471,094

解　説

(問１) 工事原価計算表

１．月初未成工事原価

1,818,960円－12,000円[08)]＝1,806,960円(①)

２．材料費

(1) 仮設材料投入額－仮設材料評価額より，仮設材料費を求めます。

48,240円－14,400円＝33,840円(③)

同様にして④，⑤を求めます。

(2) 材料費の合計を記入します(⑥～⑨)。

３．当月完成工事原価と月末未成工事原価

各工事原価を集計します(⑩～⑬)。

(問２)完成工事原価報告書

当月完成工事(No.101，No.102，No.103)の原価を集計します。

１．材料費

538,320円－12,000円＋686,040円＋976,872円＋1,559,208円＝3,748,440円(⑭)

２．労務費

584,640円＋1,243,776円＋1,511,424円＋2,574,144円＋54,000円＋151,500円
＝6,119,484円(⑮)

うち労務外注費

54,000円＋151,500円＝205,500円(⑯)

３．外注費

474,000円－54,000円＋1,319,040円－151,500円＋2,090,400円＋1,467,360円
＝5,145,300円(⑰)

４．経　費

222,000円＋361,472円＋739,236円＋1,135,162円＝2,457,870円(⑱)

５．(経費のうち)人件費[09)]

30,480円＋29,520円＋44,640円＋32,480円(No.101)＋104,400円＋63,360円＋57,840円＋39,470円(No.102)＋124,800円＋89,040円＋70,320円＋67,223円(No.103)＝753,573円(⑲)

６．⑳について

⑭，⑮，⑰，⑱の合計です。

08) No.101の仮設材料は前月に投入されているので，その評価額は月初未成工事原価から控除します。

09) 人件費項目は次のとおり。
・従業員給料手当
・法定福利費
・福利厚生費
(直接経費中)
・共通人件費

〈参考〉完成工事原価報告書の解き方

完成工事原価報告書の「材料費」,「外注費」,「経費」について次のような下書きをするとすばやく計算できます。

C／R

(材)	初	526,320 *1	①		
	⑩ *2	686,040	⑥		
	⑩	976,872	⑦		
	⑩	1,559,208	⑧	3,748,440	⑭
(労)	初	584,640	①		
	(外	54,000)			
	⑩	1,243,776			
	(外	151,500)			
	⑩	1,511,424			
	⑩	2,574,144		6,119,484	⑮
(外)	初	474,000	①		
	(外	△54,000)			
	⑩	1,319,040			
	(外	△151,500)			
	⑩	2,090,400			
	⑩	1,467,360		5,145,300	⑰
(経)	初	222,000	①		
	⑩	361,472			
	⑩	739,236			
	⑩	1,135,162		2,457,870	⑱

完成した工事についてのみ集計する。

＊1　538,320円－12,000円＝526,320円

＊2　⑩～は工事番号を示す。

⑯54,000円＋151,500円＝205,500円

「人件費」については別途，次のようなフォームを作って解くとよいでしょう。

人件費

	初	30,480		
従給	⑩	0		
	⑩	104,400		
	⑩	124,800		
法福	⑩	29,520		
	⑩	63,360		
	⑩	89,040		
福厚	⑩	44,640		
	⑩	57,840		
	⑩	70,320		
共人	⑩	32,480		
	⑩	39,470		
	⑩	67,223	753,573	⑲

従業員給料手当，法定福利費，福利厚生費，共通人件費を集計する。

コラム わかった気になっちゃいけない！

実力がつく問題の解き方をお伝えしましょう。

①まず，とにかく解く

このとき，自信がないところも想像を働かせて，できる限り解答用紙を埋める。

②次に，採点をして解説を見る

このとき，自分が解答できなかったところまで含めて，すべての解説に目を通しておく。

ここでわかった気になって，次の問題に行くと，これまでの努力が水泡に帰す。

分かった気になっただけでは，試験での得点にはならない。

だから，これをやってはいけない！

③すぐに，もう一度“真剣に”解く。

ここで，わかっているからと気を抜いて解いてはいけない。

真剣勝負で解く。そうすればわかっている所は，頭に定着するし，わかっていないところも「わかっていない」ことがはっきりする。

④最後に，わかっていないところを復習しておく。

つまり，勉強とは「自分がわかっている所と，わかっていないところを峻別する作業」なのです。

こうして峻別して，わかっていないところをはっきりさせておけば，試験前の総復習もしやすく，確実に実力をつけていくことができますよ。

Chapter 6

建設業に特有の論点

◆頻出！◆

Chapter 6 では建設業に特有の論点について学びます。特に ***Section 1*** の社内センター制度や損料計算は本試験第３問の頻出テーマですので，きちんと押さえてください。がんばりましょう。

Section 1 重要度 ◈◈◈◈◈

機材等使用率の特殊な決定方法

はじめに 建設業の企業ではダンプカーやパワーショベル，クレーン，掘削機などの機材（固定資産）を有しています。これらの特徴は各建設現場を移動しながら利用されることにあります。製造に関する設備が工場一カ所に集約されている一般製造業との大きな違いがここにあります。また，工事期間も長きにわたります。そのため，各工事ごとの原価を正確に算定するためには，一般製造業にはない工夫が必要となります。そこで，こうした機材の使用率を定め，使用割合に応じた配賦計算が考案されているのです。

機材等使用率とは

機材等使用率とは，機材等の1時間（または1日）あたりの使用にともなって発生する費用の額をいい，建設工事での機械や仮設材料の使用によって，その減価や減耗分を把握するために用いられるものです。

建設工事における機械や仮設材料は，建設現場が**移動的**であるため，1つの工事が終われば他の工事にも繰り返し使用されるという特質があります。そしてそのコストは減価や減耗分によって構成され，また工事の時期が異なる各工事への配賦が必要となるので，単純に配賦することはできません。

一般製造業の場合（工場は１つ）

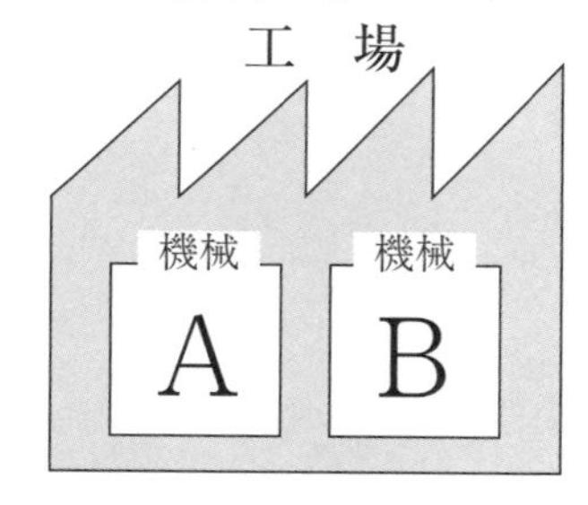

☆製造現場が移動しないため，機械などに関連するコストは当然その工場で負担することになる。したがって（これらのコストの）配分の問題は生じない。

建設業の場合（工場＝現場がいくつも存在）

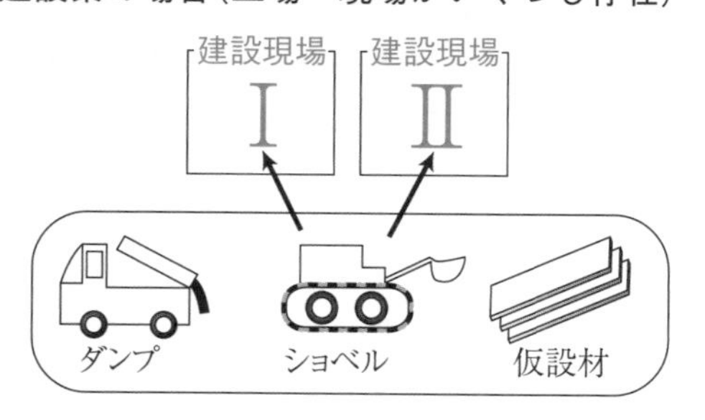

☆建設現場が移動的であるため，使用機材などに関連するコストの（各現場への）配分の問題が生じる。

そこで社内センター制度や社内損料制度を用いて，使用率を決定します。

{ 固定資産を部門化する（社内センター制度）。
{ 他から調達して使用料を支払うかのように計算する（社内損料制度）。

社内センター制度

(1)意義 社内センター制度とは，社内に機材を調達・管理する業務センターを設け一括管理する制度であり，社内センターとは施工部門に補助的なサービスを提供する補助部門を組織管理的な意味から独立させたものです。

補助部門のセンター化によって以下の点が期待されます。

①受注工事の施工活動の効率化。
②全社的な工事原価管理（サービス活動の能率測定に有効）。
③工事原価の正確な計算，計算のスピードアップ。

(2)使用率の決定 社内センター制度による使用率の決定では，仮設部門，機械部門，運輸部門の中に，さらに小区分化されたコストセンターを持つことが必要です。

たとえば，以下のとおりです。

・仮設部門……仮設材料別のコストセンター
・機械部門……機種別のコストセンター
・運輸部門……車種別のコストセンター

また，その小区分は機械部門を例にとれば，各々，マシンセンター（機械中心点）と呼ばれ，計算単位として次の算式によって，それぞれの使用率が決定されます。

01）機械費予算額の決定
関連コスト
機械個別費→直接センター別に予定
＋
機械共通費→部門全体の予算額を各センターに配賦

$$機械使用1時間（1日）あたり使用率＝\frac{一定期間マシンセンター別機械費予算額^{01)}}{一定期間機械予定使用時間（日数）}$$

try it **例題** 重機械費率

Q 重機械A，Bをコストセンターとして重機械費率を定め，これを各工事に配賦する場合の，No.801工事に対する配賦額を求めなさい。

1．個別費　重機械A…34,250円　　重機械B…23,350円

2．共通費

	金　額	配賦基準	重機械A	重機械B
油脂代	68,000円	運転時間	180時間	160時間
消耗品費	31,600円	保険料	50,000円	30,000円

3．当月実績

	重機械A	重機械B
No.801	20時間	16時間

解　答

重機械費率　重機械A　*500*円／時間　　重機械B　*420*円／時間

No.801工事に対する配賦額　*16,720*円

解　説

1．重機械費率

重機械A $(34{,}250円+68{,}000円\times\frac{180時間}{340時間}+31{,}600円\times\frac{50{,}000円}{80{,}000円})\div180時間=500円／時間$

重機械B $(23{,}350円+68{,}000円\times\frac{160時間}{340時間}+31{,}600円\times\frac{30{,}000円}{80{,}000円})\div160時間=420円／時間$

2．No.801工事への配賦額

500円／時間×20時間＋420円／時間×16時間＝16,720円

社内損料計算制度による使用率の決定

(1)意義

社内損料計算制度とは，社内の他部門サービスの使用料を，他社から調達して支払うかのように計算[02]して，その金額を工事原価の中に算入していくシステムです[03]。社内損料（社内使用料）を適用するサービスとしては，(1)建設機械や(2)仮設材料があります。

02）時間単位や日単位のリース料を支払うようなイメージです。
03）損料とは、補助的なサービスの使用量のことです。

(2)建設機械の損料計算

損料を構成要素別に分類し，それにもとづいて変動費と固定費とに区分します[04]。そして変動費については標準運転時間を，固定費については標準供用日数を基準として，それぞれに使用率を算定します。

建設機械の損料 {変動費…標準運転時間1時間あたり○○円
固定費…標準供用日数1日あたり××円

04）運転時間1時間あたり損料と，供用1日あたり損料とを計算するために変動費と固定費とに分けるのです。

機械損料の構成要素と変動費・固定費の区分

(a)減価償却費
機械の減価償却費には，使用によるものと時の経過によるものとが含まれると考えられるので，便宜的に半額ずつを変動費と固定費とします[05]。

(b)修繕維持費
機械は使用に応じて修繕が必要になると考えられるので，全額，変動費として扱います。

(c)管理費
使用に関係なく固定的に発生するので，全額，固定費として扱います。

(a)～(c)をまとめると次のようになります。

05）減価償却費の全額を一括して固定費として扱う場合もあります。

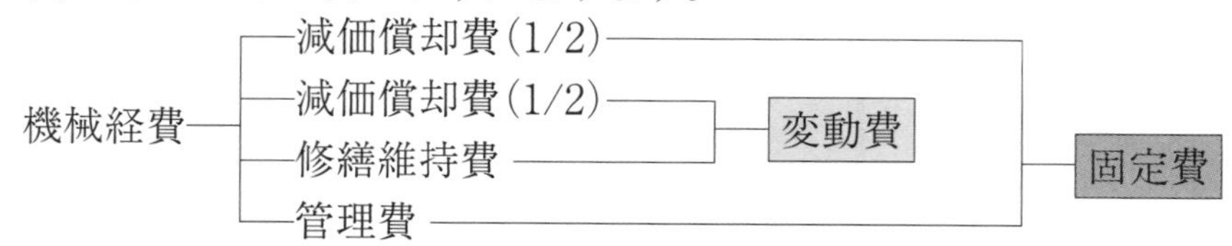

損料計算・変動費

減価償却費の1/2と修繕維持費を合計し，標準運転時間で除して，1時間あたりの損料を計算します。

$$変動費…運転1時間あたり損料=\frac{年間減価償却費\times1/2+年間修繕維持費}{年間標準運転時間}$$

損料計算・固定費

減価償却費の1/2と管理費を合計し，標準供用日数で割って，1日あたりの損料を計算します。

$$固定費…供用1日あたりの損料=\frac{年間減価償却費\times1/2+年間管理費}{年間標準供用日数}$$

計算公式 ◆ 次の計算公式を用いて算定することもできます。

$$\text{a) 運転1時間あたり損料}=\text{基礎価格}\times\frac{\text{償却費率}\times\frac{1}{2}+\text{全期間修繕維持費率}}{\text{耐用年数}}\times\frac{1}{\text{年間標準運転時間}}$$

または,

$$\text{a) 運転1時間あたり損料}=\text{基礎価格}\times\left(\frac{\text{償却費率}\times\frac{1}{2}}{\text{耐用年数}}+\text{年間修繕維持費率}\right)\times\frac{1}{\text{年間標準運転時間}}$$

$$\text{b) 供用1日あたり損料}=\text{基礎価格}\times\left(\frac{\text{償却費率}\times\frac{1}{2}}{\text{耐用年数}}+\text{年間管理費率}\right)\times\frac{1}{\text{年間標準供用日数}}$$

06) 90%とする場合や100%とする場合があります。
07) 年間修繕維持費率
＝年あたりの平均修繕費
÷基礎価格
08) 年間管理費率
＝年あたりの平均管理費
÷基礎価格

基礎価格：標準取得価額
償却費率：耐用期間中の償却費総額の基礎価格に対する割合[06)]
年間修繕維持費率：年あたりの平均修繕費の基礎価格に対する割合[07)]
年間管理費率：当該設備(材料)の管理に要する費用の年あたり平均額の基礎価格に対する割合[08)]
年間標準供用日数：実績または推定により定められる年間の標準使用日数

(3)仮設材料の損料計算

● 仮設材料費の損料計算では，仮設材料費は基本的に固定費であると考えて標準供用日数を基準として使用料を定めます。
仮設材料損料の構成要素は次のとおりです。
(a)減価償却費　(b)正常的損耗費　(c)定期整備・修繕費　(d)保管等管理費

損料計算 ◆

$$\text{供用1日あたりの損料}=\frac{\text{年間減価償却費}+\text{年間修繕費}+\text{年間管理費}}{\text{年間標準供用日数}}$$

計算公式 ◆

$$\text{供用1日あたり仮設材料の損料}=\text{基礎価格}\times\left(\frac{\text{償却費率}}{\text{耐用年数}}+\text{年間修繕維持費率}+\text{年間管理費率}\right)\times\frac{1}{\text{年間標準供用日数}}$$

try it **例題** 社内損料計算制度

Q 次の資料により，建設機械の運転1時間あたり損料および供用1日あたり損料を計算しなさい。

■資　料■

1. 実際取得価格	30,000,000円	5. 全期間修繕維持費率	75%
2. 耐用年数	6年	6. 年間管理費率	7.5%
3. 残存価額	10%	7. 年間標準運転時間	7,500時間
4. 減価償却方法	定額法	8. 年間標準供用日数	200日

解答　運転1時間あたり損料 *800* 円／時間　供用1日あたり損料 *22,500* 円／日

解説　償却費率＝90%

$$\text{運転1時間あたり損料}=30{,}000{,}000\text{円}\times\frac{90\%\times1/2+75\%}{6\text{年}}\times\frac{1}{7{,}500\text{時間}}=800\text{円／時間}$$

$$\text{供用1日あたり損料}=30{,}000{,}000\text{円}\times\left(\frac{90\%\times1/2}{6\text{年}}+7.5\%\right)\frac{1}{200\text{日}}=22{,}500\text{円／日}$$

Section 2　重要度◈◈

営業費・財務費用等の処理

はじめに 通常，原価計算では営業費はピリオド・コスト(期間原価)として処理します。しかし，建設業では個別受注により建設を行う関係から，建設活動と営業活動の線引きが難しいといえます。それでも，すべての営業費をピリオド・コストと考えていいのでしょうか？
また財務活動から生じた金利（借入金利息）については，原価に算入しないのが一般的ですが，建設業のように個別の工事ごとに資金を調達し，どの工事の完成のために金利が生じたものかがわかっていても原価算入しないほうがよいのでしょうか？

営業費とは

(1)意義 営業費とは「販売費及び一般管理費」のことをいいます。
建設業の事前原価計算では，事前の採算計算や利益管理も目的とするため，営業費も工事収益（工事の請負金額）で回収しなければならない原価として考える必要があります[01]。

01）営業費は，市場の拡大，産業構造の複雑化，経営組織の高度化等などの要因により総原価中に占める割合が増大してきており，その計算が重視されつつあります。

(2)処理方法

①原則：期間原価(ピリオド・コスト)

営業費は，原則，一定期間において発生した費用を直接的に収益と対応させる期間原価(期間費用)として処理します。

②例外：工事原価(プロダクト・コスト)

工事との個別関係を重視して，例外的に，営業費の一部を工事原価として処理することがあります。
たとえば，工事完了後の引渡しの過程で生じる注文履行費や，近隣関係の調整等にかかる作業費用などが該当します。

営業外費用・特別損失

(1)意義 営業外費用とは，経営目的外の活動から生じるコストのことをいいます。具体的には，財務活動の費用(借入金に係る支払利息，割引料)などが該当します。
特別損失とは，臨時・偶発的な理由や前期損益修正による損失のことをいいます。具体的には，火災による滅失などが該当します。

(2)処理方法 **①原則：非原価項目**
経営目的外の活動，臨時・偶発的な原因から生じるコストであり，原則，非原価項目として処理します。

②例外：工事原価(プロダクト・コスト)
工事との個別関係を重視して，例外的に，営業外費用・特別損失の一部を工事原価として処理することがあります。
たとえば，工事と個別的な関係のある資金調達にもとづく金利や，公共工事の受注にともなう前払金保証料，偶発的事故による補償費用などが該当します。

try it **例題** 財務費用の処理

以下の文章につき，空欄に適切な語句を示しなさい。

資金調達にもとづく金利は，原則として（　ア　）である営業外費用に計上されるが，工事との個別的な関係のある資金調達にもとづく金利については，例外的に（　イ　）に算入することがある。

解　答

（ア）　非原価項目　　　（イ）　工事原価

コラム 解答用紙は間違えるための場所

解答用紙に，せっせと正解を書き写す人がいる。

これは「教科書後遺症」で，小中高と使ってきた教科書に，正解が記載されていない（先生が正解を披歴する）問題が多くあり，それを復習するためには正解を書き写さざるを得なかったことに起因している（と思っている）。

しかし，この本には，正解があるので，そんな必要はまったくない。
正解を書くなど，まったくナンセンスなことなのである。

なら，解答用紙は何のためにあるのか。
解答用紙は“間違えるための場所”として，存在しているのである。

「こうかな？」と思ったことは，必ず解答用紙に書く。

書いて，正解なら嬉しくて覚えるし，不正解ならしっかりと赤ペンで×をつけ，そこに「正しくはこう考える」といった**『正解を導くための思考方法』**や、「電卓の打ち間違え」などといった**『間違えた理由』**を書いておく。こうしておけば（正解したときよりもさらに）確実に理解し，マスターできる。

さらに，この解答用紙が**自動的に『間違いノート』**になってくれる。

“×より○が大切なのは本試験だけ”
本試験までは，どんどん解答用紙に書き込み，どんどん間違えよう！
それが，本試験での○につながり，みなさんを合格に導きます。

さぁ～！行け～！

Chapter 7

建設業における総合原価計算

◆建設業にも総合原価計算？◆

建設業では，請け負った工事の原価計算については総合原価計算方式よりも個別原価計算方式によります。それは建設業では個別受注生産方式が採られているためです。

これに対して量産経営では主に総合原価計算が用いられます。一見すると，建設業にはまったく関係ないように見える総合原価計算ですが，本当に必要がないものなのでしょうか？

Section 1　重要度◈

建設業と総合原価計算

はじめに ある会社ではビル，倉庫などの建設工事を請け負っています。ところで社内に最近発足した新プロジェクトでは，建設したオフィスビルなどに合うインテリア商品を開発し売り出すことになりました。
ビル等に比べれば単価が安く製品は均質であり，また継続生産を行う予定のため建設工事に用いている個別原価計算をそのまま採用してもよいのかという議論が持ち上がりました。さて，どのように考えるべきでしょうか。

建設業における総合原価計算

(1)意義 一般に総合原価計算とは，同じ規格の製品を大量に生産する場合に適用される原価計算の方法です。建設業においても，インテリア商品や標準的な形式の建売り住宅などの原価計算方法として用いられます。

(2)特徴
a）量産品１単位あたりの平均原価を求めることが主な目的です。
b）一原価計算期間（通常１カ月）に生産された同種製品の生産量，つまり期間生産量に対して原価を集計します。
c）直接材料費と加工費(原則として直接労務費と製造間接費)の区分が重要です。
d）継続製造指図書を発行しますが，個別原価計算の特定製造指図書ほどの重要性はありません。

(3)必要性 建設業では個別受注生産方式をとるため，個別原価計算が採用されます。しかし自社内で多量に消費する資材の自社製造や，研究開発した新素材を他社へ販売する場合には，総合原価計算が適しています。
　以下に建設業において総合原価計算が活用されるケースを示します。

①関連事業で活用する場合
a）自社消費資材・器材の製造。
b）外部販売資材・器材の製造[01]。
c）建売住宅，マンション等不動産の建築。
d）インテリア商品の製造。

01）建設業以外の事業（兼業事業）として外部への販売比率が高まれば，完成工事原価と区別して売上高や売上原価を表示することになります。

②工事原価計算中に活用する場合
a）仮設材料のすくい出しのさいに，当該資材の購入原価から評価額を控除して消費原価を計算する場合。
b）土木工事等によって生じる残土などの再利用のため，評価額を工事原価から控除して当該工事原価を計算する場合 。
c）部位別または部分別原価情報の計算に際してジョイント・コストを等価係数を利用して按分計算する場合 。

(4)勘定の設定 建設業において総合原価計算を実施する場合，通常の工事とは区別して次のような勘定を設けます。

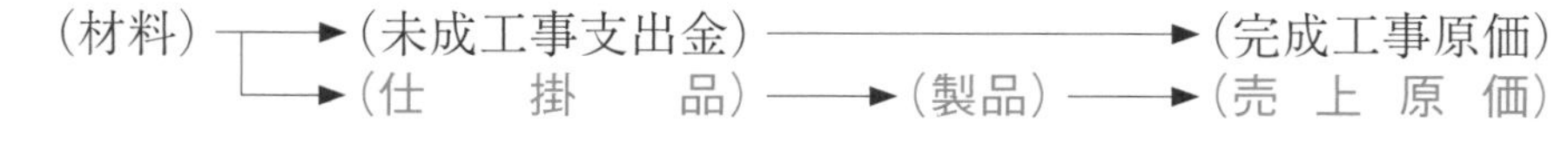

完成品と月末仕掛品の計算

はじめに 個別原価計算では，特定製造指図書の製品すべてが完成しなければ完成品とはいいません。一方，総合原価計算では，当月中にすべてが完成しなくても完成した分だけを完成品とし，残りは仕掛品とします。そのため当月の製造原価を完成品と月末仕掛品とに配分しなければなりません。
このとき，月初仕掛品から完成させていくと考えるのか，当月新たに着手したものから完成させると考えるのか，それとも並行して作業すると考えるのかの違いで原価計算の方法も違ってくるのです。

完成品原価の計算

総合原価計算では，完成品原価は当月総製造費用[01]と月末仕掛品原価の差額として計算されます。

01）月初仕掛品原価と当月製造費用の合計を当月総製造費用といい，仕掛品勘定の借方合計額と一致します。

完成品原価＝月初仕掛品原価＋当月製造費用－月末仕掛品原価

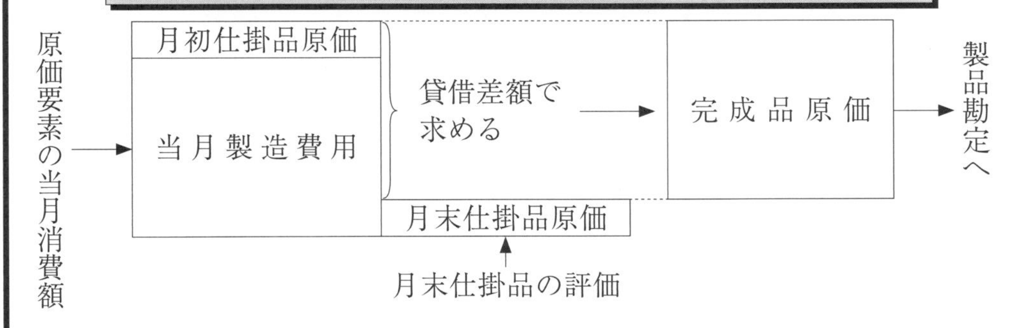

さらに，完成品単位原価を計算します。

$$完成品単位原価＝\frac{完成品原価}{完成品数量}$$

完成品原価の計算にさいして，月末仕掛品の計算はとても重要な意味を持っています。

月末仕掛品原価の計算

(1)原価の分類 個別原価計算では，製造原価を製造直接費と製造間接費に分けます。これに対して総合原価計算では，通常，**材料費**と**加工費**に分けて計算します。

02）直接労務費と直接経費と製造間接費の合計が加工費となります。

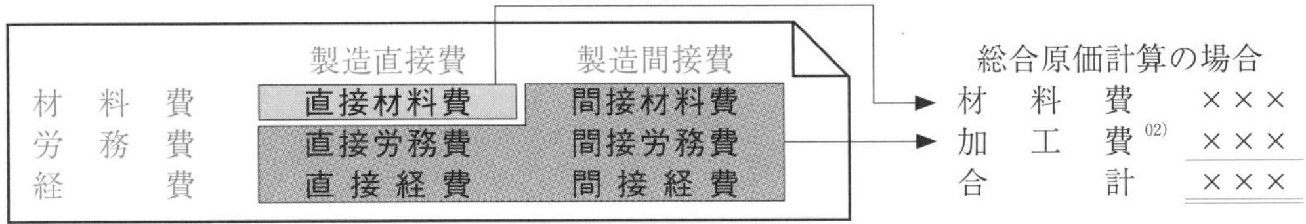

(2)加工進度と完成品換算量

加工進捗度とは仕掛品の仕上がり度を指します[03]。**完成品換算量**とは「仕掛品の価値が完成品のいくつ分に相当するか」を表す数値で，次のとおり計算します。

完成品換算量＝仕掛品数量×加工進捗度

直接材料費は投入形態によって数量（始点で直接材料を投入）または完成品換算量（加工に応じて投入），加工費は完成品換算量で計算します。

	始点投入	加工に応じて投入
材料費	数　量	完成品換算量
加工費	—	完成品換算量

それでは具体例を用いて説明することにしましょう。

ある工場では，事務用机の天板を生産しています。材料は工程の始点で投入され，あとは加工をするだけです[04]。

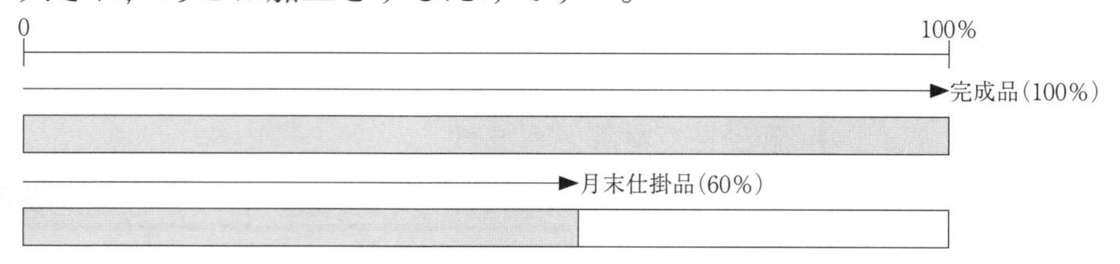

〔当月の生産〕製造着手２枚，完成１枚，月末仕掛品１枚（加工進捗度 60%）

つまり，１枚は所定の作業をすべて終え，もう１枚は工程の 60%の点まで作業が進み，この時点で月末を迎えました。

このとき，材料費と加工費を月末仕掛品と完成品にどのような割合で配分すべきでしょうか。

材料は工程の始点で投入されているので，完成品にも月末仕掛品にも１枚ずつ含まれています。したがって，材料費は**完成品にも月末仕掛品にも対等に（１枚分）配分**します。

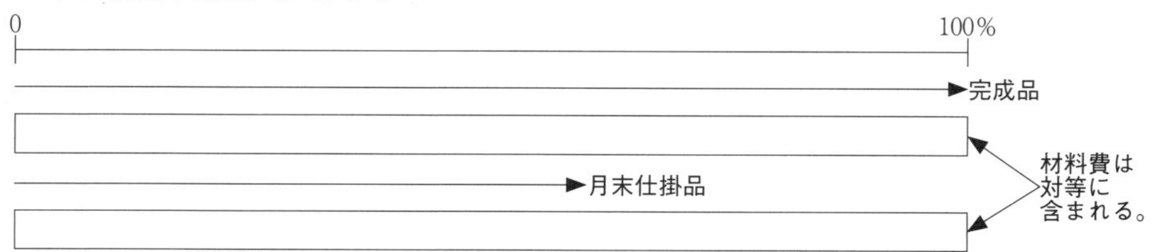

これに対して加工費は，完成品に含まれる部分と月末仕掛品に含まれる部分にはっきりとした差があります。このため，完成品に含まれる加工費の割合を 100%とすると，**月末仕掛品には加工の進み具合の分（加工進捗度，この場合には 60%）の加工費を配分**します。

03）進捗度といっても，たとえば「10 階建てのビルが７階まで完成した」というような物理的なものではなく，仕掛品の完成品に対する原価投入の割合を示すものです。

04）このとき，材料費は工程の始点で，また加工費は加工に応じて発生する点に注意してください。

（注）右の図の□の部分が投入された材料費，□の部分が加工に応じて発生する加工費を示しています。

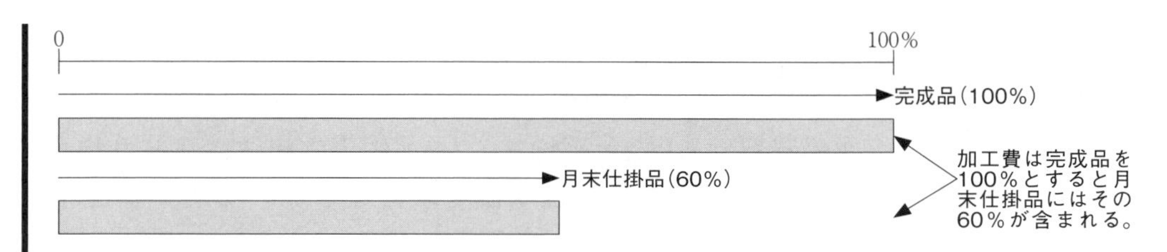

したがって，材料費の場合には数量で，加工費の場合には数量に加工進捗度を掛けた完成品換算量で計算されます。

平均法

05）このとき，完成品も月末仕掛品も，一部は月初仕掛品，一部は当月投入分からなるので，月初仕掛品原価と当月製造費用を合計して，完成品原価と月末仕掛品原価に配分します。

平均法とは，月初仕掛品の加工と当月投入分の加工を平均的に進めるという仮定により月末仕掛品原価を計算する方法です[05]。

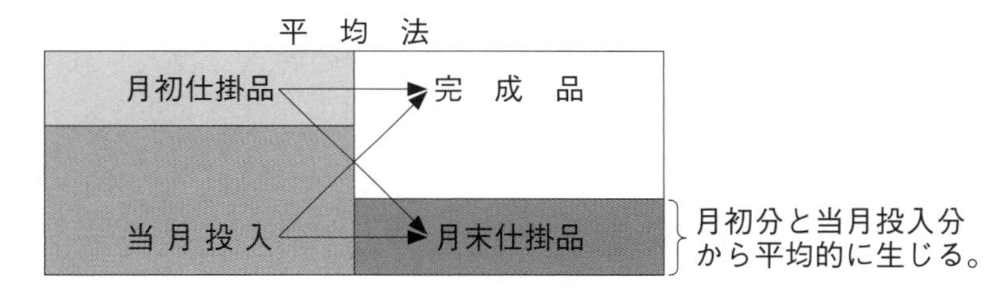

先入先出法

06）月末仕掛品は当月投入分からなるので，月末仕掛品原価は当月製造費用から計算します。また，月初仕掛品原価はすべて完成品原価に含めます。

先入先出法とは，月初仕掛品を優先的に完成させてから，当月投入分の加工にとりかかるという仮定により月末仕掛品原価を計算する方法です[06]。

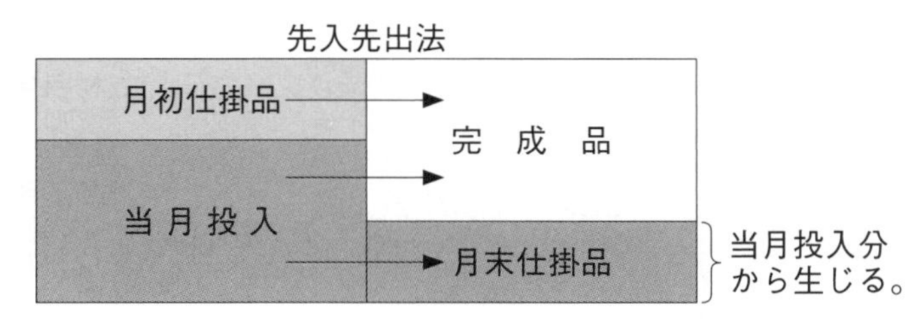

例題　月末仕掛品原価の計算

次の資料から（a）平均法，（b）先入先出法によった場合の月末仕掛品原価，完成品原価および完成品単位原価を求めなさい。なお，単位原価が割り切れない場合は小数点第３位を四捨五入すること。

■資　料■

1．生産データ

月初仕掛品	400 kg	(50%)
当月投入	1,800	
合　計	2,200 kg	
月末仕掛品	500	(20%)
完成品	1,700 kg	

2．原価データ

	材料費	加工費
月初仕掛品原価	2,760 円	1,520 円
当月製造費用	14,400 円	13,600 円

(1)　材料はすべて工程の始点で投入された。
(2)　仕掛品の(　)は加工進捗度を示す。

解　答

	月末仕掛品原価	完成品原価	完成品単位原価
（a）平均法	4,740 円	27,540 円	16.2　円／kg
（b）先入先出法	4,850 円	27,430 円	16.14 円／kg

解　説

07）平均法では月初仕掛品，当月投入の数量は計算上使わないので，特に記入する必要はありません。

（a）平均法

2,760 円 (1,520 円)	月初仕掛品 400（200）	完成品 1,700
14,400 円 (13,600 円)	当月投入 1,800(1,600)[07]	月末仕掛品 500（100）

材料費：
(2,760 円 + 14,400 円) ÷ (1,700kg + 500kg) × 500kg = 3,900 円 (月末仕掛品)
(2,760 円 + 14,400 円) − 3,900 円 = 13,260 円 (完成品)
加工費：
(1,520 円 + 13,600 円) ÷ (1,700kg + 100kg) × 100kg = 840 円 (月末仕掛品)
(1,520 円 + 13,600 円) − 840 円 = 14,280 円 (完成品)

（b）先入先出法

2,760 円 (1,520 円)	月初仕掛品 400（200）	完成品 1,700
14,400 円 (13,600 円)	当月投入 1,800(1,600)	月末仕掛品 500（100）

材料費：
14,400 円 ÷ 1,800kg × 500kg = 4,000 円 (月末仕掛品)
(2,760 円 + 14,400 円) − 4,000 円 = 13,160 円 (完成品)
加工費：
13,600 円 ÷ 1,600kg[08] × 100kg = 850 円 (月末仕掛品)
(1,520 円 + 13,600 円) − 850 円 = 14,270 円 (完成品)

08）このとき，加工費は加工に応じて発生する点に注意してください。
1,700kg + 500kg × 0.2 − 400kg × 0.5 = 1,600kg

工程別総合原価計算

はじめに ある建設会社では，建設したビルに合う照明器具も製造しています。照明器具を完成させるために，第１工程では素材を照明器具の形に型成し，第２工程ではそれを組み立て，第３工程では細工を施すといった３つの工程に分けています。
このように製造工程がいくつかに分かれている場合には，製品原価も工程ごとに計算します。そのための原価計算を工程別総合原価計算といいます。

工程別総合原価計算とは

(1)意義 工程別総合原価計算とは，連続する複数の工程を経て標準規格製品を大量生産する場合に適用される原価計算の方法です。

素材 → 切削作業 → 組立作業 → 細工作業 → 照明器具
（切削作業・組立作業・細工作業：工　程）

(2)目的 製品がいくつかの種類の作業を経て製造される場合には，作業の種類により発生する原価要素が異なったり，または同じ原価要素であっても発生のしかたが異なったりします。
　そこで，原価を工程ごとに計算することによって，より**正確な製品原価の算定**が可能になり，原価を発生場所ごとに把握できるため，**原価管理**にも有効です。

(3)種類 工程別総合原価計算は，①工程別に計算する原価要素の範囲，②工程別計算の方法により次のように分けられます。

原価要素の範囲	計算の方法
全原価要素工程別総合原価計算	累 加 法
加工費工程別総合原価計算	非累加法

工程別総合原価計算の計算プロセス

(1)累加法とは 累加法とは，各工程の完成品を次工程に振り替えるさいに，その工程の完成品原価をもって振り替える工程別計算の方法です。次工程では，前工程から振り替えられた完成品原価を前工程費として受け入れ，その工程自体の原価(自工程費)と合わせて各工程の完成品原価を計算します。

(図)累加法による製品原価の計算

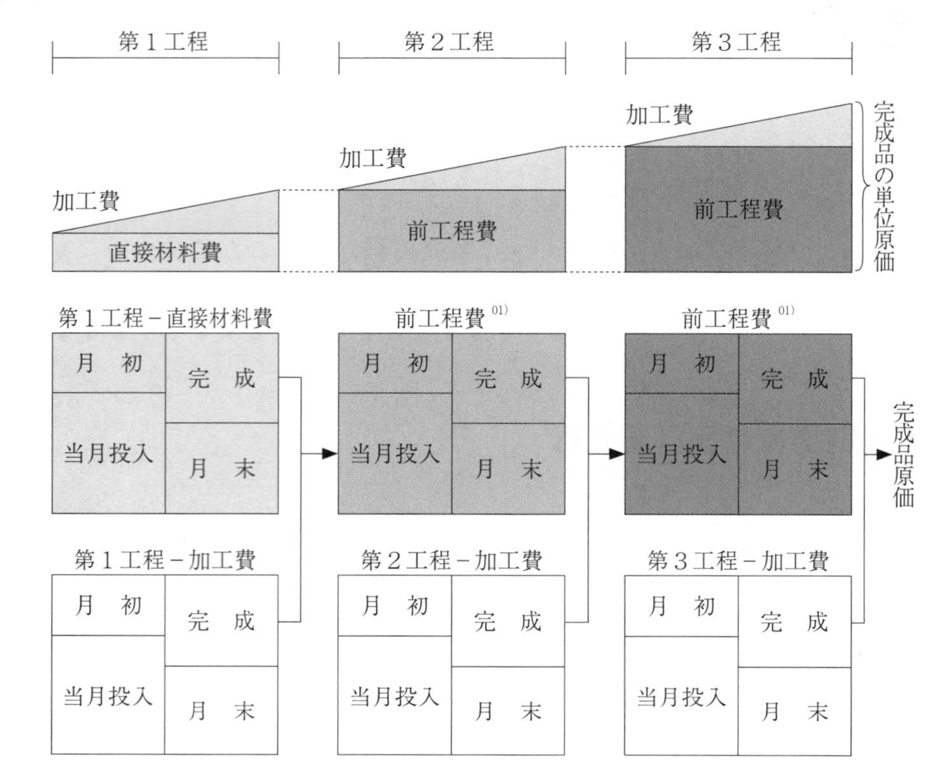

01) 第2工程の前工程費勘定と第3工程の前工程費勘定は別のものです。

(2)非累加法とは

非累加法[02]とは，工程別計算において最終完成品の負担する各工程費を直接に計算し，それらを合計して完成品原価を計算する方法です。

その特徴として次のものがあげられます。

(イ) 累加法のように，その工程の完成品原価をもって次工程に振り替えていく計算は行わない。
(ロ) 非累加法によれば，完成品の原価（材料費，第1工程加工費，第2工程加工費等）の内訳が把握されるので，原価データの観察が容易である。
(ハ) 標準原価計算を導入する際の製品原価の見積もり（原価標準の設定）に有用な情報を提供することができる。

02) 試験での出題実績から重要性が低いため，詳しい説明は割愛しています。

例題　工程別総合原価計算

当社は，連続する２つの工程を経て製品乙を量産している。以下の当月の資料にもとづき，累加法により各工程の月末仕掛品原価，完成品原価，完成品単位原価を求めなさい。なお，月末仕掛品の評価は，先入先出法による。

■資　料■

1．生産データ

	第１工程	第２工程
月初仕掛品	200 個（1/2）	800 個（2/5）
当月受入	2,200	2,000
合　計	2,400 個	2,800 個
月末仕掛品	400（3/4）	400（4/5）
完成品	2,000 個	2,400 個

（注１）原料は，第１工程始点ですべて投入される。
（注２）仕掛品の（　）は，加工進捗度を示す。

2．原価データ

	第１工程	第２工程
月初仕掛品		
原料費	1,600 円	4,800 円
第１工程加工費	600 円	2,800 円
第２工程加工費	—	3,520 円
当月製造費用		
原料費	21,340 円	—
第１工程加工費	18,920 円	—
第２工程加工費	—	20,400 円

解　答

〈第１工程〉
月末仕掛品原価：*6,460* 円
完成品原価：*36,000* 円
完成品単位原価：*18* 円／個

〈第２工程〉
月末仕掛品原価：*9,920* 円
完成品原価：*57,600* 円
完成品単位原価：*24* 円／個

解　説

03) 4,800円＋2,800円＝7,600円

04) $\frac{21,340円}{2,200個}$ × 400個＝3,880円

05) $\frac{18,920円}{2,200個}$ × 300個＝2,580円

06) $\frac{36,000円}{2,000個}$ × 400個＝7,200円

07) $\frac{20,400円}{2,400個}$ × 320個＝2,720円

08) 貸借差額

1．生産データを原料費と加工費に分けて整理し，ボックスに記入します。

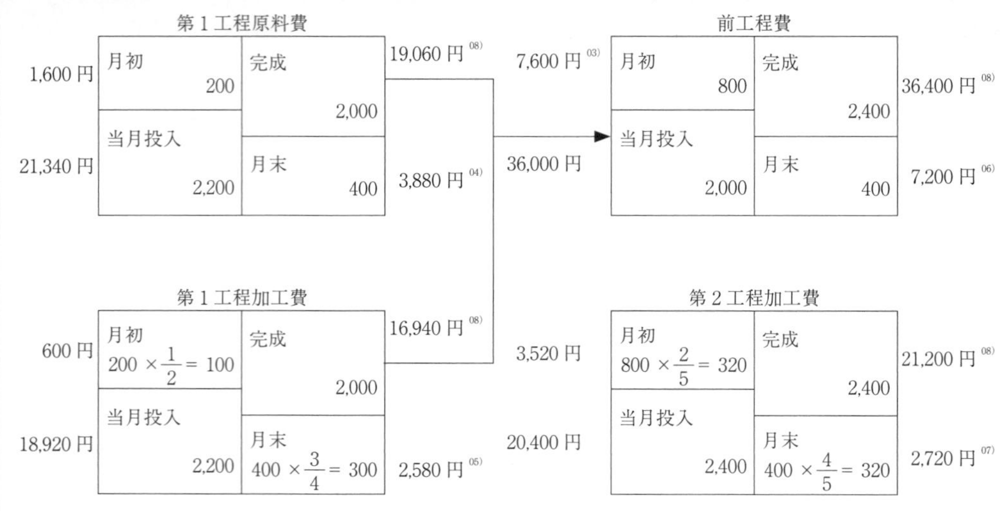

2．月末仕掛品原価，完成品原価および完成品単価

	第１工程	第２工程
月末仕掛品原価	3,880円＋　2,580円＝　6,460円	7,200円＋　2,720円＝　9,920円
完成品原価	19,060円＋16,940円＝36,000円	36,400円＋21,200円＝57,600円
完成品単位原価	36,000円÷　2,000個＝18円／個	57,600円÷　2,400個＝24円／個

組別総合原価計算

はじめに 建売住宅を建設している会社を想像してください。同じ会社で建売住宅を建設するといっても単一種類を連続的に大量生産するわけではありません。主要な部分は同じでも地域や環境などによって少しずつ異なる種類の建売住宅を建設していきます。
このように２種類以上の製品を連続生産する場合には，その種類ごとに原価を集計する「組別総合原価計算」を採用するのが適しています。

組別総合原価計算の意義

Section 3までの総合原価計算は，１種類の標準的な製品を大量生産する場合に適用される原価計算(単純総合原価計算)でした。

これに対し，同一生産工程で異種の標準的な製品（組別製品）を量産する場合に適用される原価計算を**組別総合原価計算**といいます。たとえば，建設機械製造業の同一工程内で，ブルドーザー，トラクター，クレーンなどを生産しているといった場合がこれに該当します。

組別総合原価計算→異種製品の量産を行う場合に適用

組別総合原価計算の計算プロセス

(1)組直接費と組間接費の把握 組別総合原価計算では，１原価計算期間の製造費用を①**組直接費**と②**組間接費**に分類します。

組直接費 ◆ どの製品種類のためにかかったかが**特定できる原価**→各組製品に**直課**。

組間接費 ◆ 各製品種類のために**共通的**にかかった原価→各組製品に**配賦**[01]。

(2)組別の製品原価計算 上記の手続によって分類された製造費用をもとに，各製品ごとに完成品原価と期末仕掛品原価を計算します。

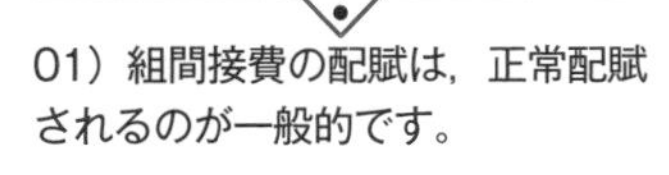

01）組間接費の配賦は，正常配賦されるのが一般的です。

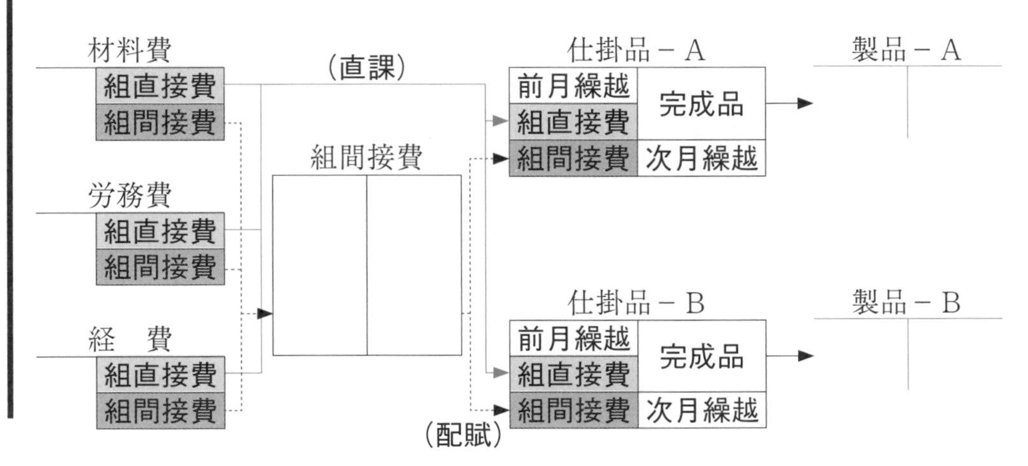

例題　組別総合原価計算

Q

㈱ＷＳでは，異種製品甲，乙を単一工程にて量産している。次の資料にもとづき，各製品の完成品原価，完成品単位原価，月末仕掛品原価を計算しなさい。

■資　料■

1．生産データ

	製品甲	製品乙
月初仕掛品	100kg（1/2）	150kg（1/3）
当月受入	1,500	2,000
合　計	1,600kg	2,150kg
月末仕掛品	200　（1/2）	300　（1/2）
完　成　品	1,400kg	1,850kg

（注1）（　）内の数値は，加工進捗度を示す。
（注2）原料は，各製品とも工程の始点で投入される。

2．原価データ

	製品甲	製品乙
月初仕掛品原価		
原　料　費	8,000円	9,500円
加　工　費	3,450円	2,250円
当月製造費用		
原　料　費	136,000円	130,000円
直接加工費	82,500円	61,750円
間接加工費	？円	？円

3．その他

(1) 月末仕掛品の評価方法は，製品甲が平均法，製品乙が先入先出法によっている。
(2) 間接加工費は作業時間を基準として，各製品に実際発生額を配賦する。なお，間接加工費の実際発生額は，38,750円であった。
(3) 各製品の当月作業時間は次のとおりである。
製品甲：1,800時間　製品乙：1,300時間

解　答

	製　品　甲	製　品　乙
完成品原価	227,220円	194,250円
完成品単位原価	162.3円／kg	105円／kg
月末仕掛品原価	25,230円	25,500円

解説

1．組間接費の配賦

間接加工費

3,100 時間 38,750 円	甲 1,800 時間 22,500 円	$= \frac{38{,}750\text{円}}{3{,}100\text{時間}} \times 1{,}800$ 時間
	乙 1,300 時間 16,250 円	$= \frac{38{,}750\text{円}}{3{,}100\text{時間}} \times 1{,}300$ 時間

2．製品別原価計算

製品甲（平均法）

8,000 円 (3,450 円)	月初 100 (50)	完成 1,400	126,000 円[08] (101,220 円[08])
136,000 円 (105,000 円[02])	当月投入 1,500 (1,450)	月末 200 (100)	18,000 円[03] (7,230 円[04])
144,000 円 (108,450 円)			

完成品単位原価：$\frac{227{,}220\text{円}}{1{,}400\text{kg}}$ =162.3 円／kg

製品乙（先入先出法）

9,500 円 (2,250 円)	月初 150 (50)	完成 1,850	120,000 円[08] (74,250 円[08])
130,000 円 (78,000 円[05])	当月投入 2,000 (1,950)	月末 300 (150)	19,500 円[06] (6,000 円[07])

完成品単位原価：$\frac{194{,}250\text{円}}{1{,}850\text{ kg}}$ = 105 円／kg

---

02）82,500円（直接加工費）+22,500円（間接加工費）
=105,000 円

03）$\frac{144{,}000\text{円}}{1{,}400\text{kg}+200\text{kg}} \times 200\text{kg}$
=18,000 円

04）$\frac{108{,}450\text{円}}{1{,}400\text{kg}+100\text{kg}} \times 100\text{kg}$
=7,230 円

05）61,750 円+16,250 円
=78,000 円

06）$\frac{130{,}000\text{円}}{2{,}000\text{kg}} \times 300\text{kg}$
=19,500 円

07）$\frac{78{,}000\text{円}}{1{,}950\text{kg}} \times 150\text{kg}$
=6,000 円

08）貸借差額

Section 5　重要度◈

等級別総合原価計算

はじめに ■ ある建設会社ではA，B，Cの３種類の建材を製造・販売しています。これらの建材は同じ素材で同じ形ですが，サイズはそれぞれ大，中，小と異なり，サイズが大きいほど原価がかかるということが判明しました。このように同じ工程において大きさ，形など等級の異なる製品を量産している場合には「等級別総合原価計算」を採用するのが適しています。

等級別総合原価計算とは

(1)意義

等級別総合原価計算は，同一の工程において等級の違う製品を大量生産する場合に適用される原価計算の方法です。

等級別総合原価計算――►等級の違う製品の量産を行う場合に適用

等級製品とは，形状，大きさ，品位等の異なった製品をいいます。

【例】・製鋼工業で製造される大きさや厚さの異なる鋼板
・合板製造業で製造される大きさや厚さの異なる各種合板

各等級製品の製造原価を正確に計算しようとするならば，等級製品を組別製品にみたてた組別総合原価計算によることも可能ですが，計算の手間がかかります。

(2)等級別総合原価計算の計算原理

等級製品は，同じ種類の製品なので，製品相互間の相違は，大きさが違うとか厚さが違うといった点です。そこでこれらにもとづいて各等級製品が１単位あたり原価をいくら負担するのかを設定します。この比率を**等価係数**といい，これを利用して，各製品の製造原価を求めます。これによって，組別総合原価計算を適用することなく，合理的に手数を省略することができます。

【例】・A等級製品の等価係数…1.0
・B等級製品の等価係数…0.8

[意味]A製品の原価負担割合を１とすると，B製品はAの0.8だけ原価を負担すればよいことを意味します。

(3)等価係数の算定方法

等価係数の算定方法には，次の２種類があげられます。

①製品のアウトプット段階(産出時点)での性質にもとづいた計算方法

各等級製品の重量，長さ，面積，純分度など(原価の発生と関連ある)製品の性質にもとづいて，等価係数を算定します。

②原価財のインプット段階(投入時点)での性質にもとづいた計算方法

各等級製品の標準材料消費量，標準作業時間など（原価要素の発生と関連ある)物量数値にもとづいて等価係数を算定します。

(4)積数 各等級製品の製造原価を計算するためには，等価係数に各等級製品の生産量を乗じた積数を利用します。この積数を用いて，製造原価を各等級製品に按分します。

【例】・A 製品の生産量，100 個(等価係数 1.0)
　　　　B 製品の生産量，100 個(等価係数 0.8)

〈積数〉A 製品 100 個× 1.0 ＝ 100
　　　　B 製品 100 個× 0.8 ＝ 80

つまり，A 製品は 100 個で 100 個分の原価を負担し，B 製品は 100 個で 80 個分の原価を負担することを意味しています。

等級別総合原価計算の計算プロセス

等級別総合原価計算の計算プロセスには，次の２つがあります。

(1)単純総合原価計算に近い方法 この方法は，各等級製品ごとに設定した等価係数を利用して，１原価計算期間の完成品の総合原価を一括して各等級製品に按分する方法です。

なお, 等価係数を月末仕掛品に**加味しない方法**と**加味する方法**とがあります。

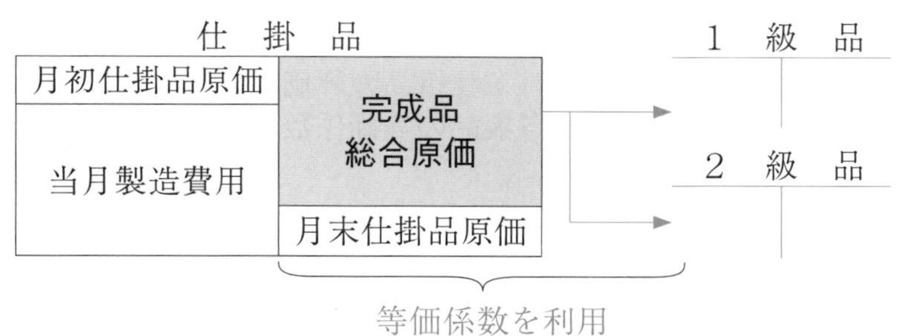

仕掛品勘定の**アウトプットの段階**で原価を按分

(2)組別総合原価計算に近い方法 この方法は各原価要素ごとに設定した等価係数を利用して，１期間の製造費用を各等級製品に按分する方法です。

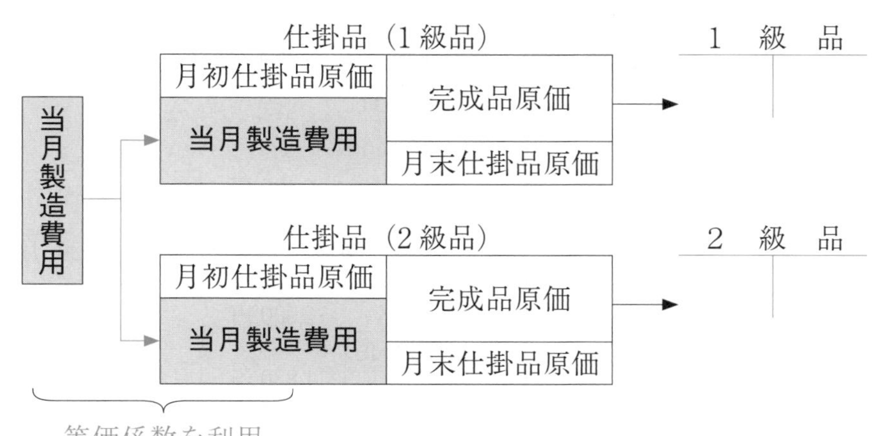

仕掛品勘定の**インプットの段階**で原価を按分

try it 例題 等級別総合原価計算

Q ㈱トーキューでは，等級製品 L，Mを生産している。次の資料にもとづき，各製品の完成品原価，完成品単位原価，月末仕掛品原価を求めなさい。

■資　料■

1．生産データ

	製品L		製品M	
月初仕掛品	80kg	(0.5)	120kg	(0.8)
当月受入	820		780	
合　計	900kg		900kg	
月末仕掛品	100	(0.7)	200	(0.6)
完成品	800kg		700kg	

(注1)(　) 内の数値は，加工進捗度を示す。
(注2) 原料は，各製品とも工程の始点で投入される。

2．原価データ

	製品L	製品M
月初仕掛品原価		
原料費	6,400円	11,880円
加工費	2,000円	5,650円
当月製造費用		
原料費	115,520円	
加工費	86,750円	

3．その他
(1) 月末仕掛品の評価は，製品Lが平均法，製品Mが先入先出法による。
(2) 各製品の等価係数は次のとおりである。

	製品L	製品M
原料費	1.0	0.8
加工費	0.8	1.0

(3) 等級別の計算は，組別総合原価計算に近い方法による。

解　答

	完成品原価	完成品単位原価	月末仕掛品原価
製品L	*104,000* 円	*130* 円／kg	*11,500* 円
製品M	*92,400* 円	*132* 円／kg	*20,300* 円

解　説

1．生産データの整理
(1) 原料費

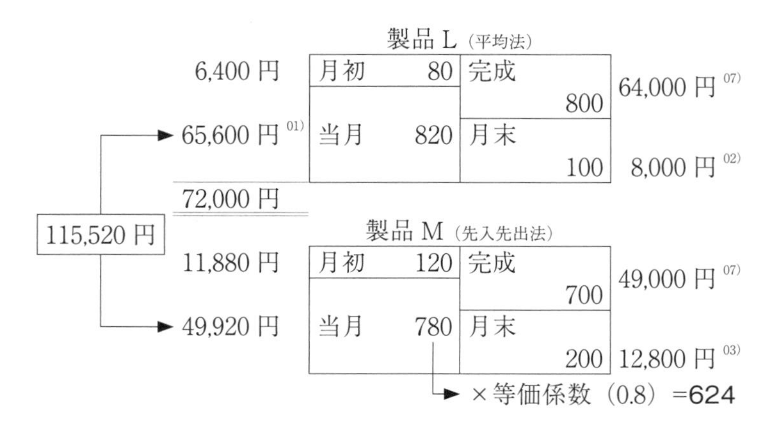

01) $\frac{115{,}520円}{820kg+624kg}\times 820kg$ =65,600円

02) $\frac{72{,}000円}{800kg+100kg}\times 100kg$ =8,000円

03) $\frac{49{,}920円}{780kg}\times 200kg$ =12,800円

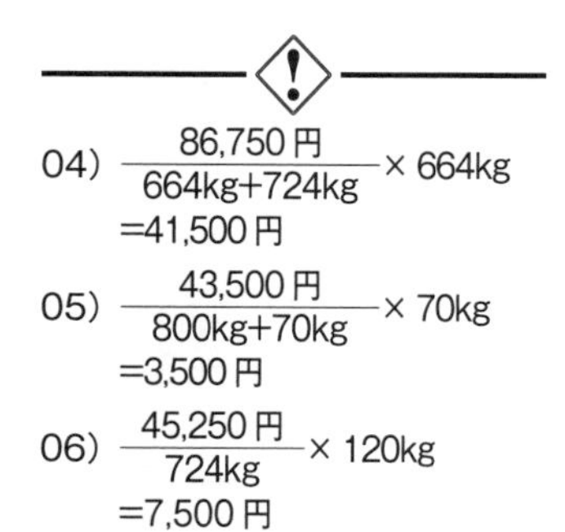

04) $\frac{86{,}750\text{円}}{664\text{kg}+724\text{kg}} \times 664\text{kg}$
=41,500円

05) $\frac{43{,}500\text{円}}{800\text{kg}+70\text{kg}} \times 70\text{kg}$
=3,500円

06) $\frac{45{,}250\text{円}}{724\text{kg}} \times 120\text{kg}$
=7,500円

07) 貸借差額

(2) 加工費

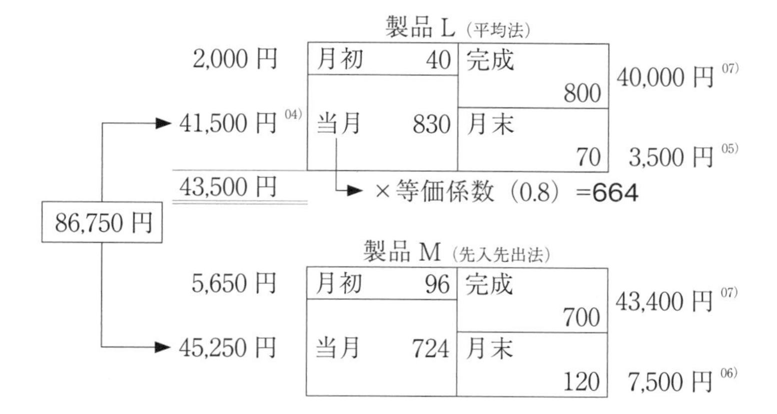

2．完成品原価と完成品単位原価

製品L　64,000円＋40,000円＝104,000円（完成品原価）
　　　104,000円÷800kg＝130円／kg（完成品単位原価）
製品M　49,000円＋43,400円＝92,400円（完成品原価）
　　　92,400円÷700kg＝132円／kg（完成品単位原価）

3．月末仕掛品原価

製品L　8,000円＋3,500円＝11,500円
製品M　12,800円＋7,500円＝20,300円

重要度 ◈

連産品の原価計算

はじめに 原油の精製を行うと，その結果，航空燃料，ガソリンからアスファルトに至るまでさまざまな製品が生成されます。これらは，いずれも状況に応じて需要があるため，主製品と副製品の区別がつきません。このような製品を連産品といいます。
連産品は同時に生産されるため，一つひとつの原価を計算することは困難です。さて，原油の原価を各連産品に上手に按分するにはどのような基準で按分すればよいでしょうか。

連産品とは

(1)意義 同一工程において，同一原料を加工することによって相互に主副の区別のできない複数の製品が必然的に生産される場合があります。これを**連産品**といいます。

【例】原油から精製されるガソリン，重油，軽油，灯油，航空燃料等

連産品の計算プロセス

(1)計算プロセス 各連産品が分離するまでに共通的に発生した原価を，**連結原価**(ジョイント・コスト)といいます。

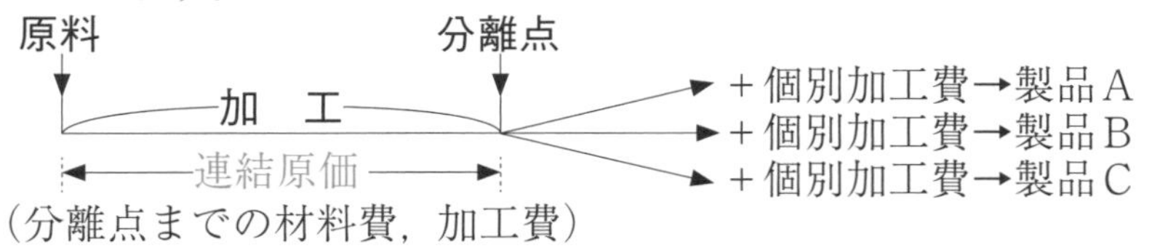

(分離点までの材料費，加工費)

① 共通に原価が発生する
② 原価を按分する
③ 按分後に追加加工して製品ができる

(2)連結原価の按分方法 連結原価は各連産品の生産量に等価係数を乗じた積数の比によって按分します。その方法としては次の３つの方法[01]があります。

01)連産品の計算においては，下記のうち③の正常市価にもとづく等価係数を利用して連結原価を按分する方法をとるのが一般的です。

①統一的な物量尺度により連結原価を按分する方法(生産量基準)
②何らかの物量的要素にもとづく等価係数を利用して連結原価を按分する方法
③正常市価にもとづく等価係数を利用して連結原価を按分する方法（正常市価基準)

なお，追加加工を行う場合の正常市価は，次のように決定します。

分離点における正常市価＝最終製品の正常市価－分離後個別加工費見積額

(3)連結原価を按分する理由

連産品は原材料を加工すれば必然的に生産される異種製品です。“必然的に”ということは，これを別々に生産することはできないということです。連結原価は，各連産品に分離するまでに共通して要した原価なので，これを各連産品に個別に集計することは不可能です。

しかしながら，連産品に期末在庫が生じた場合には，在庫品の貸借対照表価額を計算するとともに売上原価の算定を行う必要があります。このような**財務諸表作成目的**のために，あえて連結原価を各連産品に按分するのです。

try it **例題** 連産品（連結原価の按分）

Q 次の資料をもとに，正常市価基準による連結原価の按分を行い，製品G，Hの製造原価を算定しなさい。

■資　料■

1．連結原価　69,000円

2．各製品の正常販売価格

製品G：1,500円／個　製品H：1,200円／個

3．各製品の生産量

製品G：50個　製品H：40個

4．追加加工費（分離後）

	製品G	製品H
見積額	5,000円	3,000円
実際額	4,500円	3,500円

解答

製品G：　46,500円　　製品H：　30,500円

解説

1．連結原価の配賦

製品	販売価格	見積追加加工費	分離点における正常価格	配分額[02]
G	75,000円	5,000円	70,000円	42,000円
H	48,000円	3,000円	45,000円	27,000円
			115,000円	69,000円

02）次の計算を行っています。
69,000円÷115,000円＝0.6
0.6×70,000円＝42,000円
0.6×45,000円＝27,000円

2．製造原価の算定

製品G：42,000円＋4,500円＝46,500円
（4,500円：実際追加加工費[03]）

製品H：27,000円＋3,500円＝30,500円
（3,500円：実際追加加工費）

03）按分のときは，追加加工費の見積額を，製造原価算定のときには実際額を使います。混同しないようにしてください。

Section 7 重要度 ◈

副産物および作業屑の処理

はじめに 日本酒を製造するときに同時に酒粕ができます。このように主産物の製造過程でできる価値の低い生産物を副産物といいます。
しかし，副産物（酒粕）の生産・販売は本来の目的ではないので，主産物（日本酒）と同様の原価計算を行うのは手間がかかります。ではどのように処理すればよいでしょうか。

副産物および作業屑

(1)副産物の意義 副産物とは，製酒業における酒粕などのように主産物（酒）の製造過程から副次的に生産される物品（酒粕）で，主産物と比較して**経済的価値が低いもの**をいいます。

(2)作業屑の意義 作業屑とは，鉄屑やおがくずなど，製品の製造過程で発生する**有価値**の屑です。

副産物および作業屑の計算プロセス

それぞれの評価額を計算し，これを主産物の総合原価から控除する差引計算が行われます。

その評価方法は，次のとおりです。

(1)そのまま外部に売却できる場合
評価額＝見積売却価額－見積販売費（－通常の利益の見積額）

(2)加工の上で売却できる場合
評価額＝見積売却価額－見積加工費－見積販売費（－通常の利益の見積額）

ともに外部に売却を予定する場合の評価額計算式の中で，「通常の利益の見積額」をカッコ書きで示していますが，これは，『原価計算基準』に従えば，マイナスしてもしなくてもよい，ということを意味しています。利益分をマイナスすれば，製造原価の逆算的算出法であり，マイナスしなければ，当該資産の機会原価的な評価方法を意味することになります。理論的には，後者の方法が望ましいといえます。

(3)自家消費（内部用）する場合
評価額＝節約される物品の見積購入価額

(4)加工の上で自家消費する場合
評価額＝節約される物品の見積購入価額－見積加工費

なお，軽微な場合には，評価せずに売却収入を原価計算外の収益とすることができます。

作業屑の評価は，副産物の評価に準じます。

try it

例題　副産物の処理

(株)ＷＳは，Ｐ部品の生産工程の終点において，副産物Ｑを算出している。次の資料によって，主産物であるＰ部品の完成品原価と完成品単位原価を算定しなさい。

■資　料■

1．副産物産出前までの連結原価

原材料費	704,712 円	加 工 費	483,288 円

2．産出量

Ｐ 部 品	700kg	副産物Ｑ	90kg

3．副産物Ｑの評価データ

最終販売単価	1 kg あたり 600 円（正常市価）
分離後個別加工費	1 kg あたり　40 円（見積価格）
販売費負担分	売価の５％

解　答

完成品原価	*1,140,300* 円
完成品単位原価	*1,629* 円／ kg

解　説

1．副産物の評価

{600 円－（40 円＋ 600 円× 5%)}　× 90kg ＝ 47,700 円

2．主産物の計算

（704,712 円＋ 483,288 円）－ 47,700 円＝ 1,140,300 円（完成品原価）

1,140,300 円÷ 700kg ＝ 1,629 円／ kg（完成品単位原価）

コラム 試験会場に持っていくとよいもの「セロテープ」

建設業経理士の問題用紙は，なんと大判のB4サイズ（広げるとB3）。

これを必死に解き進める中で，ページをめくる。

ページをめくれば，大判の問題用紙は風を巻き起こし，それが机のスミに置いた受験票に当たり，ハラハラと舞い落ちる。

事実はそれだけ。

落ちたのはあくまでも受験票。

しかし，不思議なことに試験中に受験票が落ちると，自分自身が試験に落ちたような気になる（笑）。

そこで，セロテープ。

セロテープで受験票の上辺を机に留め，受験票の下に身分証明書を置けば，戦闘準備完了！

受験票のチェックなど，まったく気にしないで解答作成に没頭できます。

みなさんぜひ，セロテープを。

そして，試験会場でセロテープを見たら，みなさんと同じ，私の教え子です（笑）。

Chapter 8

事前原価計算と原価管理

◆原価管理とは◆

Chapter 8 では原価管理について学びます。通常の製造業では，製品ごとに目標となる標準原価を設定し，それと実際の原価を比較・分析する標準原価計算によってコストダウンを図るのが一般的です。しかし，建設業の場合には，工事ごとに建物の形や大きさ・工法が異なるため，標準原価計算をそのまま適用するのは難しそうです。しかも，莫大な建設費と時間が掛かる上，建てた後も長期間使用されるため，品質にも気を配らなければなりません。このような建設業の周りにある様々なコストをどうやって管理するのか，この Chapter で学習していきましょう。

Section 1　重要度 ◇◇

事前原価計算と予算管理

はじめに Chapter 7までは工事活動を事後的に集計分析する方法について，学習してきました。このような原価管理活動は工事原価の発生を一定レベルで維持するうえで意味があります。
一方で，事前に原価を算定することは利益管理や予算管理などに資料を提供し，原価低減や，工事の採算性を見極めるうえで重要な意味をもっています。

事前原価計算とは？

(1)意義 事前原価計算とは工事の開始前における原価の測定計算をいい，これには次の3つがあります。

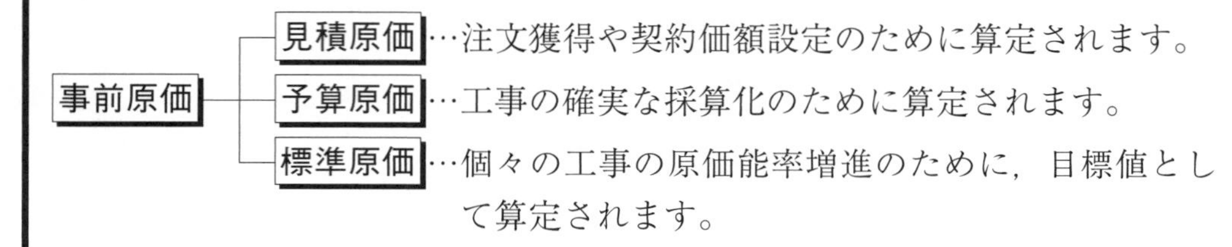

(2)種類 建設業において経常的に実施される事前原価計算は，期間を対象とする計算か，各工事を対象とする計算かによって次のように分けられます。

①期間を対象とする計算

期間予算作成のための予算原価計算

長期経営計画から短期利益計画の具体化されたコスト・プランであり，基本予算[01]原価計算と位置づけられています。

期間予算には，固定費を含めた事前の原価管理を行い，参加を前提としたモチベーション・コントロールを行うことができるという長所があります。

②工事を対象とする計算

a）受注活動のための見積原価計算

指名獲得または受注活動などの対外的資料作成のための計算であり，必ずしも現場ごとの作業状況を反映したものではありません。

b）工事実行予算作成のための予算原価計算

内部管理用の工事実行予算[02]を作成するための計算であり，これはa)の見積原価計算を内部用に修正したものです。

c）日常現場管理のための標準原価計算

個別工事の日常的管理のための能率水準としての原価計算です。

01）会計期間に合わせて大綱的に編成される予算。

02）より日常的なコントロールの強化のために期間（月次や四半期など）や作業などの基準によって細分化された予算。

工事実行予算とは？

(1)意義

工事実行予算とは，各工事の採算性を重視して**工事別に細分化された予算**です。建設業は，個別受注生産のため工事ごとに条件が異なります。したがって，工事ごとの予算と実際額との比較，分析，検討を行うことが重要となり，これによって**原価低減，目標利益達成**に役立てられるのです。

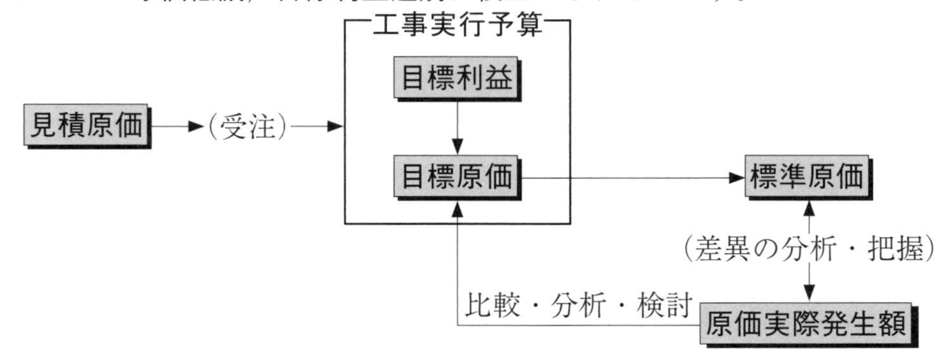

(2)機能

①建設現場の作業管理者も「参加」した達成可能な目標原価を設定するため，その編成段階は動機づけコスト・コントロール[03]のスタートとなります。
②個別の工事利益の積み重ねによる全社的利益計画の具体的達成を果たす基礎となります。
③実行予算を責任区分と対応したコスト別に設定することによって，責任会計制度[04]を効果的に進める手段となります。

03）現場管理者も目標原価の設定に参加することで，目標達成の意欲を喚起します。

04）企業の組織構造と結びついて業績管理を行う会計制度です。

(3)編成方法

①予算書作成のためのチーム編成。
②受注工事の特徴を整理。
③対外的「見積書」の特殊事情を抽出するだけでなく，実行予算との一般的相違点を明確にしておきます。
④「見積書」からの組替え作業を行います。
⑤実行予算案を関係部署に伝達し，必要な調整をします。
⑥実行予算の最終的審査，決裁をします。

工事実行予算の形成・管理

(1)形式

工事実行予算は，工種別原価[05]だけでなく，形態別原価（材料費，労務費，外注費，経費）によっても設定すべきです。つまり，以下のように主として財務諸表作成目的の形態別分類と原価管理目的である工種別分類の両方を一度に示す方式でまとめるのが合理的です。

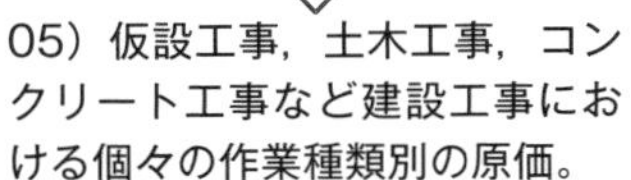

05）仮設工事，土木工事，コンクリート工事など建設工事における個々の作業種類別の原価。

工 事 実 行 予 算 表

摘要		形態別原価				合計
		材料費	労務費	外注費	経費	
受注工事価格						
仮設工事費						
工種別原価	土工事費					
	くい地業工事費					
	コンクリート工事費					
	鉄筋工事費					
	…………					
	…………					
	…………					
	…………					
	…………					
	現場経費					
工事原価						
〔工事総利益〕						〔　　〕
営業費負担額						
〔営業利益〕						〔　　〕
資金利息						
〔差引工事利益〕						〔　　〕

(2)管理 工事実行予算
- 編成段階…(動機づけコスト・コントロール)
- 工事進行中…定期的に原価を集計することによる各種の報告書(実行予算管理表など)作成(日常的コスト・コントロール)

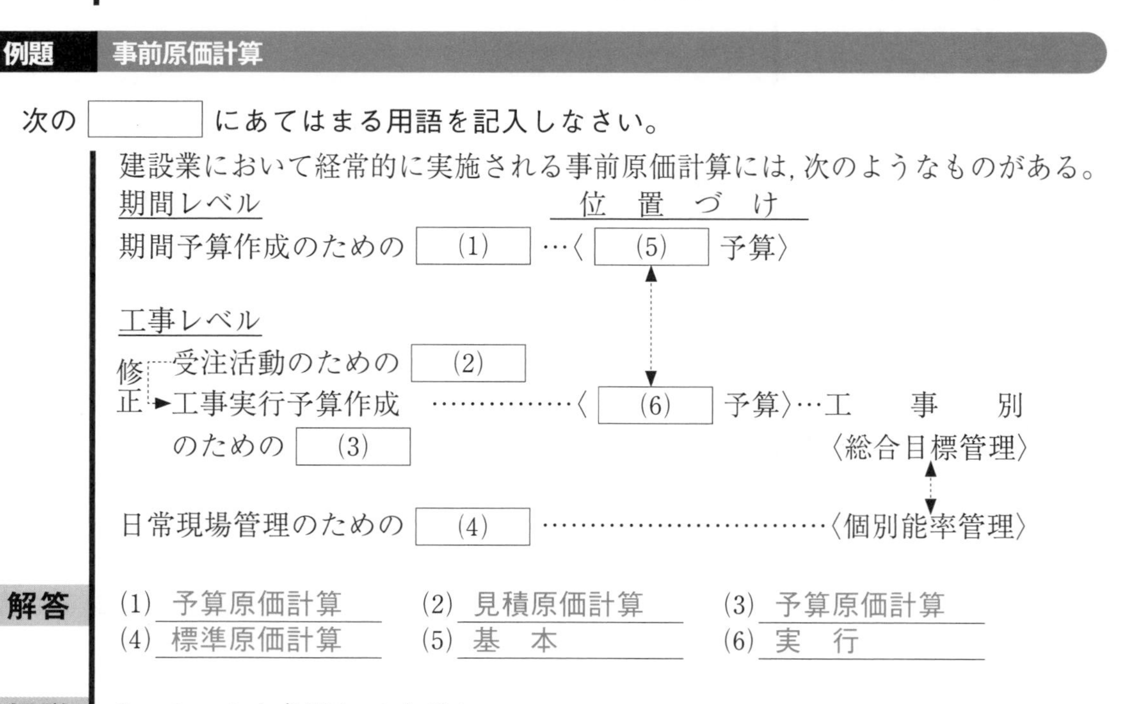

try it **例題** 事前原価計算

Q 次の［　　］にあてはまる用語を記入しなさい。

建設業において経常的に実施される事前原価計算には,次のようなものがある。

期間レベル　　　　　位置づけ

期間予算作成のための［(1)］…〈［(5)］予算〉

工事レベル

修正　受注活動のための［(2)］
　　　→工事実行予算作成のための［(3)］……〈［(6)］予算〉…工事別〈総合目標管理〉

日常現場管理のための［(4)］……〈個別能率管理〉

解答

(1) 予算原価計算　(2) 見積原価計算　(3) 予算原価計算
(4) 標準原価計算　(5) 基　本　(6) 実　行

解説 Section 1を参照してください。

原価管理と標準原価計算

はじめに 工事にさいして実際に発生した費用を集計し，工事原価を確定する実際原価計算制度においては記帳や集計に時間がかかり，指標となるものがないため，原価管理を行えないといった欠点があります。
そこで生産段階で適切な原価管理を行い，効果的なコストダウンを図る手法の１つとして考えられたのが標準原価計算制度です。

原価管理とその必要性

(1)意義 「原価計算基準」では，原価管理について次のように定義しています。

> 「ここに原価管理とは，原価の標準を設定してこれを指示し，原価の実際発生額を計算記録し，これを標準と比較して，その差異の原因を分析し，これに関する資料を経営管理者に報告し，原価能率を増進する措置を講ずることをいう。」

上記は，**狭義**の原価管理，つまり伝統的なコスト・コントロール概念であり，与えられた経営構造のもとで一定の経営活動が規則的，反復的に繰り返されることを前提としているため，事前の段階でのコントロールが発揮されていません。そこで，今日では，コスト・マネジメント（広義の原価管理）としてそれを**原価計画**と**原価統制**（狭義の原価管理）に区別するという考え方に変化してきています。なお，原価計画とは，原価低減のための事前計画です。
狭義の原価管理は，動機づけコントロールなどによってモチベーションを高め，原価能率増進を図るために必要です。

広義の原価管理（コスト・マネジメント）
- 原価計画…原価低減のための事前計画
- 原価統制…狭義の原価管理（コスト・コントロール）

標準原価計算の意義と種類

(1)意義 標準原価計算とは，原価管理や経営計画に役立つ情報を提供するために工夫された原価計算をいいます。実際原価計算の欠陥を補うため，その特徴として以下の２点があります。
①能率測定尺度としての原価
②計算の迅速性
なお，標準原価とは，**「財貨の消費量を科学的，統計的調査にもとづいて能率の尺度となるように予定し，かつ予定価格または正常価格をもって計算した原価」**です。この場合，能率の尺度としての標準とは，その標準が適用される期間において達成されるべき原価の目標を意味します。

(2)目的

①原価管理目的
②財務諸表作成目的
③予算管理目的(特に見積財務諸表の作成)
④記帳の簡略化，迅速化目的

(3)種類

価格，能率，操業度の厳格度によって標準原価の種類も多様です。

	価格水準	能率水準	操業水準
理想標準原価	理想価格	理想能率	実現可能最大操業度
現実的標準原価	予定価格	達成可能良好能率	予定操業度
正常標準原価	正常価格	正常能率	正常操業度
(予定原価	予定価格	期待能率	予定操業度)

①価格標準

a)理想価格標準……もっとも有利に購買する場合の価格水準。
b)予定(当座)価格標準…次期に予想される価格水準。
c)正常価格標準……過去を基礎にして比較的長期の価格すう勢を平均化した価格水準。

②能率(消費量)標準

a)理想能率標準……すべての不能率を排除した場合の最高能率水準。
b)達成可能良好能率標準…正常状態での不能率を許容するが，高能率状態で達成可能な能率水準。
c)正常能率標準……比較的長期の現実的能率水準を予測し，これを平均化した能率水準。
d)期待能率標準……過去の実績を基礎にしながらも，改善点を考慮した次期に期待される能率水準。

③操業度標準

a)理想操業度(完全操業度)…現有キャパシティで物理的に最大能力を発揮して達成可能な操業度水準。
b)実現可能最大操業度[01)]……不可避的な作業休止時間を除いた技術的に実現可能な最大操業度水準。
c)(短期)予定操業度[02)]………次期の販売能力を考慮して達成が期待される操業水準。
d)(長期)正常操業度[03)]………将来4～5年の景気動向を考慮して，それを平均化した操業水準。

01) 実際的操業度，実際的生産能力ともいいます。

02) 期待実際操業度ともいいます。

03) 平均操業度ともいいます。

標準原価差異の分析

(1)直接材料費の差異分析 ● 直接材料費差異は，価格差異と数量差異に分析します。

直接材料費差異＝標準直接材料費－実際直接材料費
〈分析〉
価格差異＝（標準価格－実際価格）×実際消費量
数量差異＝標準価格×（標準消費量－実際消費量）

〈参考〉
AP：実際価格(Actual Price)
SP：標準価格(Standard Price)
AQ：実際消費量(Actual Quantity)
SQ：標準消費量(Standard Quantity)

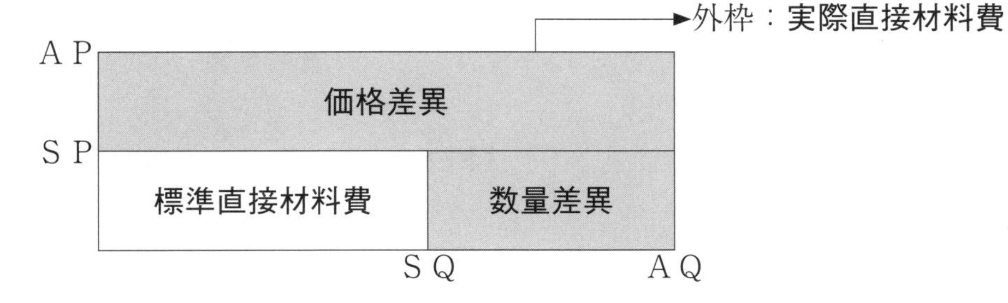

〈材料受入価格差異(購入材料価格差異)の把握〉

直接材料費差異の計算には，次の欠点があげられます。

a)材料の受払いが実際価格で行われるので，計算**記帳事務の簡略化**という標準原価計算の長所が活かされない。

b)算出された価格差異は，**消費**された材料についてであって，購買活動を管理するための判断資料とはならない。

そこで，この欠点を克服するためには次の方法によります。

材料購入時に標準価格で受け入れるとともに，材料受入価格差異を算出します。

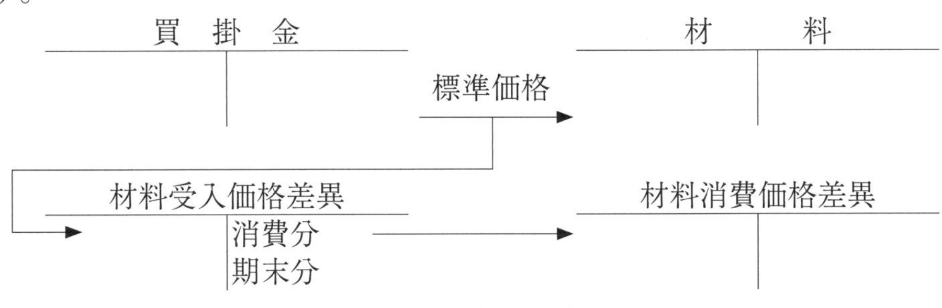

材料受入価格差異＝（標準価格－実際購入価格）×実際購入量

〈材料受入価格差異を把握することによる利点〉

① 計算記帳事務が簡略化される。

② 材料の購買活動の良し悪しの把握ができる。

(2)直接労務費差異分析

● 直接労務費差異は，賃率差異と作業時間差異に分析します。

> 直接労務費差異＝当月の標準直接労務費－実際直接労務費
> 〈分析〉
> 賃　率　差　異＝(標準賃率－実際賃率)×実際直接作業時間
> 作業時間差異＝標準賃率×(標準直接作業時間－実際直接作業時間)

外枠：実際直接労務費

ALR
賃率差異
SLR
標準直接労務費　作業時間差異
SH　AH

〈参考〉
ALR：実際賃率
(Actual Labor Rate)
SLR：標準賃率
(Standard Labor Rate)
AH：実際時間 (Actual Hour)
SH：標準時間 (Standard Hour)

try it　**例題　直接費の差異分析**

次の資料により，直接材料費および直接労務費の差異分析を行いなさい。

■資　料■

1．完成品1個あたりの原価標準
　　直接材料費：@ 200 円× 50 kg＝ 10,000 円
　　直接労務費：1,000 円／時間× 2 時間＝ 2,000 円

2．当月の生産データ

月初仕掛品	8 個	(0.5)
当 月 投 入	42	
合　計	50 個	
月末仕掛品	10	(0.2)
完　成　品	40 個	

(注1) 直接材料は，工程の始点ですべて投入される。
(注2) (　) 内の数値は加工進捗度を示す。

3．当月の実際発生額
　　直接材料費　210 円／kg × 2,400 kg ＝ 504,000 円
　　直接労務費　960 円／時間× 80 時間＝ 76,800 円

解答

直接材料費差異：84,000 円(不利差異)
内　訳
価 格 差 異：24,000 円(不利差異)
数 量 差 異：60,000 円(不利差異)

直接労務費差異：800 円(不利差異)
内　訳
賃 率 差 異：3,200 円(有利差異)
作業時間差異：4,000 円(不利差異)

解説

1．差異分析ボックスの作成とデータの記入

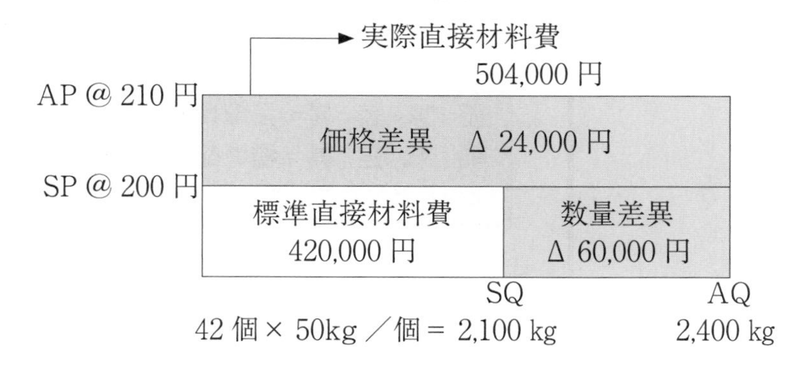

2．直接材料費の差異分析

直接材料費差異　200 円／kg × 2,100 kg － 504,000 円＝Δ 84,000 円(不利差異)
{ **価格差異**　(200 円／kg － 210 円／kg) × 2,400 kg＝Δ 24,000 円(不利差異)
{ **数量差異**　200 円／kg ×（2,100 kg － 2,400 kg）＝Δ 60,000 円（不利差異）

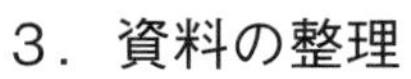

3．資料の整理

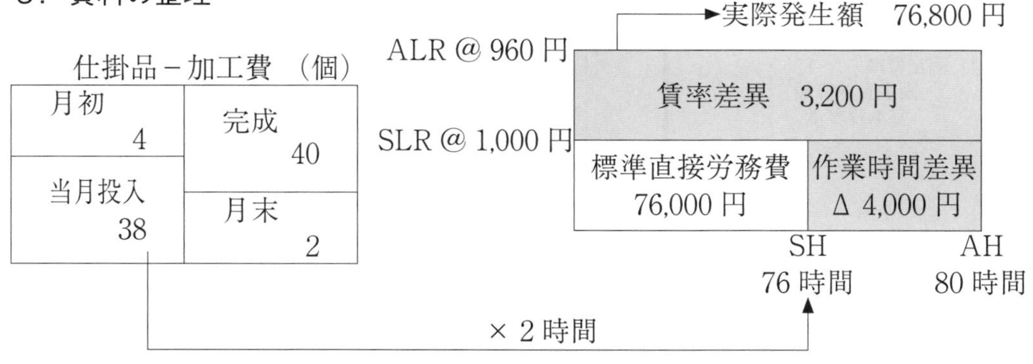

4．直接労務費の差異分析

直接労務費差異　76,000 円（標準直接労務費）－ 76,800 円（実際直接労務費）＝Δ 800 円（不利差異）
{ **賃率差異**：(1,000 円／時間 － 960 円／時間) × 80 時間＝ 3,200 円(有利差異)
{ **作業時間差異**：1,000 円／時間×（76 時間 － 80 時間）＝Δ 4,000 円（不利差異）

Chapter8

(3)外注費差異 ● 工種別差異分析を重視し，**契約単価差異**と**工期差異**に分析されます。

> 契約単価差異＝(標準契約単価－実際契約単価)×実際工期
> 工　期　差　異＝標準契約単価×(標準工期－実際工期)

(4)工事間接費 ● 工事間接費差異は，**予算差異**，**能率差異**，**操業度差異**に分析されます。

> 工事間接費差異＝標準配賦額－実際発生額
> 〈分析〉
> 予　算　差　異＝実際操業度における予算(許容)額－実際発生額
> 能　率　差　異＝標準配賦率×(標準操業度－実際操業度)
> 操 業 度 差 異＝固 定 費 率×(実際操業度－基準操業度)

公式法変動予算の場合の差異分析

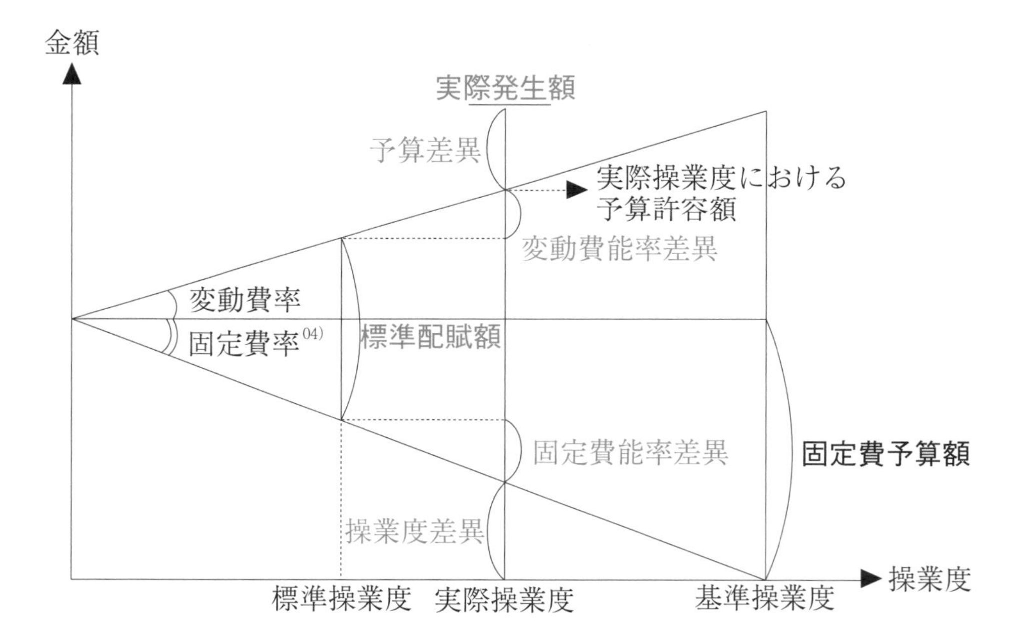

標準配賦率＝変動費率＋固定費率

04）固定費率
＝$\frac{固定費予算額}{基準操業度}$

try it 例題 工事間接費差異の差異分析

次の資料により，下記の変動費率，固定費率および当期の7月における工事間接費の標準原価差異分析を実施しなさい。

(1) 変動費率　(2) 固定費率
(3) 変動費の予算差異　(4) 変動費の能率差異
(5) 固定費の予算差異　(6) 固定費の能率差異
(7) 操業度差異

■資　料■

1．当期の工事間接費予算データ

年間予定機械運転時間	12,000 時間
上記時間での変動費予算	5,400,000 円
年間の固定費	6,000,000 円

2．7月の実際の機械運転時間　1,150 時間

3．同月の工事規模から算定された標準機械運転時間　1,100 時間

4．7月の実際発生原価

間接材料費	340,000 円
間接労務費	644,400 円
間接経費	110,000 円
（上記のうち固定費	540,000 円）

解答

(1)	変動費率	450 円／時間	(2)	固定費率	500 円／時間
(3)	変動費の予算差異	36,900 円（不利差異）	(4)	変動費の能率差異	22,500 円（不利差異）
(5)	固定費の予算差異	40,000 円（不利差異）	(6)	固定費の能率差異	25,000 円（不利差異）
(7)	操業度差異	75,000 円（有利差異）			

解説

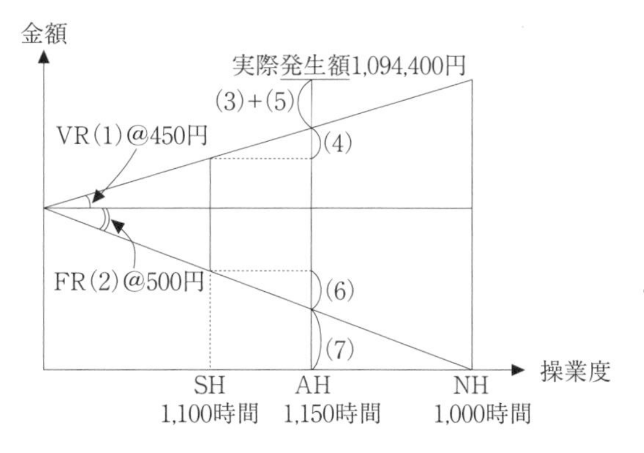

変動費実際発生額
340,000 円＋ 644,400 円＋ 110,000 円
－ 540,000 円＝ 554,400 円

〈参考〉総差異
(450円/時間＋500円/時間)×1,100時間－1,094,400円
＝△49,400円（不利差異）

(1) 変動費率：5,400,000円÷12,000時間＝450円/時間
(2) 固定費率：6,000,000円÷12,000時間＝500円/時間
(3) 変動費の予算差異：450円/時間×1,150時間－554,400円
＝Δ36,900円（不利差異）
(4) 変動費の能率差異：450円/時間×(1,100時間－1,150時間)
＝Δ22,500円（不利差異）
(5) 固定費の予算差異：6,000,000円÷12カ月－540,000円
＝Δ40,000円（不利差異）
(6) 固定費の能率差異：500円/時間×(1,100時間－1,150時間)
＝Δ25,000円（不利差異）
(7) 操業度差異：500円/時間×(1,150時間－1,000時間)
＝75,000円（有利差異）

原価差異の処理方法

05) 購入材料価格差異ともいいます。

標準原価差額の会計処理に関するフローチャート

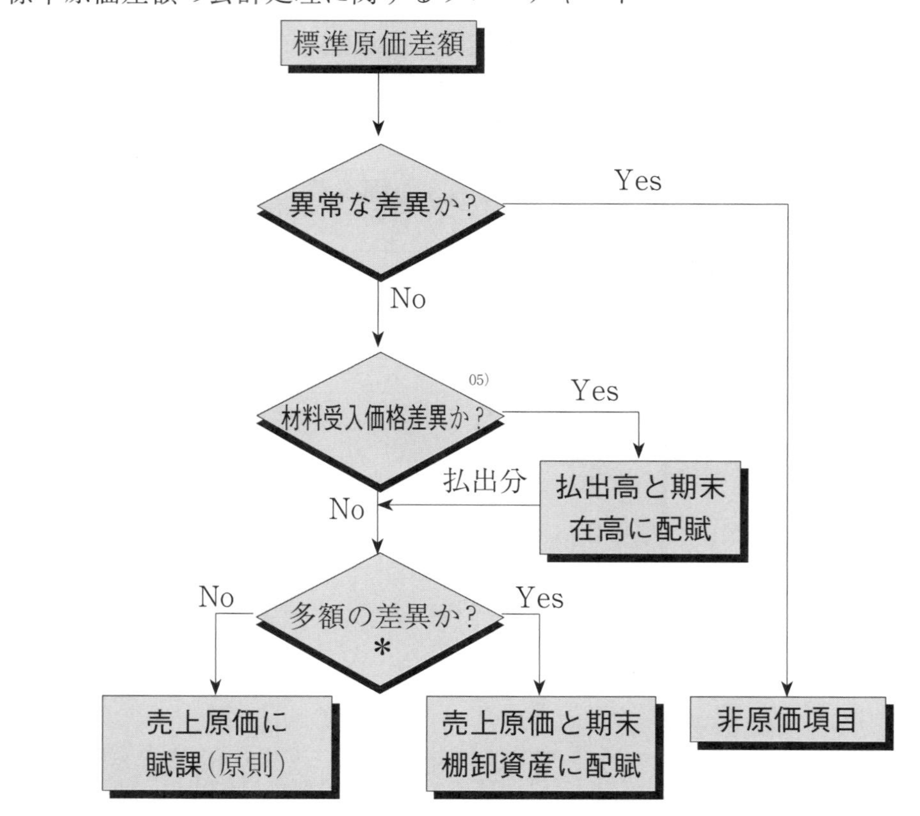

＊ 原価差額が総製造費用の1/100以上であれば多額の差異，1/100未満であれば少額の差異と判定します。

原価企画・原価維持・原価改善

はじめに 標準原価計算はコストダウンを行うための有効な手法の１つですが，それだけで効率的にコストダウンを行うのは困難だといわれています。そもそも，建設に要するコストは「どんな材料や設備を使って建物を作るのか」という計画や設計の段階で，およその金額が決まってしまうからです。そのため，標準原価計算以外にも様々なコストダウンの手法が，日本の企業を中心に考えられてきました。

日本企業の原価管理システム

日本の製造業を中心に発展してきた原価管理システムは，工事着工前（設計段階）で用いられる**原価企画**システムと，製造段階や施工段階で用いられる**原価維持**システムと**原価改善**システムの３つからなりたっていると言われます。

このうち，原価維持システムについては，Section 2で学習した標準原価計算とその差異分析が該当します。

そこで，このSectionでは原価企画と原価改善についてみていきます。

原価企画の必要性

建設業を営む企業が，建築物を建設するまでの一連のプロセスを示すと，次のようになります。

①企画・調査⇒ ②基本設計⇒ ③詳細設計⇒ ④着工準備⇒ ⑤着工⇒ ⑥竣工・引渡し

このうち，実際に原価が発生するのは，ほとんどが建築物を建設している最中，つまり着工後の段階です。

しかし，着工後に発生する原価の金額は，どのような建築物にするかを決定する着工以前の企画・設計の内容に依存しており，そこで建築物の基本的な仕様[01]が決定してしまうと，それ以降の原価削減は困難になってしまいます。

そのため，原価削減には工事着工前の段階での管理（**源流管理**）が効果的であるといえ，そこで行われる原価企画の必要性が生まれてきたと言われています。

01）建築物の形状や配置，構造に加え，材料や工法，工期などが決まると，発生する原価の大半が決まってしまうと考えられています。

目標原価の作り込み

(1)基本的な考え方 原価企画では，目標利益が確保されるように目標原価を設定します。このとき，さきに原価の発生があり，それに必要な利益を加えて収益（請負金額）を考える**プロダクトアウト**の考え方ではなく，先に顧客の需要やそれに見合う請負金額があり，そこから必要な利益を差し引いて原価を考える**マーケットイン**の考え方で目標原価を考えることが，原価企画の前提となります。

(2)許容原価

まず，個々の建築物に対して，

①施主（顧客）の希望する建築物の内容や請負金額はあらかじめ決まっているとします。

②企業の戦略にもとづき，個々の建築物にかかる目標利益を設定します。

③請負金額からその建築物にかかる目標利益を差し引いて，許容原価を設定します[02)]。

02）このような考え方を「控除法」といいます。

許容原価　＝　請負金額　－　目標利益

(3)原価の作り込み

理想的には，上記の許容原価を目標原価とすべきです。しかし，現実的に許容原価を目標原価としてしまうと厳しい原価設定となってしまうため，許容原価を意識しながら，許容原価を実現可能な原価水準へ修正して，目標原価を設定します[03)]。

理想的な目標原価を示す許容原価に対し，現在の技術レベルや建設設備を前提として発生すると見込まれる原価を見積原価[04)]といいます。この**見積原価と許容原価との差額が，原価削減目標となります。**

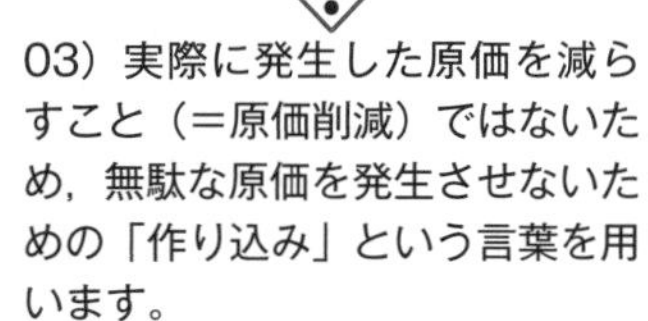

03）実際に発生した原価を減らすこと（＝原価削減）ではないため，無駄な原価を発生させないための「作り込み」という言葉を用います。

04)「成行原価」とも呼ばれます。通常は「許容原価＜見積原価」となります。

原価削減目標　＝　見積原価　－　許容原価

原価削減を実現するために，原価企画では**価値工学**（Value Engineering：VE）などの手法[05)]を活用し，見積原価と許容原価との差をゼロに近づけます。

VEでは，価値を機能とコストの観点から定義し，次のような式で表します。

$$\text{建築物の価値}=\frac{\text{顧客が建築物の機能から得られる効用}}{\text{機能実現のためのコスト}}$$

このように建築物の価値を算定し，顧客から見て不必要または過剰な機能を排除することで，原価削減を目指します[06)]。

なお，このときに削減しきれなかった部分については，施工現場での原価改善活動に持ち越すことになります。

05）このほか，価値分析（Value Analysis：VA）と呼ばれる手法を用いたり，企業内の原価見積（積算）の仕組みを整備することも有効だといわれています。

06）VEは，ジョブプランとよばれるプロセスによって実施され，一般に，①VE適用対象の設定，②機能の定義，③機能に対するウェイトづけ，④機能を実現するためのアイデアの創出と代替案の作成，⑤改善策の提言と採用，の順序で行われます。

原価改善とは

原価改善とは，施工段階（建設現場）において，標準原価を下回る原価水準の達成に向けて原価改善活動に携わる従業員を動機づける原価管理活動です[07)]。

原価企画において削減できなかった部分は施工段階に持ち越され，施工段階（建設現場）において原価削減が委ねられることになります。そのため，単に標準原価の範囲内で原価を抑えられたことに満足するのではなく，標準原価の算定において前提になった様々な条件をより効率的なものにしようとする姿勢が必要となります。

07）5Sとは，整理（Seiri），整頓（Seiton），清掃（Seisou），清潔（Seiketsu），躾（Shitsuke）からなる原価管理活動を支える基盤として，わが国では広く普及しています。

4 品質原価計算

はじめに より良いものを作ろうとした時には，どうしてもコストがかかってしまいます。しかし，だからと言って品質の悪いものを作ってしまった場合，補修や収益減少など，また別の面でコストがかかってしまいます。
品質とコストには，どのような関係があるのでしょうか？また，どのような品質が企業にとって望ましいのでしょうか？これを考えるための原価計算が，品質原価計算です。

品質原価計算の意義

品質原価計算とは，品質の良い製品を出荷するためにどれだけの原価をかけているか，つまり，建設業で言えば施主（発注者）のニーズに合致しており，かつ，設計仕様に合った建築物の施工に対していくらかかったかを知るための原価計算です。

なお，ここでいう「品質」には，施主（発注者）のニーズに合致した設計となっているかを問題にする**設計品質（市場品質）**と，設計どおりに建設できているかを問題にする**適合品質（施工品質）**の２つがありますが，品質原価計算では適合品質（施工品質）に関係するコストを重点的に考えていきます。

品質原価計算による原価の分類

品質原価を把握する方法を **“予防－評価－失敗アプローチ”** といい，次のように分類されます。

(1) 品質適合コスト ● 建築物の品質を品質規格に一致させるためのコストです。品質適合コストはさらに**予防コスト**と**評価コスト**に分類されます。

予防コスト●規格に一致しない建築物の施工を予防するコスト。
【例】品質保証教育費，設計改善費

評価コスト●規格に一致しない建築物を発見するためのコスト。
【例】材料受入検査費，建造物検査費

(2) 品質不適合コスト ● 建築物の品質を品質規格に一致させられなかったために発生するコストです。品質不適合コストはさらに**内部失敗コスト**と**外部失敗コスト**に分類されます。

内部失敗コスト●施主（発注者）に引き渡す前に発見された欠陥や品質不良を補修するためのコスト
【例】手直費

01）不良品の販売による企業イメージの低下やそれにともなう収益の減少による損失も含めることがあります。

外部失敗コスト●欠陥のある建築物を施主（発注者）に引き渡したために発生するコスト[01]。

【例】引渡後の補修費用，クレーム処理費

(3)特徴 品質適合コストは上流管理（事前的な管理），品質不適合コストは下流管理（事後的な管理）に関係します。そのため，品質適合コストは経営者の裁量によって金額をコントロールできるコスト（自発的なコスト）であるのに対し，品質不適合コストは経営者の裁量とは関係なく発生してしまうコスト（非自発的なコスト）であるという対照的な特徴を持っています。

品質コストの考え方

品質原価計算では，品質適合コストと品質不適合コストの合計（**品質コスト**といいます）を最小にするための品質水準を求めることも目的の1つと考えられています。しかし，品質コストをどのように考えるのかによって，次のような対立する2つの考え方があります。

(1)品質適合コスト **古典的モデル**では，品質不適合コストを削減するためには，必ず品質適合コストを増加させなければならないと考えます。これを図に表すと，以下のようになります。

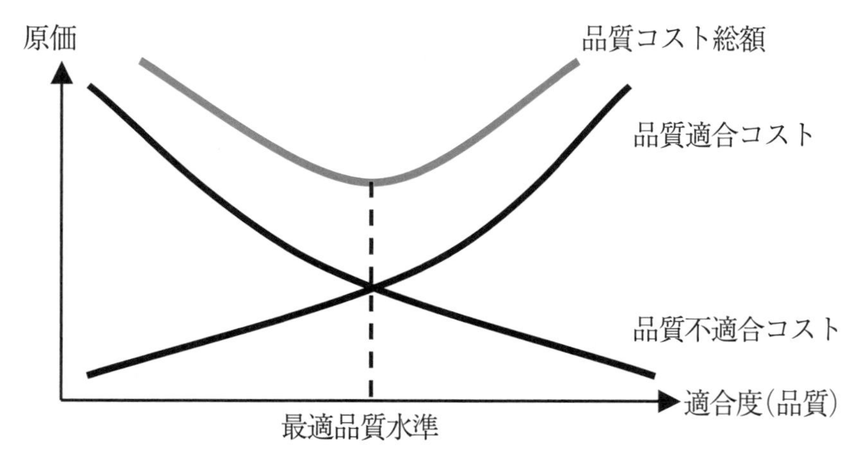

02）トレード・オフとは，一方を追及すれば，もう一方は犠牲にしなければならない二律背反の状況をいいます。

品質適合コストと品質不適合コストはトレード・オフ[02]の関係にあり，両者を合計した品質コストの総額を示す線は，グラフの真ん中あたりで最小となります。そのため，**品質コストを最小にするには，必ずしも最高品質にする必要はなく，一定の不良品が生じることも許容されるということがわかります。**

このモデルでは，品質管理の活動を評価活動（検査活動）においていると考えています。そのため，品質水準を向上させようとすると多額の評価コスト（検査費）が必要となるため，品質水準が高くなればなるほど，品質適合コストの増え方も急になっていきます。

(2) TQMモデル

一方，日本企業の多くは古典的モデルで品質コストを捉えておらず，TQM[03]モデルで品質コストを捉えていると考えられています。TQMモデルで品質原価を考えた時の品質コストを図で表すと，以下のようになります。

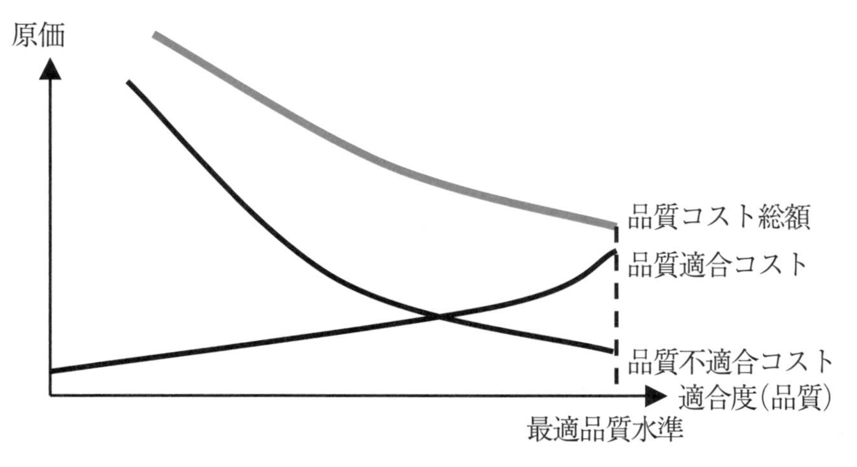

TQMモデルでは，**品質水準を最高な状態にしたときに品質コストの総額が最小になります。**これは，品質コストに対する次のような考え方が前提になっていると考えられています。

①品質適合コストは，時間の経過にともなって従業員の学習や経験によって減少していく。

②評価活動（検査活動）ではなく予防活動を重視し，予防コストを増加させることによって品質水準を向上させることを前提にしているため，事前の予防活動が効果を発揮すれば，必要となる評価コストを少なくしても品質は確保できる。

また，日本企業には昔から不良品ゼロを目指す品質管理[04]が日常的に行われています。これは，1つでも不良品を出荷してしまうと，企業イメージの低下により収益が減少し，それも一種の品質不適合コストだと考えているからです。そのため，日本企業ではTQMモデルによる，品質を最高水準にしようとする考え方が一般的となっています。

03) Total Quality Managementの略です。

04) ゼロ・ディフェクト（ZeroDefect：ZD）運動とも呼ばれます。

Section 5

重要度 ◈◈

ライフサイクル・コスティング

はじめに 最近の家電や自動車は，購入後の電気代やガソリン代が安く済むこともセールス・ポイントの１つとなっています。いくら値段が安くても，その後の電気代やガソリン代が高くついてしまっては，あまりお得とは言えませんからね。
建設業で扱う建物も同じで，むしろ長く使用する分だけ建設後のコストが安く抑えられることの重要性は，家電や自動車よりも高いと言えます。ライフサイクル・コスティングでは，建設後のコストも含めた建物の一生に必要なコストを考えます。

ライフサイクル・コスティングとは

ライフサイクル・コストとは，製品やシステムの企画・開発から廃棄処分されるまでにかかるコストのことをいい，ライフサイクル・コストを考慮して，いくつかある代替案の中から最善の案を選択する原価計算を**ライフサイクル・コスティング**といいます。

建設業の場合，ライフサイクル・コストは発生段階に応じて次にあげるコストからなります。

企画設計コスト	建設の企画から現地調査や用地取得，設計などに要するコスト
建設コスト	材料費，労務費，外注費，経費などの工事コストのほか，工事の監督・管理などに要するコスト
運用管理コスト	建物の保全や修繕，運用に要するコスト
廃棄処分コスト	建物の解体に要するコスト

需要者側から見たライフサイクル・コスティング

建設に使用する固定資産などは，購入に要する取得コストのほかに，実際に使用にあたって生じる運転費や修繕費，使い終わって廃棄するさいの廃棄費などの使用コストが生じます。

使用コストが多く発生する資産の場合，単に取得コスト（購入代価）が安いだけで判断するのは適切とは言えません。**実際に使用するさいに生じるコストも含めたトータル・コストを考えて購入するか否かの判断をする方が適切**だといえます。

このとき，需要者側から見てライフサイクル・コスティングの必要性があると言えます。

try it

例題　需要者側から見たライフサイクル・コスティング

NS建設(株)は，営業用自動車の新規購入を検討している。現時点で候補にあがっているのはX，Y，Zの３車種であるが，各車に関して比較し得る資料を集めたところ，下記のとおりであった。そこで，資料にもとづき各車のトータル・コストを計算し，どの車種が最も購入に有利な車種であるかを判断しなさい。なお，貨幣の時間価値は考慮しないものとする[01]。

01）貨幣の時間価値を考慮することもありますが，ここでは割愛します。なお，貨幣の時間価値についてはChapter 9を参照してください。

■資　料■

	X　車	Y　車	Z　車
取得原価	100万円	120万円	150万円
耐用年数	4年	4年	4年
残存処分額（注）	10万円	15万円	20万円
保険料	80,000円／年	120,000円／年	160,000円／年
走行距離	40,000km／年	40,000km／年	40,000km／年
燃費	10km／ℓ	12.5km／ℓ	20km／ℓ
ガソリン価格	110円／ℓ	110円／ℓ	110円／ℓ

（注）耐用年数到来時の見積売却価額である。

解答

トータル・コストを比較してみると，X車が2,980,000円，Y車が2,938,000円，Z車が2,820,000円であり，Z車が最も購入に有利な車種である。

解説

1．X車のトータル・コスト

1,000,000円（取得原価）＋80,000円×4年（保険料）＋1,760,000円[02]（ガソリン代）－100,000円（残存処分額）＝2,980,000円

2．Y車のトータル・コスト

1,200,000円（取得原価）＋120,000円×4年（保険料）＋1,408,000円[02]（ガソリン代）－150,000円（残存処分額）＝2,938,000円

3．Z車のトータル・コスト

1,500,000円（取得原価）＋160,000円×4年（保険料）＋880,000円[02]（ガソリン代）－200,000円（残存処分額）＝2,820,000円

02）ガソリン代は以下の式で求めます。

$$\text{ガソリン代} = \frac{\text{年間走行距離} \times \text{年数}}{\text{燃費}} \times \text{ガソリン価格}$$

X車

$$\frac{40{,}000\text{km／年} \times 4\text{年}}{10\text{km／ℓ}} \times @110\text{円} = 1{,}760{,}000\text{円}$$

Y車

$$\frac{40{,}000\text{km／年} \times 4\text{年}}{12.5\text{km／ℓ}} \times @110\text{円} = 1{,}408{,}000\text{円}$$

Z車

$$\frac{40{,}000\text{km／年} \times 4\text{年}}{20\text{km／ℓ}} \times @110\text{円} = 880{,}000\text{円}$$

供給者側から見たライフサイクル・コスティング

(1)必要性

需要者側がライフサイクル・コストを考慮して購入の判断を行うとすれば，供給者側から見れば，単に販売価格を引き下げるのではなく，需要者にとってのライフサイクル・コストが可能な限り少なくなるような製品を提供しなければ，他社との競争に負けてしまうおそれがあります。

また，ライフサイクル・コストは企画・設計の段階で大部分が決定してしまい，その後の段階（製造や使用の段階）でライフサイクル・コストを変更することは困難になってしまいます。

そのため供給者側は，特に企画・設計の段階でライフサイクル・コストを考慮することが，他社との競争の観点からも重要だといえます。

(2)建設業とライフサイクル・コスティング

建物のライフサイクル・コストを考えた場合，そのほとんどが運用管理コストと建設コストであるという統計結果があります[03)]。

運用管理コストと建設コストは，建設する建築物の形状や材質が決まる企画・設計段階でそのほとんどが決定されてしまいます。

そのため，建設業においては特に企画・設計段階でライフサイクル・コストを意識することが原価管理において重要な課題といわれています。

03）ライフサイクル・コストの総額のうち，約80%が運用管理コスト，約15%が建設コストであるといわれています。

Chapter 9

特殊原価調査（意思決定会計）

◆経営者になったつもりで，考えてみましょう◆

これまでのChapterでは，原価計算制度（Chapter 1参照）を中心に扱ってきましたが，このChapterでは特殊原価調査のうち意思決定会計という異なる観点の原価計算を行っていきます。

意思決定会計では，会計的なデータを使って，企業の進むべき道を選んでいきます。経営者になったつもりで考えていくと，意外と楽しいかもしれません。

Section 1　重要度 ◈◈

短期差額原価収益分析

はじめに ■ このChapterでは，意思決定について学習します。まずは，比較的短期間の物事に関する意思決定です。皆さんの生活で言えば，「今日の夕飯を何にしよう？」とか，「試験に使う筆記用具はどれにしよう？」といった感覚に近いのかもしれません。
企業は「利益の最大化」を重要な目的の1つにしていますから（もちろん，それ以外の目的もあるでしょうが），利益が大きくなる案を探すことが，このSectionでの内容となります。

特殊原価調査（意思決定会計）とは

企業が将来においてとるべき行動を決定することを，**経営意思決定**といいます。このために必要なデータを提供する会計が**意思決定会計**であり，必要なときに行われる原価計算である特殊原価調査の1つです。

経営意思決定の分類と意思決定会計の領域

経営意思決定は，対象とする問題内容・範囲によって次の2つに分類することができます。

(1) 構造的意思決定 ● 生産･販売の能力そのものに関する意思決定です。その結果は，長期にわたって企業の業績に影響を与えます。

【例】新しい建設用設備を購入するかどうか

(2) 業務的意思決定 ● 生産･販売の能力が一定であることを前提としながら，**日常の業務活動の個々**の部分について行われる意思決定です。その結果が企業の業績に影響を与える期間は短期的である点が特徴です。

【例】顧客からの引合いを受けるべきか
　　従来他社から購入している部品を社内で製造するかどうか

意思決定会計での収益と原価の考え方

(1) 概要 ● 企業の意思決定はどのように行われるのでしょうか。市場の動向，経営トップの経験，あるいは社会的な信用や貢献度などさまざまな要因が考慮されます。しかし，利益を上げることを最大の使命としている私企業としては採算性がもっとも重視されます[01]。一方，企業の意思決定は，企業の未来をどのように構築するのかという問題でもあります。そのため，意思決定にあたっては次のような概念で利益を考えることになります。

未来差額利益＝未来差額収益－未来差額原価

01) ただし，数値（金額）で表せる採算性だけですべてを決める訳ではありません。数値で表せない定性的な側面（たとえば，環境や企業イメージへの影響，重要な技術やノウハウの維持など）も考慮して意思決定を行うことになります。

(2)未来に関するものであること（未来概念）

企業が意思決定にあたって代替案の評価をするのは，将来の活動に関する意思決定をするためです。したがって，取り扱う収益や費用は，各代替案を採用した時に，将来発生すると予測されるものに限ることができます。言い換えれば，すでに発生してしまった過去の収益や原価は，意思決定にさいして考慮する必要はありません。

(3)差額で求められること（差額概念）

企業が意思決定にあたって代替案の評価をするのは，いくつかの案のうちいずれを選択するのかを決めるためです。したがって，代替案ごとに発生額が異なる収益や原価のみを考えればよく，いずれの案をとっても同額発生する収益や原価は，意思決定にあたって考慮する必要はありません。

意思決定会計における原価概念

(1)差額原価

意思決定上，考慮する原価を**差額原価**（または**関連原価**）といいます。代替案ごとに金額の異なる原価であり，これを考慮することで，いくつかの案のうちいずれを選択するのかを決めることができます。

(2)機会原価

制度会計において原価といえば支出原価を意味します。しかし，意思決定においては，未来原価かつ差額原価である限り支出原価でないものも考慮します。

たとえば，休日に温泉旅館に泊まるよりも，平日に温泉旅館に泊まった方が，宿泊費が5,000円安いとします。これだけを考えると，平日に宿泊した方が有利のように見えますが，平日に宿泊するためには，普段平日に働いている日給3,000円のアルバイトを２日余計に休まなければならないとします。そうすると，平日に宿泊するためには２日分のアルバイト代6,000円（3,000円×２日）を犠牲にしなければなりません。

このように，**ある案を採用したときに，別の案を採用していたならば得られるはずの利益を犠牲にする**ことがあります。このような原価を**機会原価**といいます。

したがって，この機会原価に代替案ごとに異なる未来の支出原価を加えたものが，差額原価であるとも言えます。

(3)埋没原価

意思決定を行ううえで考慮するのは未来原価かつ差額原価でもある原価です。したがって，これに該当しない原価を**埋没原価**（または**無関連原価**）といいます。埋没原価は，どの投資案をとっても同額発生し，どちらがよいのかを判断するうえで影響がないため，意思決定上は考慮しません。

短期差額原価収益分析の計算方法

業務的意思決定では，短期差額原価収益分析によって分析を行います。**短期差額原価収益分析**では，代替案ごとの**差額原価**と**差額収益**を計算し，**差額利益**の大小(または，差額利益か差額損失か)によって意思決定を行います。

受注可否の意思決定

企業は顧客から引合いがあった場合，それを受注するかどうかを決めなければなりません。このような意思決定を**受注可否の意思決定**といいます。建設業の場合，複数の顧客からの引合いがあった場合，より有利な方から受注することになります。

try it **例題** 受注可否の意思決定

NS 建設(株)は，今まで取引のなかったＸ社から，新規工事の引合いがあった。そこで，この工事の請負金額，原価を見積もったところ，以下の資料のような結果となった。この資料にもとづき，Ｘ社からの工事を受注すべきか否かを判断しなさい。なお，この工事を引き受けるための人員や設備上の制約はないものとする。

■資　料■

1．工事請負金額		40,000 万円
2．原価	変動費	32,000 万円
	固定費	10,000 万円

(注１)変動費は材料費や外注費などであり，受注すれば発生し，受注しなければ発生しないものである。
(注２)固定費は一般管理費や設備の減価償却費などである。これらは，受注をしてもしなくても，発生額は変わらない。

解答

受注した場合，差額〔利益・~~損失~~〕が(8,000)万円発生するため，当該工事を受注〔すべきである・~~すべきでない~~〕。
(注)(　　)内には金額を記入し，〔　　〕内は不要な文字を二重線で消しなさい。

解説

工事請負金額と原価のうち変動費は，それぞれ差額収益と差額原価であるため，意思決定上，考慮します。
一方，原価のうち固定費については，受注してもしなくても発生額が変わらないことから，埋没原価となり，意思決定上は考慮しません。

差額利益：40,000 万円－ 32,000 万円＝ 8,000 万円
以上より，差額利益が 8,000 万円発生するため，工事を受注すべきといえます。

手余り状態と手不足状態

業務的意思決定の場合，生産・販売能力（供給能力）は一定であることが前提となっています。そのため，現状における企業の持つ生産・販売能力がどの程度かによって，差額利益が異なることがあります。

具体的には，以下の２つの状況が考えられます。

・供給能力と比べて需要が十分にないため，自社内に使用されない供給能力（遊休能力といいます）が生じている場合（これを**手余り状態**といいます）

・供給能力を上回る需要があり，遊休能力が存在していない場合（これを**手不足状態**といいます）

たとえば，ある代替案が企業の供給能力を増やすものであった場合（作業のスピードアップなどが図れるものなど），手余り状態の場合にはそもそも供給能力が十分にあるため，供給能力が増えるような代替案を採用しても，その効果は期待できません。一方，手不足状態の場合には，供給能力が増加する代替案の採用により，より多くの収益を獲得することができるため，代替案の効果が生じることとなります。

try it **例題** 手余り状態と手不足状態

建築用資材を製造しているＮＳ工業（株）は，錦町建設（株）に同社専用の部品である製品Ａを納入している。ここで，Ａ製品部門における「能率 20％アップ」の合理化案（有効期間は１カ月）が社内で提案された。しかし，この案には 250 万円の投資が必要である。次の資料にもとづき，各問いに答えなさい。

問１　合理化によって増加した産出量すべてを錦町建設（株）に納入できる場合（手不足状態）に，合理化案を採用すべきか判断しなさい。

問２　錦町建設（株）の需要量を上回る供給能力がすでにある場合（手余り状態）に，合理化案を採用すべきか判断しなさい。

■資　料■

１．製品Ａ　１個あたりの販売価格：10,000 円
　　　　　　１個あたりの変動製造原価：6,000 円
２．Ａ製品部門の生産能力（月間）：15,000 時間
３．製品Ａ　１個あたり加工時間：５時間／個
　　ただし，合理化によって４時間／個に短縮可能

解答

問１　合理化〔する・~~しない~~〕方が（　*500,000*　）円有利である。
問２　合理化〔~~する~~・しない〕方が（ *2,500,000* ）円有利である。
（注）（　　）内には金額を記入し，〔　　〕内は不要な文字を二重線で消しなさい。

解説

問１　手不足状態

手不足状態の場合，需要が生産能力を上回っているため，合理化によって生産能力が増えれば，その分だけ納入量（販売量）が増えることになります。

増加する生産能力：（15,000時間÷４時間／個）－（15,000時間÷５時間／個）＝750個
（前者：合理化後の生産可能量，後者：合理化前の生産可能量）

したがって，750個多く製造・納入（販売）することができるため，合理化案の差額利益を計算すると次のようになります。

差額収益	@10,000円×750個＝	7,500,000円
差額原価	@　6,000円×750個＝	4,500,000円（変動製造原価）
		2,500,000円（合理化案の投資額）
差額利益		500,000円

差額利益が500,000円生じるため，合理化案を採用すべきとなります。

問２　手余り状態

手余り状態の場合，需要以上の生産能力があり，これ以上生産能力を増やしたところで需要がないため，納入量（販売量）は増えません。

したがって，合理化案の差額利益を計算すると，次のようになります。

差額収益	0円
差額原価	2,500,000円
差額損失	2,500,000円

差額損失が2,500,000円生じるため合理化案を採用しない方が有利となります。

自製か購入かの意思決定

建設に必要な部品を調達するとき，２つの方法が考えられます。自社内で作るか，外部から購入するかです。そのいずれを選ぶかという問題を，自製か購入かの意思決定といいます。
この意思決定にさいしては，自製したときと購入したときの部品の原価を計算して，いずれか低い方を選びます。

try it

例題　自製か購入かの意思決定

NS建設(株)は，建設用資材の部品Xを外部の製造業者から購入しているが，次年度から自社で製造することを検討している。以下の資料にもとづき，部品Xを購入すべきか，自製すべきかを検討しなさい。

■資　料■

1．部品Xの年間必要量　500個
2．部品Xの1個あたり購入原価　@280円
3．自製する場合の部品Xの製造原価

直接材料費	@ 35円
直接労務費	@ 120円
製造間接費	@ 135円
合　計	@ 290円

(注)製造間接費には，固定製造間接費@90円が含まれている。この固定製造間接費は，自製するか否かに関わらず発生するものである。

解答

〔自製・~~購入~~〕する方が差額原価が(40,000)円少ないため有利である。

(注)(　　)内には金額を記入し，〔　　〕内は不要な文字を二重線で消しなさい。

解説

自製か購入かの意思決定では差額原価を計算して，差額原価がより少ない方を選択することになります。

本問の場合，固定製造間接費@90円は自製しても購入しても発生する原価であるため，埋没原価となります。そのため，それ以外の差額原価を集計して，判断します。

	自製する案	購入する案
直接材料費	@ 35円 × 500個 = 17,500円	—
直接労務費	@ 120円 × 500個 = 60,000円	—
変動製造間接費	@ 45円[02] × 500個 = 22,500円	—
購入原価	—	@280円 × 500個 = 140,000円
差額原価	100,000円	140,000円

以上より，自製する案のほうが差額原価が40,000円（= 140,000円 − 100,000円）少ないので，自製する方が有利となります。

02）@135円−@90円=@45円

Section 2 設備投資の意思決定

重要度 ◈◈

はじめに Section 1とは異なり，このSectionでは，比較的長期間にわたって企業に影響を与える設備投資に関する意思決定を取り扱います。日常生活でも，「どの車を買おうか？」とか「マンションを買うのか，賃貸にするのか？」という意思決定になると，金額も大きいうえに，その後の費用も変わってくるため，慎重な決断が求められます。企業の設備投資も同じことです。多額で長期にわたって影響が出る設備投資は，どのように意思決定を行えばよいのか，見ていきましょう。

設備投資の意思決定とは

企業の生産・販売の能力そのものに関する意思決定を**構造的意思決定**といいます。ここでは，構造的意思決定のうち，設備投資に関する意思決定に役立てるための原価計算を取り扱います。

設備投資とは，生産や販売に使用する固定資産に対する投資のことをいいます。設備投資は，通常，金額が大きく，経済的な効果が長期間に及ぶ支出であるという特徴があります。

設備投資の意思決定にあたって，各設備投資案の経済性の計算が必要不可欠になりますが，このための原価計算を設備投資の経済計算といいます。

設備投資の経済計算の前提

(1)投資案相互の関係性 設備投資の意思決定の場面においては，通常，いくつかの投資案があがっていることが前提となります。このとき，ある投資案が別の投資案に影響を与えるか否か，また，影響を与える場合にはどのような影響を与えるのかによって次のように分類されます。

独立投資：ある投資案への投資が他の投資案にまったく影響を与えない場合

従属投資：投資案同士が影響を与え合う場合

- 相互排他的投資：ある投資案を採用すると，他の投資案は採用できない場合
- 補完投資：複数の投資案を合わせて採用することで，相乗効果が期待できる場合
- 前提投資：ある投資案の採用が別の投資案の採用の前提になっている場合

(2)全体損益計算 設備投資では，設備投資を行ってからその経済効果が終了するまでの期間で分析を行います。仮に，ある鉄道会社が自動改札機を導入することを検討しているとします。設備の耐用年数は5年であり，耐用年数到来時に除却され

01）ここでは投資全体としていくらの現金が支出されるか，または収入となるのかによって測定します。

るとしましょう。設備投資の経済計算では，自動改札機の導入による支出と，年々の経済効果による収入[01]（たとえば，自動改札機の導入によって人手が節約され労務費の負担が軽減されるなど）とを比較して設備の経済性を測定します。言い換えれば，5年間という**期間全体**を考慮して損か得かを比較することになり，通常の会計のような期間損益計算は行われません。

(3)貨幣の時間価値

設備投資の経済計算では，設備投資による支出額に対してどれだけの経済効果があるかを測定します。このさい，今行う設備投資支出に対して，経済効果が得られるのは将来のことですから，単純に両者を比較することはできません。

これは現在と将来という異なる時点の比較になるからです。異なる時点の現金の収入と支出を比較するためには，貨幣の時間価値を考慮する必要があります。

たとえば，「今100万円を受け取るのか。それとも1年後に受け取るのか」と聞かれれば，「今受け取りたい」と答えるでしょう。それは，今受け取った100万円を銀行などに預けておけば，利息分だけ増えるからです。同じ100万円でも，今の100万円の方が1年後の100万円よりも価値が高いといえるでしょう。両者の差は貨幣の時間価値により生じます。

貨幣の時間価値を考慮するためには，時点をそろえて比較する必要があります。これには2つの方法があります。

複利計算：将来時点にそろえて比較する
割引計算：現在時点にそろえて比較する

貨幣の時間価値

(1)複利計算

複利計算とは，現在の貨幣の金額を将来の貨幣価値に直す計算方法です。

たとえば，1,000円を利子率年10％で預け入れた場合，1年後には1,000円に10％の利息が付いて，預金残高は1,100円になります。すると，次の1年では，1,000円ではなく1,100円に10％の利息が付く[02]ので，預金残高は1,210円となります。これを，計算式で表すと次のようになります。

1年後　1,000円×（1＋0.1）＝1,100円
2年後　1,000円×（1＋0.1）×（1＋0.1）＝1,000円×$(1+0.1)^2$＝1,210円
3年後　1,000円×（1＋0.1）×（1＋0.1）×（1＋0.1）
　＝1,000円×$(1+0.1)^3$＝1,331円

これによれば，今の1,000円の3年後の価値は1,331円です。

このようにして，**複利を前提に将来の貨幣価値を求める**ことを複利計算といいます。

02）利息にさらに利息が付く場合を「複利」といいます。反対に，最初の元本にしか利息が付かない場合を「単利」といいます。

(2)割引計算

割引計算とは，将来の貨幣の金額を現在の貨幣価値に直す計算方法です。
　さきほどの複利計算の逆を考えてみてください。今から３年後に1,331円の預金を残したいと考えた場合，利子率年10%では今いくらを銀行に預けたらよいのかを計算します。
　３年後の価値を求めるときには，今の価値に$(1+0.1)^3$を掛けて求めました。割引計算ではその逆の計算を行うため，３年後の価値を$(1+0.1)^3$で割って求めます。

　　現在価値　1,331円÷$(1+0.1)^3$＝1,000円

　これによれば，３年後に1,331円を残したい場合，今1,000円を預ければよいことになります。
　このようにして貨幣の現在価値を求めることを割引計算といいます。

(3)現価係数と年金現価係数

03）通常は問題文に現価係数表が与えられるので，利率10%，期間３年のところに書いてある現価係数を見つけて，計算しましょう。

04）年金現価係数も，通常は問題文に与えられます。また，現価係数を合計することでも，年金現価係数を求めることができます。

割引計算を行う場合，何度も同じ数で割るのは大変です。そこで，通常は現価係数が資料に与えられます。
　たとえば，利子率が10%のときに３年後の1,000円の現在価値を求める場合，さきほどのように$(1+0.1)^3$で割るのではなく，現価係数[03)]の0.7513を掛けます。

　　現在価値　1,331円×0.7513≒1,000円

　このように，掛けることで現在価値を求められる数値を現価係数と呼びます。また，毎年受け取る金額が同額の場合，これを年金といい，年金の現在価値を求める場合には，通常，年金現価係数を用います[04)]。
　たとえば，利率年10%として，毎年1,000円を３年間に受け取るときの現在価値を求める場合には，利率10%，期間３年のときの年金現価係数2.4869を1,000円にかけて求めることができます。

　　現在価値　1,000円×2.4869＝2,486.9円

設備投資の意思決定のためのデータ

　設備投資案の評価方法として，本書では下に示す４つの方法をとりあげます。それぞれに特徴はありますが，用いるデータは基本的に共通です。各データを各評価方法にあてはめて経済性を評価し，投資するか否かの意思決定をすることになります。

(1)キャッシュ・フロー（Cash Flow: C F）

設備投資によって生じる現金収入額（Cash Inflow:CIF）および現金支出額（Cash Outflow:COF）があります。設備投資にいくらかかるのか，それによっていくら入ってくるのかを見積もります。具体的には，次の各項目がキャッシュ・フローとなります。

①設備投資額

新たに設備を購入するためのCOFです。設備の取得原価と考えればよいでしょう。

②経済的効果

設備投資をすれば，売上増加あるいは原価削減などの経済的効果が得られます。その効果であるCIFからCOFを差し引いた正味キャッシュ・フロー(net cash flow)を計上します。

③残存価額

耐用年数が経過したときに，設備に残存する価値です。残存価額で売却することによるCIFを計上します。

(2)耐用年数

設備投資開始時から処分されるまでの年数です。

(3)資本コスト

設備投資を行うには資本が必要となりますが，資本を調達するにはコストが掛かります[05]。これを資本コストといい，資本に対する資本コストの比率を表したものを資本コスト率といいます。

05）たとえば，銀行からの借入れを行えば支払利息が，新株の発行によれば配当金がそれにあたります。

設備投資案の評価方法

設備投資案の評価には様々な方法がありますが，大きく分けると時間価値を考慮する方法と時間価値を考慮しない方法に分けることができます。設備投資の意思決定にあたっては，本来は貨幣の時間価値を考慮するべきですが，実務上では簡便な時間価値を考慮しない方法を採用することもあります。代表例をあげると，次のように分類できます。

<table>
<tr><th>評価方法</th><th>時間価値</th><th>評価の視点</th></tr>
<tr><td>正味現在価値法</td><td rowspan="3">時間価値を
考慮する</td><td rowspan="2">収益性</td></tr>
<tr><td>内部利益率法</td></tr>
<tr><td>割引回収期間法</td><td rowspan="2">財務安全性</td></tr>
<tr><td>回収期間法</td><td rowspan="2">時間価値を
考慮しない</td></tr>
<tr><td>投下資本利益率法</td><td>収益性</td></tr>
</table>

(1) 回収期間法

06) 貨幣の時間価値を考慮する回収期間法（割引回収期間法）もありますが，重要性の観点から詳しい解説は省略しています。

回収期間法とは，投資の回収期間を計算し，回収期間の短い案を有利とする方法です。この方法は貨幣の時間価値を無視しています[06]が，投資案の安全性を判断する目安となります。なお，回収期間法は計算が簡単で理解しやすいうえ，投資額の早期回収を優先することが多い経営者の感覚に合う評価方法であるため，実務では回収期間法を用いるケースが多いようです。

$$回収期間（年）=\frac{投資額}{投資から生じる年間平均純現金流入額}$$

(2) 投下資本利益率法

07) 分母は「投資額÷2」とすることもあります。この場合に求める数値を，「平均投下資本利益率」といいます。

投下資本利益率法とは，投資の利益率を計算し，利益率の大きい案を有利と判断する方法です。この方法も回収期間法と同様に貨幣の時間価値を無視していますが，簡便であり，収益性の判断に役立ちます。

$$総投下資本利益率(\%)=\frac{（純現金流入額の合計額－投資額）\div 投資期間}{投資額^{07)}}\times 100$$

(3) 正味現在価値法

正味現在価値法（Net Present Value Method：NPV 法）とは，投資から生じる現金流入額（CIF）の現在価値から，投資に必要な現金支出額（COF）の現在価値を差し引くことにより正味現在価値を計算し，正味現在価値のより大きな投資案を有利と評価する方法です。また，単独の投資案の場合，正味現在価値がゼロより大きければ投資を行うという意思決定になります。なお，正味現在価値法の割引計算における**割引率は資本コスト率を用います。**

(4) 内部利益率法

内部利益率法とは，投資から生じる現金流入額の現在価値と，**投資に必要な現金支出額の現在価値をちょうど等しくする割引率（内部利益率）を計算し，**その内部利益率と資本コスト率を比較して投資案を評価する方法です。内部利益率が資本コスト率より大きければ，その投資案は有利であるとして，採用すべきと判断します。

try it 例題 設備投資案の評価方法

以下の資料にもとづいて，投資案Ｘの⑴回収期間法による回収期間，⑵投下資本利益率法による総投下資本利益率，⑶正味現在価値法による正味現在価値，⑷内部利益率法による内部利益率を求めなさい。なお，総投下資本利益率が計算上割り切れない場合には，％表示で小数点以下第３位を四捨五入しなさい。

■資　料■

1．投資案Ｘに関する資料

(1)　設備の取得原価　2,855 万円

(2)　毎年の純現金流入額　1,000 万円

(3)　耐用年数　４年

2．当社の資本コスト率は８％

3．期間４年における年金現価係数表

利率	８％	～	14％	15％
年金現価係数	3.3121	～	2.9137	2.8550

解答

(1)　回収期間　*2.855* 年

(2)　総投下資本利益率　*10.03* ％

(3)　正味現在価値　*457.1* 万円

(4)　内部利益率　*15* ％

解説

⑴　**回収期間（回収期間法）**

$$\frac{2{,}855\text{ 万円}}{1{,}000\text{ 万円}} = 2.855\text{（年）}$$

⑵　**総投下資本利益率（投下資本利益率法）**

$$\frac{(1{,}000\text{ 万円}\times 4\text{ 年} - 2{,}855\text{ 万円}) \div 4\text{ 年}}{2{,}855\text{ 万円}} \times 100 = 10.026\cdots \rightarrow 10.03(\%)$$

⑶　**正味現在価値（正味現在価値法）**

毎年のキャッシュ・フローが同額なので，資本コスト８％の年金現価係数を用いて計算します。

$$1{,}000\text{ 万円}\times 3.3121 - 2{,}855\text{ 万円} = 457.1\text{ 万円}$$

⑷　**内部利益率（内部利益率法）**

$$\frac{2{,}855\text{ 万円}}{1{,}000\text{ 万円}} = 2.855$$ より，

年金現価係数が 2.855 であれば，投資から生じる現金流入額の現在価値と，投資に必要な現金支出額の現在価値がちょうど等しくなります。

したがって，与えられた年金現価係数表によれば，15％のときに年金現価係数が 2.8550 となっているので，15％が内部利益率であることが分かります。

法人税とタックス・シールド

減価償却費は，現金の支出をともなわない非現金支出費用であるため，キャッシュ・フローの計算には含めません。しかし，減価償却費の計上は法人税の支払額に関係するため，間接的にキャッシュ・フローの計算に影響を与えることになります。この「減価償却費×法人税率」を，**タックス・シールド**といい，キャッシュ・イン・フローとして考えます。

たとえば，売上収入が800万円，現金支出費用が300万円であるとします。これに法人税率を40％として税金の支払いを考慮すると，法人税額は200万円となり[08]，手許に残るキャッシュは300万円になります（下の図のⓐの部分）。

08)（800万円－300万円）×40％＝200万円

ここで，これに加えて減価償却費（非現金支出費用）が100万円あるとします。この100万円も費用なので，税金の計算上はこの100万円も引いた利益に40％を掛けて法人税額を求めるため，減価償却費に税率を掛けた金額[09]（下の図のⓑの部分）だけ，法人税額に違いが生じてきます。この違いの部分がタックス・シールドであり，問題文に税率が与えられている場合は，通常，このように計算します。

09）100万円×40％＝40万円

損益計算書

現金支出費用	300万円	売　上　高
減価償却費（ⓑ）	100万円	
法人税額 160万円	税引後利益 240万円（ⓐ）	800万円

（法人税額と税引後利益の合計のうち 40％ が法人税額）

設備投資の具体例

(1) 新規投資に関する意思決定

新規投資は，建設に用いる新たな設備を導入するか否かを判断する意思決定です。

この意思決定は，投資により生じる年々の現金収入額（CIF），現金支出額（COF）にもとづいて計算を行います。

(2) リースか購入かに関する意思決定

設備投資にあたって，設備をリースする（借りる）べきか，それとも銀行から資金を借り入れて設備を購入するべきか，という問題が生じることがあります。この場合，リースにより取得しても，購入により取得しても，購入する設備が変わらなければ売上収入などは変わりません。

したがって，支出額（COF）の正味現在価値を比較して，有利・不利の判断を行います。なお，購入による場合には，資金の借入れが必要となるため，利息の計算がポイントとなります。

try it

例題　新規投資に関する意思決定

次の資料にもとづいて, 新規投資案を採用すべきか否かを, 法人税を考慮して正味現在価値法により判断しなさい。

■資　料■

1．設備の取得原価　5,000 万円
2．新規投資によって，売上収入 5,000 万円と現金支出費用 3,000 万円が毎年発生する見込みである。
3．設備の減価償却は，耐用年数４年，残存価額０とする定額法による。
4．４年後の売却価値は０円である。
5．法人税率は 40％，資本コスト率は６％とする。なお，６％における現価係数は次のとおりである。

年数	1	2	3	4
現価係数	0.9434	0.8900	0.8396	0.7921

解答

正味現在価値が (*890.67*) 万円で，０より〔 大きい・~~小さい~~〕ため，新規投資案を採用〔 すべきである・~~すべきでない~~〕。

(注) (　　) 内には金額を記入し，〔　　〕内は不要な文字を二重線で消しなさい。

解説

設備投資に関する意思決定では，キャッシュ・フローを以下のようなタイムテーブルにまとめると効率的です。(単位：万円)

	T_0	T_1	T_2	T_3	T_4
CIF		③ 500	③ 500	③ 500	③ 500
		② 1,200	② 1,200	② 1,200	② 1,200
COF	① 5,000				

△ 5,000
1,603.78 ← 1,700 × 0.9434
1,513 ← 1,700 × 0.8900
1,427.32 ← 1,700 × 0.8396
1,346.57 ← 1,700 × 0.7921
890.67

なお，各キャッシュ・フローは次のように求めます。
①新規投資する設備の取得原価　5,000 万円
②(売上収入－現金支出費用) ×（1－税率）
　(5,000 万円－ 3,000 万円) ×（1 － 0.4）＝ 1,200 万円
③減価償却費の計上によるタックス・シールド
　(5,000 万円÷ 4 年) × 0.4 ＝ 500 万円

try it

例題　リースか購入かに関する意思決定

当社では新機械設備の導入を決定したが, この設備の取得についてリースによるべきか, 購入によるべきかについて検討中である。そこで, 正味現在価値法(法人税を考慮する)によってどちらが有利かを判定しなさい。

■資　料■

1．購入による場合
　購入による場合は購入に必要な資金を銀行より借り入れる。
　(1)　設備の取得原価は 9,000 万円，耐用年数 5 年，残存価額（処分価額）は 0 円である。
　(2)　第 1 年度はじめに 9,000 万円を銀行から借り入れる。
　(3)　元金は毎年度末 1,800 万円ずつ 5 回の均等払いで返済する。
　(4)　利子は各年度はじめの元金未返済額について，年 14%の利息を各年度末に支払う。
　(5)　減価償却は定額法による。
2．リースによる場合
　(1)　年間リース料（諸費用込み）2,500 万円
　(2)　リース料は第 1 年度末から第 5 年度末まで同額を支払う。
　(3)　第 5 年度末に設備はリース会社に返却する。減価償却は行わない。
3．その他の条件
　(1)　法人税率は 45%，資本コスト率は 18%である。

年数	1	2	3	4	5
現価係数	0.8475	0.7182	0.6086	0.5158	0.4371

　(2)　計算上生じた端数は計算の最終段階で万円未満を四捨五入しなさい。

解答

〔リース・~~購入~~〕による方が(*238*)万円有利である。
(注)(　　) 内には金額を記入し，〔　　〕内は不要な文字を二重線で消しなさい。

解説

1．購入による場合（単位：万円）

	T_0	T_1	T_2	T_3	T_4	T_5
CIF	① 9,000	⑤ 810	⑤ 810	⑤ 810	⑤ 810	⑤ 810
COF	② 9,000	③ 1,800	③ 1,800	③ 1,800	③ 1,800	③ 1,800
		④ 693	④ 554.4	④ 415.8	④ 277.2	④ 138.6

0
△ 1,426.3425 ← △ 1,683 × 0.8475
△ 1,109.18808 ← △ 1,544.4 × 0.7182
△ 855.56988 ← △ 1,405.8 × 0.6086
△ 653.62176 ← △ 1,267.2 × 0.5158
△ 493.31106 ← △ 1,128.6 × 0.4371
△ 4,538.03328 万円

なお，各キャッシュ・フローは次のように求めます。

①借入金　9,000 万円→ CIF
②取得原価　9,000 万円→ COF
③年々の借入金の返済額
　1,800 万円は費用ではないので，法人税の影響を受けません。
④年々の利息の支払額（税引後）[10)]

	借入金残高	利息（14%）	税引後（55%）
1 年目	9,000	1,260[11)]	693[12)]
2 年目	7,200	1,008	554.4
3 年目	5,400	756	415.8
4 年目	3,600	504	277.2
5 年目	1,800	252	138.6

⑤減価償却費の計上によるタックス・シールド
（9,000 万円 ÷ 5 年）× 0.45 = 810 万円

10）利息は費用となり法人税の金額に影響を与えるため，税引後の金額を用います。
11）9,000 万円× 14% = 1,260 万円
12）1,260 万円×（1 − 45%）= 693 万円

2．リースによる場合

リース料：2,500 万円／年
年金現価係数：（0.8475 + 0.7182 + 0.6086 + 0.5158 + 0.4371） = 3.1272
△ 2,500 万円×（1 − 0.45）× 3.1272 = △ 4,299.9 万円

3．結論

購入による場合	△ 4,538.03328 万円
リースによる場合	△ 4,299.9 万円
	△ 238.13328 万円

したがって，リースによる方が支出が 238 万円少なくて済み有利になります。

コラム『論述問題に挑戦しよう』

１級建設業経理士の試験では、３科目ともに第１問で論述問題が出題されます。
どの科目も20点の配点が振られているため、この問題を白紙で提出してしまうと、第２問から第５問までの４題、80点満点の問題で70点の合格ラインを目指すことになってしまい、かなり厳しい戦いを強いられることになります。

そのため、まず受験生の皆さんに意識して頂きたいことは、「第１問を白紙で提出しない」ということです。

ただ、そのようなアドバイスを聞くと、「過去問の模範解答が覚えられない」というコメントをたくさん頂きますが、これも大きな誤解を含んでいます。

ネットスクールはもちろんのこと、他の学校が公表している模範解答は、あくまでも“模範”でなければならないため、慎重を期して、様々な参考文献を確認しながら、時間を掛けて複数人でチェックしたものを“模範解答”として公開しています。
それと全く同じものを、本試験という緊張感に満ちた環境の中、限られた時間内に、１人で、何も見ずに再現するということは至難の業で、一部の凄い方を除いて、そんな真似をするのは現実的な方法とは言えません。

それでも、１級の各科目の合格率は20～30%台で推移している（高いときは50%近いこともあります）ことを考えれば、模範解答どおりの解答が書けなくても、十分に合格できるはずなのです。

また、計算問題や記号問題は基本的に正解が１つしかなく、それ以外の数値や記号を書いてしまえば不正解ですが、論述問題は点数がもらえる答案の“幅”が広いので、部分点をもらえる可能性は高いはずです。
したがって、論述問題は「満点を狙うのは難しいが、努力の分だけ得点できる可能性もある」問題だと言えますし、この論述問題で稼いだ部分点が合否を分けることだって考えられるのです。

合格の可能性を高めるためにも、ぜひ論述問題に挑戦して、白紙にしないように心掛けて下さい。

ネットスクール建設業経理士WEB講座
担当講師　藤本拓也

第２部　過去問題編

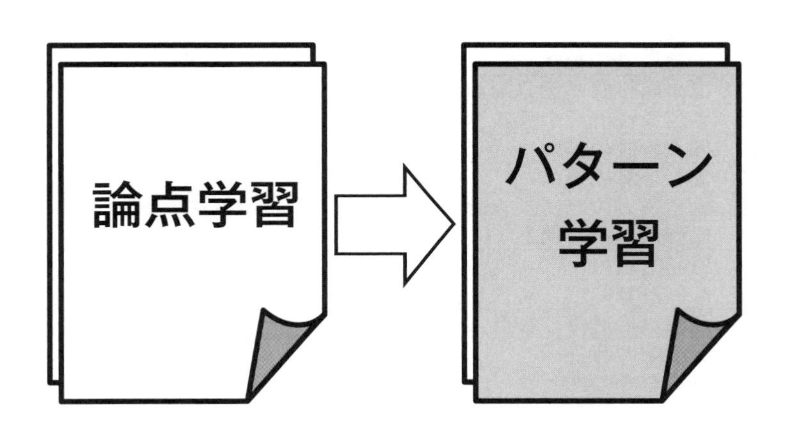

過去問題編では，パターン学習を行います。パターン学習とは，論点学習で蓄えた知識を建設業経理士の試験に反映させるために過去問題（参考問題）をパターンごとに解く学習法です。パターン学習を効率的に進めるために，過去問題集は次のように構成されています。

①各問題の冒頭には，「解き方」が示されています。どんな問題が過去に出題されているかを分析し，解法を示すことで，過去問題を解きやすくしています。

②過去問題編では各問題に「ヒント」を示しました。解答は，解くきっかけがあれば作成できるものです。わからなくなったときには，「ヒント」を見ながら解答してください。

③解答には，間違えやすいポイントを指摘した「ここに注意」を載せています。間違えたときには，必ずチェックしてください。

さらに，テキストに戻って学習しやすいように，「テキスト参照ページ」も示しています。ご自身の状況に合わせてご活用ください。

論述問題

第1問 対策 第1問で問われるのはこれだ！

知識を得点につなげるためには、まず出題内容を把握しよう！
過去12回分の出題パターンは次のとおりです。

(1) 出題論点

回	問	論点
第 35 回	問 1	工事間接費（現場共通費）の具体的内容
	問 2	社内センター制度の意義
第 34 回	問 1	建設業原価計算の目的
	問 2	原価の分類
第 33 回	問 1	事前原価の種類
	問 2	工事間接費の予定配賦法
第 32 回	問 1	実際原価計算の手続き
	問 2	標準原価の種類
第 31 回	問 1	実行予算の機能
	問 2	設備投資の経済性を評価する方法（内部利益率法）
第 30 回	問 1	原価計算の目的
	問 2	原価企画
第 29 回	問 1	原価計算制度と特殊原価調査
	問 2	建設原価計算の特徴
第 28 回	問 1	建設業の特性
	問 2	予算編成のタイプ
第 27 回	問 1	コスト・コントロール（原価統制）のプロセス
	問 2	建設業におけるＡＢＣ（活動基準原価計算）
第 26 回	問 1	基本予算と実行予算
	問 2	販売費及び一般管理費の予算管理
第 25 回	問 1	国土交通省告示に示されている材料費の定義
	問 2	品質コストの分類
第 24 回	問 1	原価の作業機能別分類
	問 2	組別総合原価計算の意義と計算方法

(2) 出題頻度

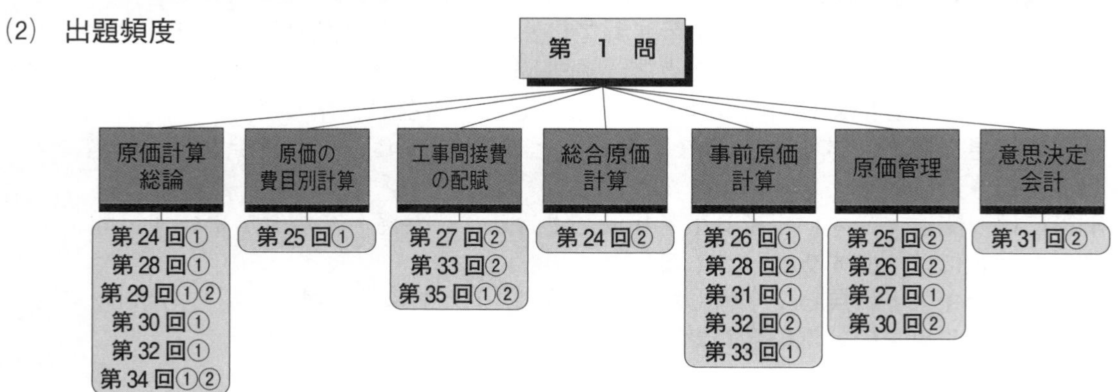

第 1 問は毎回，論述問題が 2 問出題されています。多くの場合，このうち 1 問は**建設業に特有の論点**からの出題です。理論問題とはいえ，計算問題とリンクしているものが多いので両者を結びつけて学習しましょう。

第13回 第14回 第17回 第１問対策

▶解 答 用 紙→P.　1
▶解答・解説→２－44

標準時間	20 分

Q 13回

次の設問に対して，それぞれ 200 字以内で述べなさい。　　　　（20 点）

問１　工事契約に関する会計基準によって工事進行基準を適用する場合には，「工事原価総額」について信頼性をもって見積ることができなければならないとされている。この具体的な意味を説明しなさい。

問２　建設工事における材料購入原価の計算において，材料副費をどのような考え方によって算入することが適切か。簡潔に説明しなさい。

▶解 答 用 紙→P.　2
▶解答・解説→２－45

標準時間	20 分

Q 14回

次の設問に対して，それぞれ 200 字以内で述べなさい。　　　　（20 点）

問１　予定配賦率を算出する際に利用される各種の基準操業度を列挙して，各内容を説明しなさい。

問２　品質適合コストと品質不適合コスト（失敗コスト）について，各内容を説明しなさい。

問１　基準操業度には，次期予定操業度，長期正常操業度，実現可能最大操業度の３つがある。

問２　品質適合コストは予防コストと評価コストに，品質不適合コストは内部失敗コストと外部失敗コストに，さらに分類される。

▶解 答 用 紙→P.　3
▶解答・解説→２－47

標準時間	20 分

17回

次の設問に対して，それぞれ 200 字以内で述べなさい。　　　　（20 点）

問１　仮設材料費の２つの把握方法について説明しなさい。

問２　顧客ライフサイクル・コストの意義と低減方法について説明しなさい。

問１　仮設材料費の把握方法には，事前に予定した一定率を用いる方法と工事完了時の仮設材料評価額を用いて事後的に計算する方法とがある。

問２　顧客ライフサイクル・コストとは，固定資産を購入する顧客側からみたライフサイクル・コストである。

▶解答用紙→P. 4
▶解答・解説→2－48

標準時間	20 分

Q 21回

次の設問に対して，それぞれ200字以内で解答しなさい。　（20点）

問 1　特殊原価調査について，建設業における具体例を示しながら説明しなさい。

問 2　設備投資の経済性を事前に評価する方法の一つである正味現在価値法について，説明しなさい。

ヒント

問 1　特殊原価調査は，原価計算制度と異なり，必要に応じて臨時的に行われる。

問 2 「正味」… 何から何を差し引いて計算する？

▶解答用紙→P. 5
▶解答・解説→2－50

標準時間	20 分

Q 22回

次の設問に対して，それぞれ 200 字以内で解答しなさい。　（20 点）

問 1　工事間接費予算の設定方式の 1 つである変動予算方式について説明しなさい。

問 2　標準原価の種類をタイトネス（厳格度）の観点から説明しなさい。

問 1　変動予算方式と固定予算方式の違いは？

問 2　理想標準原価，現実的標準原価，正常標準原価の 3 つを説明する。

第２問対策　第２問で問われるのはこれだ！

空欄補充 分類問題

知識を得点につなげるためには、まず出題内容を把握しよう！
過去12回分の出題パターンは次のとおりです。

(1)　形式面からみた出題パターン

第２問では（a）用語群から文章に補充する問題，（b）各項目を一定の観点から分類する問題などが出題されています。

(2)　内容面からみた出題頻度

内容面からみれば，Chapter 8　原価管理やChapter 9　特殊原価調査からの出題が多く見られます。

第２問

- 用語補充問題
  - 第26回
  - 第28回
  - 第29回
  - 第31回
  - 第32回
  - 第33回
  - 第35回
- 分類問題など
  - 第24回
  - 第25回
  - 第27回
  - 第30回
  - 第34回

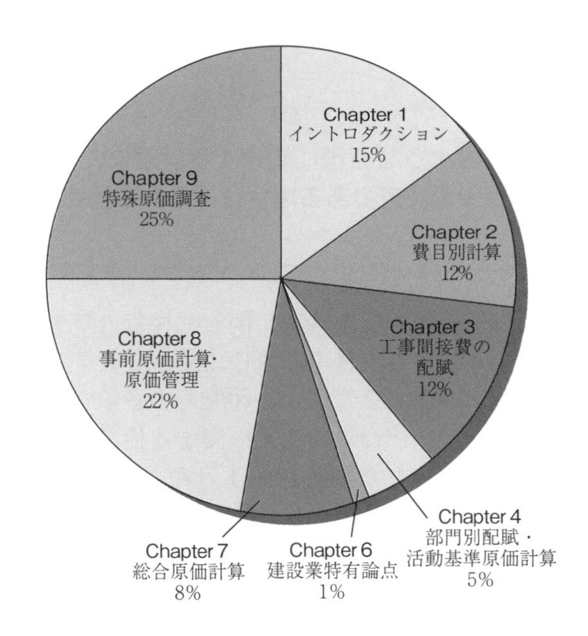

第２問対策　これで得点アップ！

知識を得点につなげるためには、まず出題内容を把握しよう！

・用語補充問題

1．まずは，用語群に目を通します。
2．即答できる箇所から解答し，判断に迷う箇所は後回しにします。
3．残った用語をヒントに，後回しにした箇所を解答します。あまり時間をかけすぎないように！

・分類問題

原価か非原価か，原価計算制度か特殊原価調査かという分類は，今後も出題されることが予想されます。他にも，事前原価か事後原価か，個別原価計算か総合原価計算か，などの対立する概念を試験前に一通りチェックしておくと，即答できる項目が増えるはずです。

▶解答用紙→P. 6
▶解答・解説→２－52

標準時間	20分

Q 16回 **「原価計算基準」に照らして，次の費目が原価計算制度上の原価である場合は「A」，非原価である場合は「B」を解答用紙の所定の欄に記入しなさい。（10点）**

1．本社建物に対する固定資産税
2．保有株式の売却損
3．水害による建設機械の著しい損耗
4．工事現場作業員に対する慰労会の費用
5．本社経理部職員の支店への出張旅費

原価計算制度上の原価となるものは「製造原価」だけではない。

▶解答用紙→P. 6
▶解答・解説→２－53

標準時間	20分

Q 17回 **次のような原価に関連する計算または調査が，原価計算制度である場合は「A」，特殊原価調査である場合は「B」を解答用紙の所定の欄に記入しなさい。（10点）**

1．建設用新素材の採用可否に関して採算計算を行う。
2．受注した工事の実行予算を作成する。
3．２つの工事現場を管理する作業所の費用を各工事に配賦する。
4．ブルドーザー10台の取替えに関する検討資料を作成する。
5．積算時に使用した型枠供用１日あたり損料を工事原価計算の予定配賦率として採用し，その配賦額を工事台帳に記入する。

原価計算制度は日常的な工事原価計算に関するシステムであり，特殊原価調査は意思決定のための原価調査である。

▶解答用紙→P. 6
▶解答・解説→2－54

標準時間	20分

Q 19回

次の各文章について，個別原価計算に関連する場合は「A」，総合原価計算に関連する場合は「B」を解答用紙の所定の欄に記入しなさい。　(10点)

1．D工務店では，工事現場の残材を有効活用して小物家具を（販売を見込んで）製造している。その小物家具について，材料の使用量を係数とする加工費の配賦方法によって製品原価を簡易に算定している。
2．受託により応用ソフトウェアを開発する情報処理企業であるY社は，自社用の原価計算システムを構築しようとしている。
3．インテリア製品を製造しているN社では，完成品と月末仕掛品の原価配分を先入先出法で行っている。
4．長期請負工事業を営むF社では，販売費及び一般管理費の全部または一部をプロダクト・コストとして処理することがある。
5．建設機材メーカーのP社では，新製品の試作に関する原価を他の量産品と区別して把握している。

個別原価計算，総合原価計算の生産形態や原価の集計単位に着目する。

▶解答用紙→P. 7
▶解答・解説→2－55

標準時間	20分

Q 21回

次の各文章は，わが国の原価計算基準または建設業法施行規則に照らして正しいか否か。正しい場合は「A」，正しくない場合は「B」を解答用紙の所定の欄に記入しなさい。　(10点)

1．完成工事原価報告書でいう経費とは，積算上の直接工事費のうちの経費のことである。
2．完成工事原価報告書の経費欄の下に内書表示される人件費には，個人との関係が明確なものだけを含める。
3．制度的な原価計算では，製造過程で発生する経済価値の犠牲のみを原価と考える。
4．購入した建設資材に対して値引きまたは割戻しを受けた場合，その額は，原則として当該材料の購入原価から控除する。
5．前払金保証制度を利用して保証事業会社に支払う保証料は，資金調達に要する費用という観点から，原則として営業外費用である。

2．内書表示される人件費には，従業員給料手当，法定福利費，福利厚生費などがある。

3．制度的な原価計算では，経営目的に関連する経済価値の犠牲を原価と考える。

▶解答用紙→P. 7
▶解答・解説→２－56

標準時間	20分

Q 22回 **次の文の [ ] の中に入るべき最も適当な用語を下記の〈用語群〉の中から選び，その記号（ア～ス）を解答用紙の所定の欄に記入しなさい。（10点）**

(1)　前払金保証制度を利用して保証事業会社に支払う保証料は，資金調達に要する費用であるため，原則として [1] である。しかし，個別工事に直接対応しているという観点からは，[2] に算入することも考えられる。

(2)　ブルドーザーなど重機械の損料を計算する場合には，その原価要素を [3] と [4] に区分して，前者をもとに運転１時間当たり損料を，後者をもとに供用１日当たり損料を人為的に計算する。

(3)　ある請負工事の現場で漏水事故が発生し，相当の補償費が発生した。このような異常な状況での価値喪失は，原価計算制度上，[5] として処理するべきである。

〈用語群〉

ア　材料費	イ　管理可能費	ウ　販売費	エ　経費
オ　間接費	カ　営業外費用	キ　外注費	ク　労務費
コ　固定費	サ　特別損失	シ　準固定費	ス　変動費

ヒント

２．工事原価に算入する場合，材料費，労務費，経費のいずれが妥当か？

５．異常な状況での価値喪失は非原価項目である。

社内損料計算制度
差額原価収益分析

第３問対策　第３問で問われるのはこれだ！

知識を得点につなげるためには、まず出題内容を把握しよう！
過去12回分の出題パターンは次のとおりです。

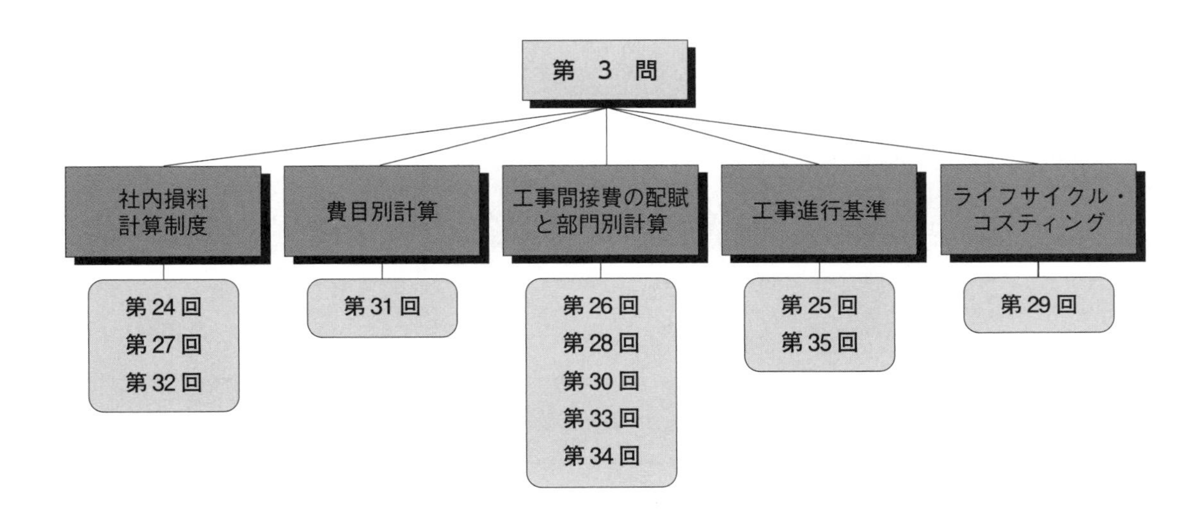

社内損料計算制度では**損料**（運転１時間あたりの損料と供用１日あたりの損料）の計算が，部門別計算では各配賦法の特徴を押さえた理解がそれぞれキーポイントとなります。

第３問対策　これで得点アップ！

知識を得点に変えるための解き方をマスターしよう！
「**社内損料計算制度**」と「**差額原価収益分析**」の解法として、次の手法が一般的に用いられます。

「社内損料計算制度」の解き方

①問題文を読み，資料を予算設定データと実績データとに分ける。

次の資料をもとに，Ａ型クレーンの供用１日当たりの損料，運転１時間当たりの損料，Ｘ１年11月のＸ工事現場への配賦額とＡ型クレーン損料差異を計算しなさい。
〈資　料〉
ア．Ａ型クレーンは，Ｘ１年度期首に，¥42,000,000で取得したものである。
イ．財務会計上の減価償却費は，耐用年数５年，残存価額10％（取得価額に対して），定額法によって計算することにした。
ウ．損料計算に関するデータ
　(1)　標準使用度合　　年間供用日数　210日　　年間運転時間　1,100時間
　(2)　管理費予算　　　年　額　¥2,100,000
　(3)　修繕費予算　　　耐用年数期間中総額 ¥5,880,000と見積もったが，１～３年度の各年間予算額は，４，５年度の各年間予算額の２分の１とすることにした。

▶予算設定データ

エ．Ｘ１年度11月の工事現場別使用実績は，次のとおりであった。

	〈供用日数〉	〈運転時間〉
Ｘ工事現場	12日	58時間
その他の工事現場	9日	37時間

オ．Ｘ１年度11月の関連原価実際発生額は，次のとおりであった。
　管理費　¥189,000　修繕費　¥82,000

▶実績データ

予算設定データ
1．取得価額
2．減価償却費の計算方法
3．標準年間供用日数
4．標準年間運転時間
5．修繕費予算
6．管理費予算

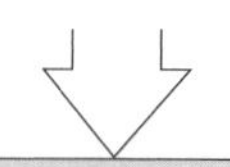

②予算設定データを用いて，損料を計算する。

(1)　供用１日あたり損料の計算

$$\text{供用1日あたり損料}=\text{取得価額}\times\left(\frac{\text{償却費率}\times\frac{1}{2}}{\text{耐用年数}}+\text{年間管理費率}\right)\times\frac{1}{\text{年間標準供用日数}}$$

$$42{,}000{,}000\text{円}\times\left(\frac{0.9\times\frac{1}{2}}{5\text{年}}+\frac{2{,}100{,}000\text{円}}{42{,}000{,}000\text{円}}\right)\times\frac{1}{210\text{日}}=28{,}000\text{円／日}$$

(2)　運転１時間あたり損料の計算

$$\text{運転1時間あたり損料}=\text{取得価額}\times\left(\frac{\text{償却費率}\times\frac{1}{2}}{\text{耐用年数}}+\text{年間修繕費率}\right)\times\frac{1}{\text{年間標準運転時間}}$$

$$42{,}000{,}000\text{円}\times\left(\frac{0.9\times\frac{1}{2}}{5\text{年}}+\frac{840{,}000\text{円}^{*1}}{42{,}000{,}000\text{円}}\right)\times\frac{1}{1{,}100\text{時間}}=4{,}200\text{円／時間}$$

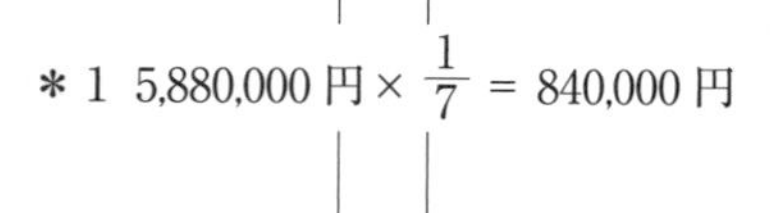

$*1\ 5{,}880{,}000\text{円}\times\frac{1}{7}=840{,}000\text{円}$

＊Ｘ１年度修繕費予算（　　の部分）

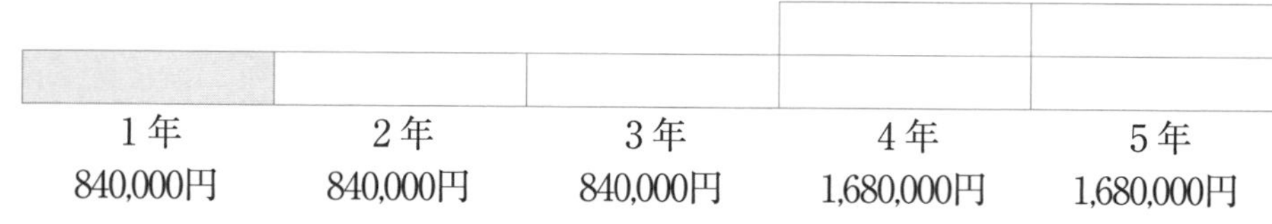

③②で求めた損料と実績データをもとに配賦額および損料差異を計算する。

(1)　Ｘ工事現場への配賦額の計算　28,000円／日 × 12日 + 4,200円／時間 × 58時間 = 579,600円

(2)　損料差異の計算　配賦額の合計 − 実際発生額 = (＋)有利差異 / (−)不利差異

配賦額合計：579,600円（Ｘ工事）＋　407,400円（その他工事）　= 987,000円

$$\text{実際発生額：}189{,}000\text{円}+82{,}000\text{円}+\underbrace{\frac{42{,}000{,}000\text{円}\times0.9}{5\text{年}}\times\frac{1}{12\text{カ月}}}_{\text{減価償却費}}=901{,}000\text{円}$$

損料差異：987,000円 − 901,000円 = 86,000円（有利差異）

実際発生額の計算において減価償却費（１カ月分）を加えることを忘れないように。

「差額原価収益分析」の解き方

1. 問題文から，意思決定の目的を把握する。

S社からの工事案件を受注すべきか否か

工事案件を受注するには，受注しない場合に比べて利益が増える必要がある。

つまり，差額利益がプラスでなければならない。

五井建設株式会社には，新規にＳ社から工事発注に関する引合いがあった。当社では，提示された請負金額，工事仕様などを精査して，次のような〈工事請負採算分析資料〉を作成した。これをもとに，Ｓ社からの工事案件を受注すべきか否かを判定するため，当案件を受注した場合の①差額収益，②差額原価，③差額利益をそれぞれ計算しなさい。

〈工事請負採算分析資料〉

（単位：円）

		Ｓ社案件
工事請負金額		6,400,000
総原価		
工事原価		
工事変動費	2,360,000	
工事固定費	1,550,000	3,910,000
		2,490,000
販売費及び一般管理費		
販・管個別費	960,000	
本社費負担	570,000	1,530,000
		960,000

（注 1）工事変動費は，工事原価のうち当該工事を請け負わなければ発生しないものであり，工事固定費は，自社保有の人員や設備に関する費用の配賦額である。

（注 2）販・管個別費は，当該工事を受注すれば新たに発生する営業費である。本社費負担は，社内規定により工事負担分を按分した額であり，当該工事を請け負ったとしても本社費総額（固定費）は変わらないものとする。

（注 3）現在，当社は手不足状態にはなく，Ｓ社の案件を請け負ったとしても現状の保有能力（キャパシティ）によって施工が可能な状態である。

2. 差額収益を計算する。

差額収益：
　代替案間の収益の差額

①差額収益

→Ｓ社からの工事案件を受注した場合と受注しない場合の収益の差額
（受注した場合の収益の増加額）

→工事請負金額　6,400,000 円

3. 埋没原価を把握し，差額原価を計算する。

差額原価：
代替案間の原価の差額
埋没原価：
代替案によって変化しない原価→意思決定上，考慮する必要はない。

埋没原価
→工事固定費と販売費及び一般管理費のうちの本社費負担

②差額原価
→Ｓ社からの工事案件を受注した場合と受注しない場合の原価の差額
（受注した場合の原価の増加額）

→工事変動費	2,360,000円
販・管個別費	960,000円
計	3,320,000円

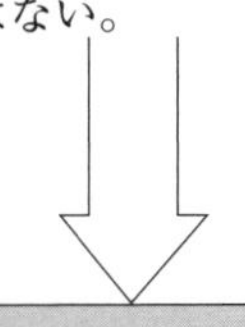

4. 差額収益を計算する。

差額利益：
差額収益－差額原価

③差額利益

差額収益	6,400,000円
差額原価	3,320,000円
差額利益	3,080,000円

▶解答用紙→P. 8
▶解答・解説→２－57

標準時間	10分

Q 17回 **株式会社福井工務店は，大手の住宅メーカー１社と専属契約を結んで，標準的な建売住宅の本体部分を建築している。同社は，現在，次年度の予算を編成中であり，自社の技術スタッフから，建築工法と工程管理の改善案が提案された。次の〈資料〉に基づいて，下の設問に答えなさい。（14点）**

〈資料〉

１．現状の施工能力と原価計算資料

現状では，技術スタッフと専任の技能者（工務店の常雇の従業員で，月給制で働いている）のキャパシティーをほぼ十分に使って同時に４件を並行して施工することができる。１件の工期は60日で，年間の稼働日数は300日であるので，１チームで年に５件，全体で20件の仕事をこなすことができる。原価計算によると，１件あたりの平均費用と営業利益は次のように見積もられている。

請負金額	6,000 千円
材料その他の直接費	1,200
外注諸費用（変動費）	1,500
人件費（常雇の給料手当）	600
間接費配賦額	700
営業利益	2,000 千円

２．建築工法と工程管理の改善案

技術スタッフから提案された建築工法と工程管理の改善案によって，１件あたりの工事日数が60日から50日に短縮できることが見込まれている。ただし，この案を採用すると，材料費その他の直接費は１件あたり 150千円，外注諸費用が１件あたり 100千円それぞれ増加すると見積もられている。

３．その他

同社は手不足状態にあるため，工期の短縮に応じて，現状よりも多くの注文件数をこなせるようになることが予想されている。なお，人件費（常雇の給料手当）と間接費配賦額の総額は変化しないものとする。

問１　改善案を採用する場合，会社全体の工事件数が現状よりも年間どれだけ増加するかを計算しなさい。

問２　改善案を採用する場合，会社全体の年間の①差額収益，②差額原価，③差額利益をそれぞれ計算しなさい。なお，③差額利益がプラスの場合は「A」，マイナス（差額損失）の場合は「B」を解答用紙の所定の欄に記入すること。

この場合の差額収益（差額原価）は，改善案を採用することによる収益（原価）の増加額（採用しない場合との差額）。

▶解答用紙→P. 8
▶解答・解説→２－58

標準時間	10分

Q 21 回

次の〈資料〉は，当月の初めに購入したパワーショベルに関するものである。その下の設問に解答しなさい。なお，計算の過程で端数が生じた場合は，設問の解答を算出する際に円未満を四捨五入すること。（14点）

〈資料〉

1．社内損料計算に関する資料

⑴取得価額（損料計算上の基礎価格）　各自計算すること

⑵耐用年数　５年　　償却費率　100％　　減価償却方法　定額法

⑶修繕・管理費の率　修繕費率 50％（耐用年数期間中）
　　　　　　　　　　管理費率　8％（年間）

⑷使用の標準　　　　年間標準運転時間 1,250時間
　　　　　　　　　　年間標準供用日数 200日

⑸計算された損料　　運転１時間当たり損料 ¥1,920
　　　　　　　　　　供用１日当たり損料 各自計算すること

ただし，両損料額の算定にあたって，年当たり減価償却費の半額ずつをそれぞれ組み入れている。

2．パワーショベルは，当月，甲工事現場でのみ使用された。その実績は次のとおりである。

供用日数　15日　実際運転時間　73時間

3．当月，パワーショベルに関連して発生した費用は次のとおりである。

修繕・管理費　¥112,330　　減価償却費　月割経費

問１　パワーショベルの取得価額（基礎価格）を求めなさい。

問２　甲工事現場への当月配賦額を計算しなさい。

問３　当月の損料差異を計算しなさい。なお，差異が配賦不足の場合は「Ｘ」，配賦超過の場合は「Ｙ」を解答欄に記入すること。

パワーショベルの取得価額は，運転１時間当たり損料から逆算する。

▶解答用紙→P. 8
▶解答・解説→2－59

標準時間	10分

Q 23回 **宮崎土建株式会社の大型クレーンXに関する損料計算用の〈資料〉は次のとおりである。下の問に解答しなさい。なお，計算の過程で端数が生じた場合は，各問の解答を求める際に円未満を四捨五入すること。（14点）**

〈資料〉
1．大型クレーンXは本年度期首において￥31,680,000（基礎価格）で購入したものである。
2．耐用年数８年，残存価額ゼロ，減価償却方法は定額法を採用する。
3．大型クレーンXの標準使用度合は次のとおりである。
　年間運転時間　1,000時間　　年間供用日数　220日
4．年間の管理費予算は，基礎価格の８％である。
5．修繕費予算は，定期修繕と故障修繕があるため，次のように設定する。損料計算における修繕費率は，各年平均化するものとして計算する。
　修繕費予算１～４年度　各年度　￥2,000,000
　　　　　　５～８年度　各年度　￥2,400,000
6．初年度２月次における大型クレーンXの現場別使用実績は次のとおりである。

	供用日数	運転時間
甲現場	3日	14時間
乙現場	14日	62時間
その他の現場	2日	8時間

7．初年度２月次の実績額は次のとおりである。
　管理費　￥220,700　修繕費　￥395,500　減価償却費　月割計算

問１　大型クレーンXの運転１時間当たり損料と供用１日当たり損料を計算しなさい。ただし，減価償却費については，両損料の算定に当たって年当たり減価償却費の半額ずつをそれぞれ組み入れている。
問２　問１の損料を予定配賦率として利用し，甲現場と乙現場への配賦額を計算しなさい。
問３　初年度２月次における大型クレーンXの損料差異を計算しなさい。なお，有利差異の場合は「A」，不利差異の場合は「B」を解答用紙の所定の欄に記入すること。

ヒント

〈資料〉より，管理費予算を固定費，修繕費予算を変動費とし，減価償却費については問１の問題文の指示に従って損料額の計算に組み入れる。

▶解答用紙→P. 9
▶解答・解説→２－60

標準時間	15分

Q 25回

大森製作所では，請負工事について個別原価計算によって工事番号別に工事原価を算定している。経営管理に役立てるため，原価比例法による工事進行基準を適用して月次における請負工事利益を計上している。次の〈資料〉に基づいて，下記の設問に答えなさい。なお，前月から繰り越された請負工事はないものとする。（14点）

〈資料〉

1．請負工事データ

（単位：円）

工事番号	１０１	１０２	１０３	１０４	１０５
工事の契約金額（請負金額）	1,800,000	1,500,000	3,100,000	2,590,000	2,100,000
工事原価総額の見積額	1,480,000	1,200,000	2,760,000	2,100,000	1,750,000
備考	未完成	完成・引渡済	未完成	未完成	未完成

2．当月工事原価発生額

（単位：円）

工事番号	１０１	１０２	１０３	１０４	１０５
直接材料費	294,000	229,000	624,000	255,000	405,000
直接労務費	各自計算	各自計算	各自計算	各自計算	各自計算
製造間接費	各自計算	各自計算	各自計算	各自計算	各自計算

3．当月直接労務費および当月製造間接費を算出するためのデータ

	賃率（円／時間）	製造間接費予定配賦率（円／時間）	工事番号別直接作業時間				
			１０１（時間）	１０２（時間）	１０３（時間）	１０４（時間）	１０５（時間）
第一製造部門	1,200	4,100	—	—	60	50	40
第二製造部門	1,400	5,000	—	—	—	50	40
第三製造部門	1,200	4,800	40	40	50	—	—
第四製造部門	1,300	4,600	60	90	—	—	30

（注）製造間接費は直接作業時間を基準として予定配賦を行う。

問１　工事番号101の当月の請負工事利益を計算しなさい。
問２　工事番号102の当月の請負工事利益を計算しなさい。
問３　当月の請負工事利益総額を計算しなさい。

工事進行基準では，工事進捗度に応じて工事収益と工事原価を計上する。原価比例法によるため，原価発生割合を工事進捗度として計算する。

完成した工事の工事進捗度は何％？

▶解答用紙→P. 9
▶解答・解説→2－62

標準時間	10分

Q 26回 **伊野建工株式会社で使用するM機械は，各工事現場で共通に使用されている。その発生原価と生産能力に関する次の〈資料〉に基づいて，下記の設問に答えなさい。なお，計算の過程で端数が生じた場合，計算途中では四捨五入せず，最終数値の円未満を四捨五入すること。（18点）**

〈資料〉

1．当社は，機械運転時間基準の予定配賦率を用いてM機械関係コストを配賦している。

2．当社で所有するM機械の台数は10 台であり，１日の１台当たりの機械運転時間は８時間である。１年間の作業可能日数は250日であるが，年間2,000時間の機械整備等の不可避的な機械休止時間が生じる。

3．各年度のM機械予定運転時間は次のとおりであった。

第１年度	第２年度	第３年度	第４年度	第５年度
14,000時間	14,000時間	15,000時間	16,000時間	16,000時間

（注） M機械の運転は，第１年度初頭から開始されており，当期は第５年度である。

4．当社では公式法変動予算を採用している。実現可能最大操業度におけるM機械関係コストの変動費予算は5,400,000円，固定費予算は8,100,000円である。また，当期のM機械実際運転時間は15,500時間，M機械関係コストの実際発生額は12,925,000円であった。なお，固定費から予算差異は生じなかった。

問１　基準操業度として実現可能最大操業度を採用していた場合，当期の予定配賦額，予算差異および操業度差異を計算しなさい。なお，差異については，有利差異の場合は「A」，不利差異の場合は「B」を解答用紙の所定の欄に記入すること。（差異の記入については，以下の問も同様とする）

問２　基準操業度として長期正常操業度（５年間）を採用していた場合，当期の予定配賦額，予算差異および操業度差異を計算しなさい。

問３　基準操業度として次期予定操業度を採用していた場合，当期の予定配賦額，予算差異および操業度差異を計算しなさい。

どの基準操業度を採用するかによって，予定配賦率のうちの固定費率が変化する。

総合原価計算
原価の部門別計算

第４問対策　第４問で問われるのはこれだ！

知識を得点につなげるためには、まず出題内容を把握しよう！
過去12回分の出題パターンは次のとおりです。

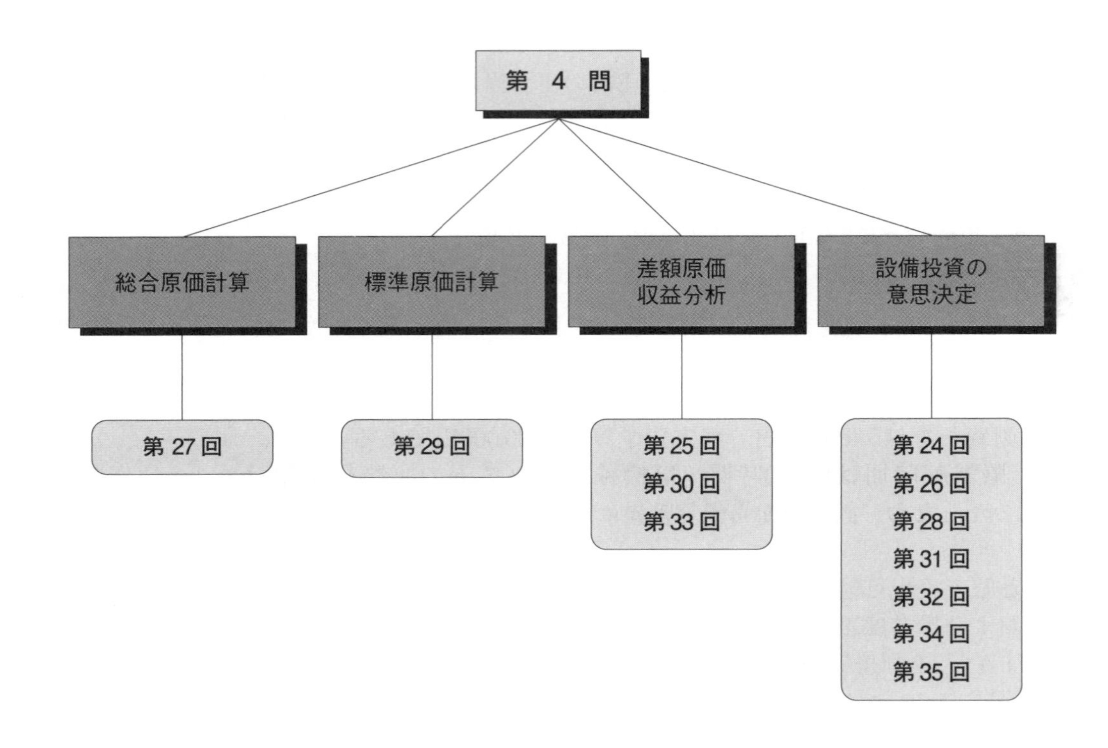

第４問では、差額原価収益分析や設備投資の意思決定といった特殊原価調査（意思決定）が比較的よく出題されています。

第４問対策　これで得点アップ！

知識を得点に変えるための解き方をマスターしよう！
「**工程別総合原価計算**」と「**原価の部門別計算**」の解法として、次の手法が一般的に用いられます。

「工程別総合原価計算」の解き方

1.問題文から，材料の投入点や原価配分の方法を把握する。

材料投入
　→第１工程始点
第１工程
　→平均法
第２工程
　→先入先出法

本問のように，第１工程と第２工程の原価配分方法が異なることがある。

香川建設株式会社では，第１工程と第２工程を経て，建設用部材を製造している。次の〈資料〉によって，工程別総合原価計算（累加法）を実施し，⑴第１工程の月末仕掛品原価及び⑵各工程の完成品単位原価を算定しなさい。なお，素材は第１工程始点においてのみ投入されている。

〈資　料〉
1．仕掛品数量

	月初	月末
第１工程	数量60個（加工進捗度50%）	数量50個（加工進捗度80%）
第２工程	数量50個（加工進捗度60%）	数量60個（加工進捗度40%）

2．月初仕掛品原価
　第１工程　素材費　¥29,600　加工費 ¥17,000
　第２工程　前工程費 ¥53,750　加工費 ¥15,200
3．当月原価
　第１工程　素材費　¥148,000　加工費 ¥199,000
　第２工程　前工程費 ¥　？　加工費 ¥167,200
4．当月完成品数量

第１工程	320個
第２工程	310個

　第１工程完成品は直ちに全量を第２工程に投入している。なお，いずれの工程においても仕損等のロスはない。
5．完成品と月末仕掛品への原価配分の方法
　第１工程　平均法
　第２工程　先入先出法

2.まずは，第１工程のみに着目し，ボックス図を作成する。

加工費の計算では，加工進捗度を考慮した完成品換算量を用いる。

第１工程素材費

月初 60個	完成品 320個
当月投入 310個*1	月末 50個

＊１　貸借差引

第１工程加工費

月初 30個*2	完成品 320個
当月投入 330個*4	月末 40個*3

＊２　60個×50%（加工進捗度）＝30個
＊３　50個×80%（加工進捗度）＝40個
＊４　貸借差引

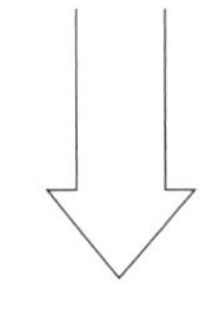

3. 月初仕掛品原価と当月製造費用をボックス図に当てはめて，平均法により，第1工程完成品と第1工程月末仕掛品の原価を計算する。

第1工程素材費

29,600円	月初 60個	完成品 320個	153,600円＊6
148,000円	当月投入 310個	月末 50個	24,000円＊5
177,600円	370個		

＊5 $\frac{177,600円}{370個}$ × 50個 = 24,000円　＊6 177,600円 − 24,000円 = 153,600円

第1工程加工費

17,000円	月初 30個	完成品 320個	192,000円＊8
199,000円	当月投入 330個	月末 40個	24,000円＊7
216,000円	360個		

＊7 $\frac{216,000円}{360個}$ × 40個 = 24,000円　＊8 216,000円 − 24,000円 = 192,000円

(1) 第1工程の月末仕掛品原価：24,000円 + 24,000円 = 48,000円
　第1工程の完成品単位原価：(153,600円 + 192,000円) ÷ 320個 = @1,080円

4. 続いて，第2工程についても同様に，ボックス図を作成して，先入先出法により，第2工程完成品と第2工程月末仕掛品の原価を計算する。

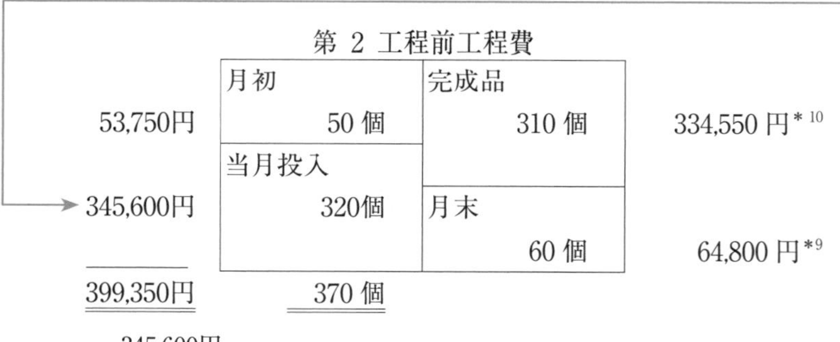

第2工程前工程費

53,750円	月初 50個	完成品 310個	334,550円＊10
345,600円	当月投入 320個	月末 60個	64,800円＊9
399,350円	370個		

＊9 $\frac{345,600円}{320個}$ × 60個 = 64,800円　＊10 399,350円 − 64,800円 = 334,550円

第2工程加工費

15,200円	月初 30個＊11	完成品 310個	169,200円＊15
167,200円	当月投入 304個＊13	月末 24個＊12	13,200円＊14
182,400円	360個		

＊11 50個 × 60%(加工進捗度) = 30個　＊12 60個 × 40%(加工進捗度) = 24個
＊13 貸借差引

＊14 $\frac{167,200円}{304個}$ × 24個 = 13,200円　＊15 182,400円 − 13,200円 = 169,200円

(2) 第2工程の完成品単位原価：(334,550円 + 169,200円) ÷ 310個 = @1,625円

累加法では，第1工程の完成品原価が第2工程の前工程費となる。よって，当月の前工程費は当月の第1工程完成品原価である。

「原価の部門別計算」の解き方

①部門個別費は各部門に賦課するため，部門個別費を部門費配分表に記入する。

部門個別費▷▷賦課する

武蔵建設株式会社の平成×９年12月の部門費の発生状況は，次の〈資料〉のとおりである。これに基づき，部門費配分表を完成しなさい。また，部門共通費配賦基準については，最も適切なものを選び，その記号（ア～エ）を解答用紙の所定欄に記入すること。なお，計算の過程で端数が生じた場合は，円位未満を四捨五入すること。

〈資　料〉

1．当月の部門個別費データ

（単位：円）

	製造部門		補助部門		
	第 1 部門	第 2 部門	動力部門	運搬部門	管理部門
間接材料費	410,000	190,000	55,000	18,000	—
間接労務費	750,000	650,000	470,000	350,000	210,000

2．当月の部門共通費データ

①当月発生額

建物関係費　　￥84,000
支払電力料　　￥63,000
支払運賃　　￥54,000
福利厚生費　　￥45,600

②配賦基準

	製造部門		補助部門			合　計
	第１部門	第２部門	動力部門	運搬部門	管理部門	
ア. 従業員数(人)	8	6	4	3	3	24
イ. 床 面 積(㎡)	90	80	60	30	20	280
ウ. 電 灯 数(個)	24	20	10	10	6	70
エ. 運送回数(回)	25	30	10	5	20	90

部　門　費　配　分　表
（平成×９年12月分）

（単位：円）

費　　目	金　　額	配賦基準（ア～エ）	製造部門		補助部門		
			第 1 部門	第 2 部門	動力部門	運搬部門	管理部門
部門個別費							
間接材料費	673000		410000	190000	55000	18000	0
間接労務費	2430000		750000	650000	470000	350000	210000
個別費計	3103000		1160000	840000	525000	368000	210000

②各部門共通費の配賦基準を選ぶ。

建物関係費→床面積
支払電力料→電灯数
支 払 運 賃→運送回数
福利厚生費→従業員数

ポイント

部門共通費については，各費目と関連の深いと思われるものを選んでいく。

③各部門共通費を，対応する配賦基準の合計で割り，各配賦率を計算する。

建物関係費：84,000 円 ÷ 280 ㎡ = @ 300 円
支払電力料：63,000 円 ÷　70 個 = @ 900 円
支 払 運 賃：54,000 円 ÷　90 回 = @ 600 円
福利厚生費：45,600 円 ÷　24 人 = @ 1,900 円

④部門共通費の配賦額を計算し，部門費配分表に記入する。

部 門 費 配 分 表
（平成× 9 年 12 月分）

（単位：円）

費目	金額	配賦基準（ア～エ）	製造部門		補助部門		
			第 1 部門	第 2 部門	動力部門	運搬部門	管理部門
部門個別費							
間接材料費	673000		410000	190000	55000	18000	0
間接労務費	2430000		750000	650000	470000	350000	210000
個別費計	3103000		1160000	840000	525000	368000	210000
部門共通費							
建物関係費	84000	イ	27000 ＊1	24000	18000	9000	6000
支払電力料	63000	ウ	21600 ＊2	18000	9000	9000	5400
支 払 運 賃	54000	エ	15000 ＊3	18000	6000	3000	12000
福利厚生費	45600	ア	15200 ＊4	11400	7600	5700	5700
共通費計	246600		78800	71400	40600	26700	29100
部 門 費 計	3349600		1238800	911400	565600	394700	239100

＊ 1　@ 300 円× 90 ㎡ = 27,000 円
＊ 2　@ 900 円× 24 個 = 21,600 円
＊ 3　@ 600 円× 25 回 = 15,000 円
＊ 4　@ 1,900 円× 8 人 = 15,200 円

▶解 答 用 紙→P. 10
▶解答・解説→２－65

標準時間	15 分

Q 17回

福島建築工業株式会社は，近県で鉄筋工事を請負う建設業者である。第１部門と第２部門で工事を実施している。また，両部門に共通して補助的なサービスを提供している運搬部門，修繕部門および管理部門を独立させて，部門ごとの原価管理を実施している。次の〈資料〉に基づいて，下の設問に解答しなさい。
なお，計算の過程で端数が生じた場合は，各補助部門費の配賦すべき金額の計算の結果の段階で円未満を四捨五入すること。 （16 点）

〈資料〉

１．部門費配分表に集計された各部門費の合計金額

（単位：円）

第１部門	第２部門	運搬部門	修繕部門	管理部門
620,000	570,000	124,200	144,000	108,000

２．各補助部門の他部門へのサービス提供割合

（単位：%）

	第１部門	第２部門	運搬部門	修繕部門	管理部門
運搬部門	50	40	—	10	—
修繕部門	45	45	10	—	—
管理部門	45	35	10	10	—

問　次の３つの方法によって補助部門費の配賦を行う場合，各補助部門から第１部門に配賦される金額の合計額をそれぞれ計算しなさい。

① 直接配賦法
② 階梯式配賦法（ただし，管理部門費を配賦の第１順位，修繕部門費を第２順位，運搬部門費を第３順位とする）
③ 相互配賦法の連立方程式法

第２部門に配賦される金額は問われていないので，その計算をすることなく，効率的に解答を進めよう。

▶解答用紙→P. 10
▶解答・解説→2－66

標準時間	15分

Q 19回

長野建材株式会社では，翌年度より新設備を導入することに決定した。この新設備の導入に際し，現在，リースによって調達するか，あるいは資金を銀行から借りて購入するかを検討中である。次の〈資料〉に基づいて，下の設問に答えなさい。なお，計算の過程で端数が生じた場合は，円未満を四捨五入すること。　　（16点）

〈資料〉

1．リース案

　年間のリース料は，維持費等の諸費用を含めて￥2,700,000である。リース契約期間は4年であり，各年度末に同額ずつ支払う。なお，第4年度末にこの設備はリース会社に返却する。また，支払リース料は損金算入できるものとする。

2．購入案

(1)　設備の取得原価は￥8,200,000である。残存価額はゼロ，耐用年数4年の定額法により減価償却を行う。なお，第4年度末における設備の処分価額はゼロである。

(2)　新設備を購入するための資金は，第1年度初めに銀行から￥8,200,000借り入れ，その借入金で設備を購入する。元金は各年度末に￥2,050,000ずつ4回の均等払いで返済する。また，各年度初めの元金未返済額について10％の利子を各年度末に支払う。

(3)　設備の維持修繕費は年間￥80,000であり，各年度末に支払われる。

3．両案に共通する条件

(1)　法人税率は40％である。

(2)　当社は今後4年間にわたり黒字企業であると見込まれる。

(3)　当社の税引後の資本コストは12％であり，そのもとでの現価係数表は次のとおりである。

年	1年	2年	3年	4年
現価係数	0.893	0.797	0.712	0.636

問1　リース案の第1年度末の税引後現金流出額を計算しなさい。

問2　購入案の第1年度末の税引後現金流出額を計算しなさい。

問3　正味現在価値法で評価した場合，リース案と購入案のどちらがいくら有利になるかを計算しなさい。解答にあたっては，金額は両案の差額を記入し，さらにリース案が有利な場合は「X」，購入案が有利な場合は「Y」を記入すること。

問2　税引後の金額が問われているため，非現金支出費用である減価償却費の法人税節約額を考慮する必要がある。

問3　正味現在価値法は，投資から生ずる年々のキャッシュ・フローの現在価値合計から投資額を差し引いて計算する。購入案において借入れた金額をそのまま設備の購入に充てているということは？

▶解答用紙→P. 10
▶解答・解説→２－68

標準時間	20分

Q 23回

岡山建材工業株式会社では，10台の同一機械を使って１種類の製品を作っている。次の〈資料〉に基づいて，下の問に解答しなさい。（16点）

〈資料〉

1．直接作業者の １ヵ月の勤務時間は200時間（うち正規時間160時間，残業時間40時間）まで可能であるが，機械設備の定期保全と故障修理に毎月17時間必要であり，作業の段取りなどに毎月23時間要しているので，正味の機械運転時間（実働時間）は月間160時間である。

2．製品の生産能力は機械運転時間（実働時間）によって制約されている。月間の生産量は，フル操業のとき（実働160時間）で80,000単位になるが，そのうち10%が不良品になって廃棄されている。

3．フル操業の月の製品 1 単位当たりの売価とコストは次のように計算されている。

売　　価	¥3,000
材　料　費	¥　900
変動加工費	¥　300
直接労務費	¥　420
固定諸経費	¥　500

直接労務費は，正規時間については月給制（月間総額¥25,600,000）であるが，残業時間にはその25%増しの残業手当が支払われる。表中の直接労務費と固定諸経費は，月間総額を80,000単位で割った値である。変動加工費は実働時間に比例する。

問１　当社は好況のため，フル操業しても追いつかないほどの需要がある。このとき，次のような改善ができたとすると，その経済的効果は月間いくらになるかを計算しなさい。ただし，各改善は単独でなされるものと仮定しなさい。

(1)　不良品の数を現状より １割減らすことができる（不良率が ９%になる）場合の経済的効果

(2)　保全・修理・段取りなどの時間（現状で40時間）を １割減らすことができる場合の経済的効果

(3)　設計の工夫により，材料の消費量を １割減らすことができる場合の経済的効果

問２　当社は不況のため，需要が月間54,000単位に落ちたので残業する必要がなくなった。直接作業者の数を減らすことはできない。この条件のもとで問１の(3)の改善がなされたとすると，その経済的効果は月間いくらになるかを計算しなさい。

問１　フル操業を前提として経済的効果を計算する。また，各改善により製品の販売量を増やすことができる場合，すべて販売可能と考える。

▶解答用紙→P. 11
▶解答・解説→２－70

標準時間	20分

Q 27回 **神戸建材株式会社は，甲製品，乙製品を製造販売しており，すべての原価要素について工程別組別総合原価計算（累加法）を採用している。次の〈資料〉に基づいて，下の設問に答えなさい。計算の過程で端数が生じた場合は，計算途中では四捨五入せず，最終数値の円未満を四捨五入すること。　　　　　　　（18点）**

〈資料〉

1．生産に関する資料

	第１工程		第２工程	
	甲製品	乙製品	甲製品	乙製品
月初仕掛品	500 kg（20％）	400 kg（25％）	400 kg（50％）	600 kg（40％）
当月投入または前工程受入	2,500 kg	2,600 kg	2,250 kg	2,400 kg
計	3,000 kg	3,000 kg	2,650 kg	3,000 kg
月末仕掛品	750 kg（40％）	600 kg（50％）	600 kg（75％）	300 kg（50％）
完成品	2,250 kg	2,400 kg	2,050 kg	2,700 kg

（　　）内は加工費進捗度を示す。

2．原価に関する資料

	第１工程		第２工程	
	甲製品	乙製品	甲製品	乙製品
(1) 月初仕掛品原価				
原材料費	195,000円	120,000円	－	－
組間接費	26,850円	12,000円	43,000円	32,300円
前工程費	－	－	238,250円	298,800円
(2) 組直接費				
原材料費	852,000円	834,000円	－	－

(3) 組間接費（加工費）は直接作業時間を基準に各製品に配賦しており，組間接費の直接作業時間１時間当たりの工程別製品別配賦率および直接作業時間は次のとおりである。

	第１工程		第２工程	
	甲製品	乙製品	甲製品	乙製品
間接費配賦率	750円	780円	900円	950円
直接作業時間	600時間	400時間	480時間	320時間

3．その他の計算条件

(1) 原材料はすべて第１工程始点において投入される。

(2) 月末仕掛品原価は平均法により評価する。

問１　各製品の第１工程月末仕掛品原価および第１工程当月完成品原価を求めなさい。

問２　各製品の第２工程月末仕掛品原価および当月完成品原価を求めなさい。

問２　前工程費は，原材料費と同じように数量にもとづいて原価配分を行う。

第５問対策　第５問で問われるのはこれだ！

完成工事原価報告書の作成

知識を得点につなげるためには、まず出題内容を把握しよう！

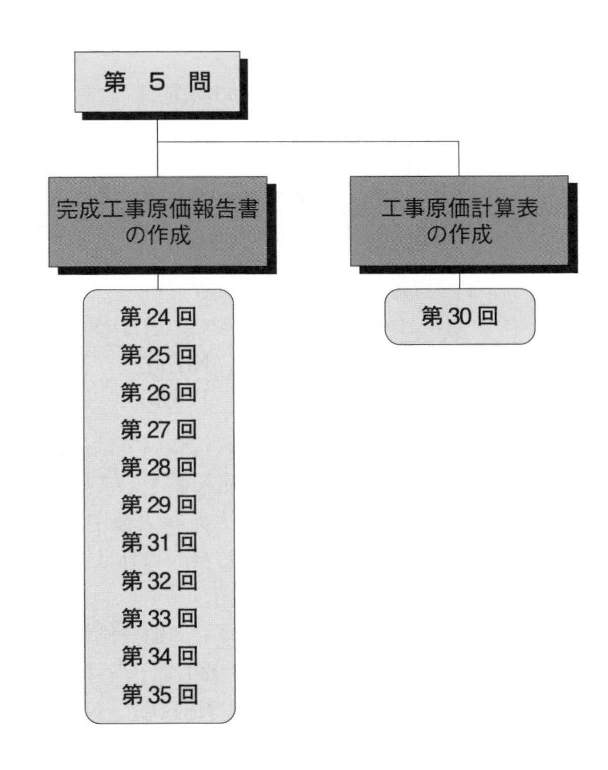

第５問の出題パターンとして，完成工事原価報告書の作成と原価差異の分析（材料消費価格差異，賃率差異，予算差異，操業度差異など）が毎回のように出題されています。したがって，この２点を完璧にしておくことが合格への近道です。

第５問対策　これで得点アップ！

知識を得点に変えるための解き方をマスターしよう！
「完成工事原価報告書」の解法として、次の手法が一般的に用いられます。

「完成工事原価報告書」の解き方

①問題文を読み，月初，当月の材料費，労務費，外注費，経費それぞれのデータに分ける。

それぞれのデータを読んで「○○法」といった計算方式にアンダーラインを引く。

外注費については問題用紙に示されているので計算の必要はない。

下記の平成X3年2月の原価計算資料に基づいて，「工事原価計算表」と完成工事原価報告書を完成しなさい。さらに，重機部門費の原価差異を計算し，それを予算差異と操業度差異に分解しなさい。

1．当月の工事の状況

工事番号	工事開始年月	工事完成年月
No.501	平成X2年3月	平成X3年2月
No.502	平成X2年8月	平成X3年2月
No.503	平成X2年10月	平成X3年5月予定
No.504	平成X3年2月	平成X3年9月予定

▶全体データ

2．月初未成工事原価の内訳 （単位：円）

工事番号	材料費	労務費	外注費（うち労務外注費）	経費（うち人件費）	合計
No.501	238,950	163,420	342,870（240,210）	105,010（76,400）	850,250
No.502	176,460	120,810	265,660（187,790）	108,490（89,420）	671,420
No.503	87,900	43,210	96,400（ 54,000）	32,980（19,670）	260,490

▶月初データ

3．当月の材料費に関する資料

(1) P材料は引当材料で，当月の購入額は次のとおり。

工事番号	No.501	No.502	No.503	No.504	合計
引当購入額（円）	115,500	308,500	442,500	247,500	1,114,000

この引当材料の購入については，特定の購入手数料が発生する。この副費は，年間を通じて一定の予定配賦をして処理している。当期の予定配賦率は，購入代価の4％である。また，上記購入額中，No.503用のP材料について ¥40,800（副費を含む）の残材が発生した。これは，今後の他工事に利用する予定であり，現在，在庫している。

(2) Q材料は常備材料で，消費価格については予定価格法を採用している。予定価格は1kg当たり ¥1,920で，当月の工事別消費量は次のとおり。

工事番号	No.501	No.502	No.503	No.504	合計
消費量（kg）	43	77	64	53	237

▶材料費データ

4．当月の労務費に関する資料

当社では，専門工事であるX作業(土工事)の一部について常雇作業員による工事を行っており，労務費計算には予定平均賃率法を採用している。予定平均賃率は労務作業1時間当たり ¥2,680で，当月の工事別作業時間は次のとおり。

工事番号	No.501	No.502	No.503	No.504	合計
労務作業時間(時間)	21	47	102	48	218

▶労務費データ

5．当月の外注費に関する資料

当社では，Y工事(重機械鉄骨工事)とZ工事(労務土木工事)を外注している。その工事別当月発生額は，以下の示すとおりである。なお，Z工事は労務外注費であるため，「完成工事原価報告書」では，労務費に含めることにしている。

工事番号	No.501	No.502	No.503	No.504	合計
(1) Y工事作業費	143,250	189,540	297,360	150,630	780,780
(2) Z工事作業費	100,750	110,920	168,450	63,150	443,270
[外注費計]	244,000	300,460	465,810	213,780	1,224,050

▶外注費データ

6．当月の経費に関する資料

⑴　直接経費の内訳

（単位：円）

工事番号	No.501	No.502	No.503	No.504
動力用水光熱費	13,200	28,640	38,900	15,090
従業員給料手当	28,170	56,510	51,500	22,080
法定福利費	7,700	11,540	13,200	5,400
福利厚生費	3,300	9,760	9,840	18,100
通信交通費他	10,610	21,470	21,800	22,550
計	62,980	127,920	135,240	83,220

なお，人件費の算定にあたって，退職金および同引当金繰入額は考慮しなくてよい。

⑵　重機械部門費の配賦

重機械部門費については予定配賦法（変動予算法）を採用しており，その関係資料は次のとおり。

イ．当年度の予定配賦率データ

固定費予算　月額 ¥126,360

変動費率　作業1時間当たり　¥940

基準作業時間（下請Y工事作業時間）　156 時間

ロ．Y工事の当月の実際稼働時間は次のとおり。

工事番号	No.501	No.502	No.503	No.504	合計
実際稼働時間（時間）	30	39	62	31	162

ハ．当月の重機械部門費実際発生額　¥279,020

⑶　管理部長の甲は，事業開拓の営業活動とともに，複数の工事現場総括管理者を兼務している。甲の当月人件費と工事現場管理時間の内訳は次のとおりである。

人件費　¥482,100

工事現場管理時間の内訳

No.502　65 時間

No.503　41 時間

甲の人件費のうち 3 分の 2 は営業活動のものとし，残りを工事負担の原価として従事した時間に応じて配分している。配賦率の算定に際して端数が生じた場合は，小数点第 4 位を四捨五入して，小数点第 3 位までの数値を使用すること。

経費データ

②材料費データを用いて，工事別の材料費を計算する。

右の 2 つの方法の他に，仮設材料費を求める方法が多く出題されている。

〔材料費の計算の仕方〕

⑴　P材料（引当材料）－購入額＝消費額（なお，残材分については購入額から差し引く）

⑵　Q材料（常備材料）－予定価格法…予定価格×消費量

工事原価計算表

平成X3年 2月次　（単位：円）

原価要素 ＼ 工事番号	No.501	No.502	No.503	No.504	合計
月初未成工事原価	850,250	671,420	260,490	——	1,782,160
当月発生工事原価					
1．材料費					
(1)P材料費	120,120	320,840	419,400	257,400	1,117,760
(2)Q材料費	82,560	147,840	122,880	101,760	455,040
［材料費計］	202,680	468,680	542,280	359,160	1,572,800

引当購入額×1.04 No.503 は残材分を差し引く →(1)P材料費

@1,920 円×消費量 →(2)Q材料費

③労務費データを用いて，工事別の労務費を計算する。

X作業費－予定平均賃率法…予定平均賃率×作業時間

工 事 原 価 計 算 表

平成X３ 年 ２ 月次　　(単位：円)

原価要素＼工事番号	No.501	No.502	No.503	No.504	合　計
２．労務費					
X作業費	56,280	125,960	273,360	128,640	584,240

@2,680円×作業時間→（X作業費）

④経費データを用いて，工事別の経費を計算する。

(1)　直接経費－合計額

(2)　重機械部門費－予定配賦法…予定配賦率×作業時間（予定配賦率＝変動費率＋固定費率）

(3)　管理部長の人件費－工事に関連している時間の人件費を計算

$$\left(人件費 \times \frac{工事現場管理時間}{作業時間}\right)$$

ポイント

$$固定費率 = \frac{固定費予算}{基準操業度}$$

直接労務作業時間法のほかにも直接材料費法などが出題されている。

工 事 原 価 計 算 表

平成X３ 年 ２ 月次　　(単位：円)

原価要素＼工事番号	No.501	No.502	No.503	No.504	合　計
４．経　費					
(1)直　接　経　費	62,980	127,920	135,240	83,220	409,360
(2)重機械部門費	52,500	68,250	108,500	54,250	283,500
(3)工事管理人件費	0	98,542	62,158	0	160,700
［経 費 計］	115,480	294,712	305,898	137,470	853,560

合計額をそのまま記入→(1)直接経費

1,750円[*1)]×作業時間→(2)重機械部門費

1,516.038円[*2)]×作業時間→(3)工事管理人件費

＊1)　予定配賦率：940円／時間(変動費率)＋$\frac{126,360円}{156時間}$（固定費率）＝1,750円／時間

＊2)　工事現場負担人件費：482,100円×$\frac{1}{3}$＝160,700円

配賦率：160,700円÷(65時間＋41時間)≒1,516.038円／時間

⑤それぞれのデータを各工事ごとに集計し，工事原価計算表を完成させる。

工 事 原 価 計 算 表

平成X３ 年 ２ 月次　　(単位：円)

原価要素＼工事番号	No.501	No.502	No.503	No.504	合　計
当月未成工事原価	——	——	1,847,838	839,050	2,686,888
当月完成工事原価	1,468,690	1,861,232	——	——	3,329,922

⑥工事原価計算表をもとに完成工事原価報告書を作成する。

各費用を算定するさい，月初分を加えることを忘れないように。

労務外注費を労務費に含めるときにはその内書きが必要になる。内書きされる労務外注費はＺ工事作業費の合計なので
240,210円＋187,790円（月初）＋100,750円（No.501）＋110,920円（No.502）＝639,670円

当月に完成した分の工事原価を集計する（この場合，No. 501，502）。

⑴　材料費

工事原価計算表
平成Ｘ３年２月次　（単位：円）

工事番号／原価要素	No.501	No.502	No.503	No.504	合計
［材料費計］	202,680	468,680	542,280	359,160	1,572,800

＋（238,950円＋176,460円）＝1,086,770円
No. 501, 502月初分

⑵　労務費－外注費のうちＺ工事作業費を労務費に含める（〈資料〉５．より）。

工事原価計算表
平成Ｘ３年２月次　（単位：円）

工事番号／原価要素	No.501	No.502	No.503	No.504	合計
２．労務費					
Ｘ作業費	56,280	125,960	273,360	128,640	584,240
３．外注費	＋	＋			
⑵Ｚ工事作業費	100,750	110,920	168,450	63,150	443,270

＋（163,420円＋120,810円＋240,210円＋187,790円）＝1,106,140円
No. 501，502月初分

⑶　外注費－Ｙ工事作業費のみを外注費とする。

工事原価計算表
平成Ｘ３年２月次　（単位：円）

工事番号／原価要素	No.501	No.502	No.503	No.504	合計
⑴Ｙ工事作業費	143,250	189,540	297,360	150,630	780,780

＋（342,870円＋265,660円－240,210円－187,790円）＝513,320円
No. 501，502月初分

⑷　経　費

工事原価計算表
平成Ｘ３年２月次　（単位：円）

工事番号／原価要素	No.501	No.502	No.503	No.504	合計
［経費計］	115,480	294,712	305,898	137,470	853,560

＋（105,010円＋108,490円）＝623,692円
No. 501, 502月初分

人件費となる４つのものはきちんと覚えておく。
工事管理人件費を加えることを忘れないように。

(5) 経費のうち人件費

経費のデータのなかから，次のものを集計します。

① 従業員給料手当 ② 退職金 ③ 法定福利費 ④ 福利厚生費

(1) 直接経費の内訳（単位：円）

工事番号	No.501	No.502	No.503	No.504
⋮	⋮	⋮	⋮	⋮
従業員給料手当	28,170	56,510	51,500	22,080
法定福利費	7,700	11,540	13,200	5,400
福利厚生費	3,300	9,760	9,840	18,100
	＋	＋		
(3)工事管理人件費	0	98,542	62,158	0

＋（76,400円＋89,420円）＝381,342円
No. 501, 502月初分

(6) 完成工事原価

1,086,770円（材料費）＋1,106,140円（労務費）＋513,320円（外注費）＋623,692円（経費）＝3,329,922円

工事原価計算表の「当月完成工事原価」と完成工事報告書の「完成工事原価」は一致する。確認しよう。

完成工事原価報告書
自 平成Ｘ３年２月１日
至 平成Ｘ３年２月28日

（単位：円）

Ⅰ．材料費		1086770
Ⅱ．労務費		1106140
（うち労務外注費	639670）	
Ⅲ．外注費		513320
Ⅳ．経　費		623692
（うち人件費	381342）	
完成工事原価		3329922

⑦資料６．⑵をもとに重機械部門の固定費率を計算し，必要な数値を差異分析の図に記入する。

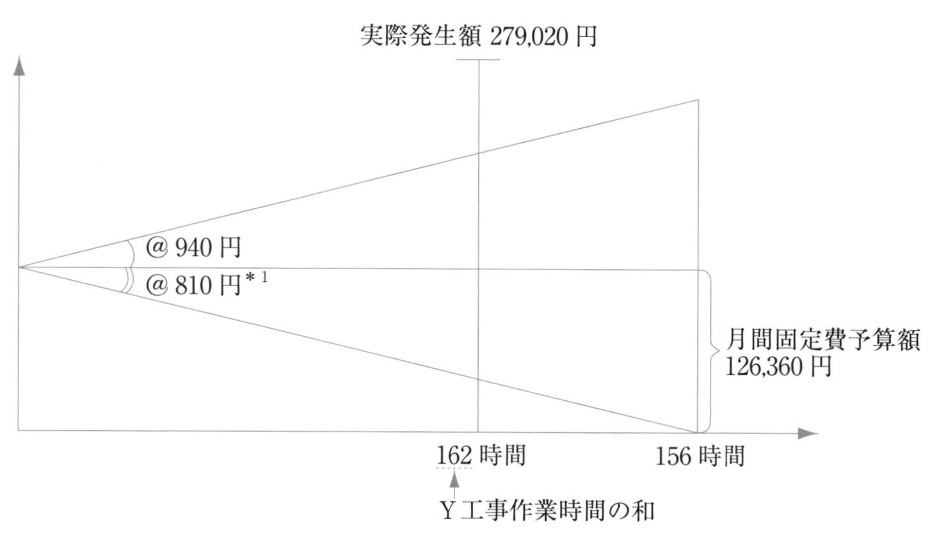

＊１　126,360 円 ÷ 156 時間 = @ 810 円

⑧予算許容額と実際発生額との差額で予算差異を計算し，実際作業時間と基準作業時間との差に固定費率を掛けて操業度差異を計算する。

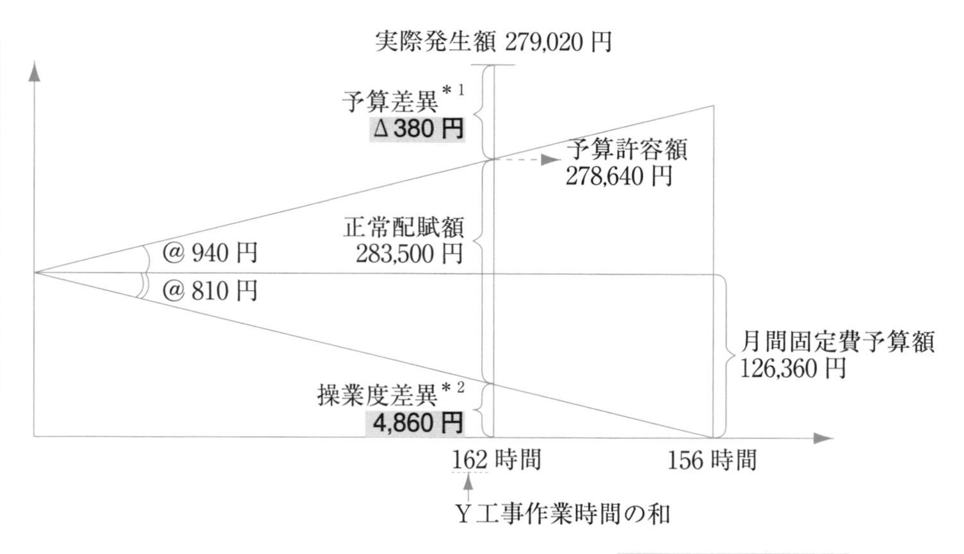

＊１（@ 940 円 × 162 時間 + 126,360 円）－ 279,020 円 = **Δ380 円**（不利差異）

＊２ @ 810 円 ×（162 時間 － 156 時間）= **4,860 円**（有利差異）

▶解答用紙→P.　12
▶解答・解説→２－74

標準時間	30分

Q 20回

下記の〈資料〉は，佐賀建設工業株式会社（当会計期間：平成×７年４月１日～平成×８年３月31日）における平成×７年６月の工事原価計算関係資料である。次の設問に解答しなさい。月次で発生する原価差異は，そのまま翌月に繰り越す処理をしている。なお，計算の過程で端数が生じた場合は，円未満を四捨五入すること。

（40点）

問１　工事完成基準を採用して平成×７年６月の完成工事原価報告書を作成しなさい。
問２　平成×７年６月末における未成工事支出金の勘定残高を計算しなさい。
問３　次の配賦差異について当月末の勘定残高を計算しなさい。なお，それらの差異について，借方残高の場合は「A」，貸方残高の場合は「B」を解答用紙の所定の欄に記入すること。
　①　賃率差異　　②　重機械部門費予算差異
　③　重機械部門費操業度差異

3 (1)　材料の戻りがあった場合，当該材料の出庫時の消費単価を用いるが，その場合にも先入先出法であることを考慮する。
6 (2)　施工管理業務の単価は，一般管理業務の単価の1.5倍となるように計算する。
6 (3)　当月の許容予算額は，当月の実際操業時間に対する予算額である。

〈資料〉
１．当月の工事の状況

工事番号	着　工	竣　工
７０１	前月以前	当月
７０２	前月以前	当月
７０３	当月	月末現在未成
７０４	当月	当月

２．月初における前月繰越金額
(1) 月初未成工事原価の内訳

（単位：円）

工事番号	材料費	労務費	外注費（労務外注費）	経費（人件費）	合　計
７０１	172,000	112,700	135,820（110,500）	80,100（44,400）	500,620
７０２	65,800	42,300	62,110　（31,050）	32,900（20,020）	203,110
計	237,800	155,000	197,930（141,550）	113,000（64,420）	703,730

(注)（　　）の数値は，当該費目の内書の金額である。

(2) 配賦差異の残高
賃率差異　￥240（貸方）　重機械部門費予算差異　￥1,050（借方）
重機械部門費操業度差異　￥450（貸方）

３．当月の材料費に関する資料
(1)　X材料は常備材料で，材料元帳を作成して実際消費額を計算している。消費単価の計算について先入先出法を使用している。6月の受払と在庫の状況は次のとおりである。

日　付	摘　要	単価（円）	数量（本）
6月1日	前月繰越	800	200
5日	購入	810	400
9日	７０２工事で消費		500
11日	購入	820	300
16日	７０４工事で消費		300
20日	戻り		50
22日	購入	830	200
25日	７０３工事で消費		300
30日	月末在庫		50

（注１）　12日に11日購入分について，¥1,500の値引を受けた。

（注２）　20日の戻りは９日出庫分である。戻りは出庫の取り消しとして処理し，戻り材料は次回の出庫のとき最初に出庫させること。

（注３）　24日に22日購入分について，¥1,000の割引を受けた。

（注４）　棚卸減耗は確認されなかった。

⑵　Ｙ材料は仮設工事用の資材で，工事原価への算入はすくい出し方式により処理している。当月の工事別関係資料は次のとおりである。

（単位：円）

工事番号	７０１	７０２	７０３	７０４
当月仮設資材投入額	（注）	38,900	44,500	42,000
仮設工事完了時評価額	10,800	10,500	（仮設工事未了）	29,500

（注）　７０１工事の仮設工事は前月までに完了し，その資材投入額は前月末の未成工事支出金に含まれている。

４．当月の労務費に関する資料

専門工事であるＤ工事の当月従事時間は次のとおりである。

（単位：時間）

工事番号	７０１	７０２	７０３	７０４	合　計
従事時間	8	20	35	35	98
うち残業時間	2	3	7	3	15

労務費の計算においては，予定経常賃率（1時間当たり@¥3,500）を設定して実際の工事従事時間に応じて原価算入している。なお，残業時間についてはこれを工事別に把握して，その賃金は予定経常賃率の25％増としている。当月の労務費（賃金手当）の実際発生額は¥358,000であった。

５．当月の外注費に関する資料

当社の外注工事には，資材購入や重機械工事を含むもの（一般外注）と労務提供を主体とするもの（労務外注）がある。当月の工事別の実際発生額は次のとおりである。

（単位：円）

工事番号	７０１	７０２	７０３	７０４	合　計
一般外注	29,880	97,550	99,600	193,200	420,230
労務外注	19,500	53,400	77,500	144,700	295,100

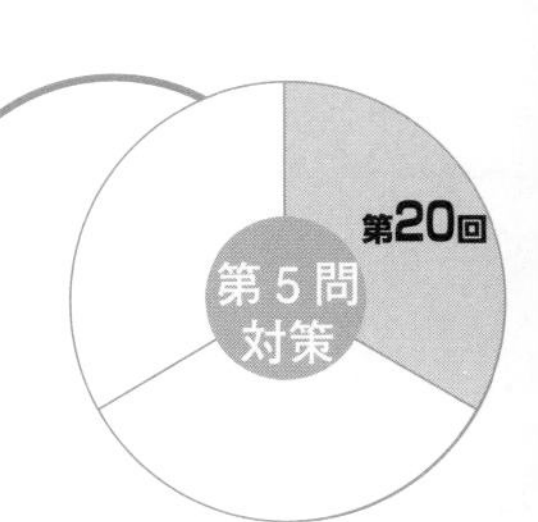

（注）　労務外注費は，完成工事原価報告書においては労務費に含めて記載することとしている。

６．当月の経費に関する資料

⑴　直接経費の内訳

（単位：円）

工事番号	７０１	７０２	７０３	７０４	合　計
労務管理費	2,100	9,450	11,600	22,800	45,950
従業員給料手当	9,400	15,900	19,000	29,500	73,800
法定福利費	1,300	3,500	4,200	7,100	16,100
福利厚生費	4,340	12,400	13,900	18,500	49,140
事務用品費他	2,300	4,280	8,600	21,200	36,380
計	19,440	45,530	57,300	99,100	221,370

（注）　経費に含まれる人件費の計算において，退職金および退職給付引当金繰入額は考慮しない。

⑵　役員であるＥ氏は一般管理業務に携わるとともに，施工管理技術者の資格で現場管理業務も兼務している。役員報酬のうち，担当した当該業務に係る分は，従事時間数により工事原価に算入している。また，工事原価と一般管理費の業務との間には等価係数を設定している。関係資料は次のとおりである。

(a)　Ｅ氏の当月役員報酬額　　　￥546,000

(b)　施工管理業務の従事時間

（単位：時間）

工事番号	７０１	７０２	７０３	７０４	合　計
従事時間	—	10	30	20	60

(c)　役員としての一般管理業務は120時間であった。

(d)　業務間の等価係数（業務１時間当たり）は次のとおりである。

施工管理　1.5　　一般管理　1.0

⑶　重機械部門費の配賦

Ｄ工事の労務作業に使用される重機械については，その費用を次の（ａ）の変動予算方式で計算する予定配賦率によって工事原価に算入している。関係資料は次のとおりである。

(a)　当会計期間において使用されている変動予算の基準数値

基準操業時間　Ｄ労務作業　年間　1,200時間

変動費率（１時間当たり）￥450　　固定費（年額）￥1,080,000

(b)　当月の重機械部門費の実際発生額は￥135,400であった。

(c)　月次での許容予算額の計算について，固定費は月割経費とする。固定費から予算差異は生じていない。

(d)　重機械部門費の中に人件費に属するものはない。

▶解答用紙→P. 13
▶解答・解説→2－80

標準時間	30分

Q 21回

下記の〈資料〉は，山形建設工業株式会社（当会計期間：平成×6年4月1日～平成×7年3月31日）における平成×6年11月の工事原価計算関係資料である。次の設問に解答しなさい。月次で発生する原価差異は，そのまま翌月に繰り越す処理をしている。なお，計算の過程で端数が生じた場合は，円未満を四捨五入すること。　（40点）

問１　当月の完成工事原価報告書を作成しなさい。ただし，収益の認識は工事完成基準を採用すること。

問２　当月末における未成工事支出金の勘定残高を計算しなさい。

問３　次の配賦差異について，当月末の勘定残高を計算しなさい。なお，これらの差異については，借方残高の場合は「A」，貸方残高の場合は「B」を解答用紙の所定の欄に記入すること。

①　Q材料の副費配賦差異　　②　運搬車両部門費予算差異

③　運搬車両部門費操業度差異

〈資料〉

１．当月の工事の状況

工事番号	着　　工	竣　　工
３０２	平成X6年 2月	平成X6年11月
３０３	平成X6年 4月	（未完成）
３０４	平成X6年11月	平成X6年11月
３０５	平成X6年11月	（未完成）

２．月初における前月繰越金額

(1)　月初未成工事原価の内訳

（単位：円）

工事番号	材料費	労務費（労務外注費）	外注費	経費（人件費）	合　計
３０２	192,000	123,000（92,500）	52,300	42,300（32,300）	409,600
３０３	68,200	40,500（31,030）	30,300	19,200（11,100）	158,200

（注）（　　　）の数値は，当該費目の内書の金額である。

(2)　配賦差異の残高

Q材料の副費配賦差異　　¥1,900（貸方残高）
運搬車両部門費予算差異　　¥　600（借方残高）
運搬車両部門費操業度差異　　¥　750（貸方残高）

３．当月の材料費に関する資料

(1)　P材料は特定工事用の引当資材であり，予定単価（1kg当たり¥3,500）を設定して工事原価に賦課している。当月の工事別現場投入量は次のとおりである。

（単位：kg）

工事番号	３０２	３０３	３０４	３０５	合　計
投入量	75	142	270	72	559

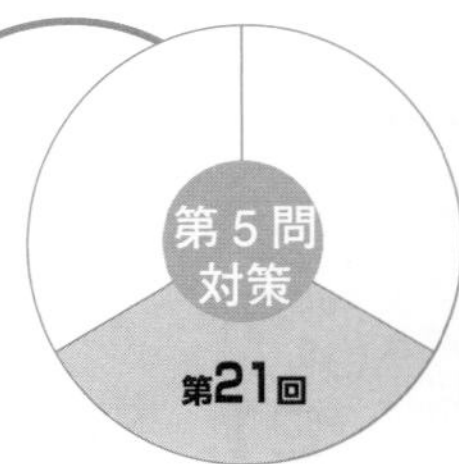

(2)　Ｑ材料は常備資材であり，購入時に引取費用を実際額で材料の購入代価に加算し，内部材料副費を購入代価の5%の額で予定配賦し材料の購入原価に算入している。当月の取引は次のとおりである。材料の消費単価の算定はその払出時点で先入先出法による実際購入原価で行っている。Ｑ材料の月初有高はないものとする。なお，当月のＱ材料の副費実際発生額は￥92,000であった。

11月 8日　Ｑ材料を100本，単価￥5,000で購入した。その運送代￥5,000は当社が負担する。
11月10日　Ｑ材料を50本，３０３工事に投入した。
11月16日　Ｑ材料を200本，単価￥4,000で購入した。その運送代￥5,000は当社が負担する。
11月19日　Ｑ材料を150本，３０４工事に投入した。
11月24日　11月19日出庫分のうち30本が戻されてきた。
11月25日　Ｑ材料を100本，単価￥4,500で購入した。その運送代￥5,000は当社が負担する。
11月28日　Ｑ材料を150本，３０５工事に投入した。

4．当月の労務費に関する資料

当社では，Ｚ作業について常雇作業員による専門工事を実施している。工事原価の計算には予定賃率（１時間当たり￥2,500）を使用している。11月の実際作業時間は次のとおりである。

（単位：時間）

工事番号	３０２	３０３	３０４	３０５	合　計
Ｚ作業時間	62	116	225	59	462

5．当月の外注費に関する資料

当社の外注工事には，資材購入や重機械の提供を含むもの（一般外注）と労務提供を主体とするもの（労務外注）とがある。工事別の当月実際発生額は次のとおりである。

（単位：円）

工事番号	３０２	３０３	３０４	３０５	合　計
一般外注	58,200	110,500	297,000	72,000	537,700
労務外注	175,200	263,800	357,000	165,200	961,200

（注）　完成工事原価報告書では，労務外注費を労務費に含めて記載している。

6．当月の経費に関する資料

⑴　直接経費の内訳は次のとおりである。

（単位：円）

工事番号	３０２	３０３	３０４	３０５	合　計
労務管理費	46,300	95,100	116,000	40,200	297,600
従業員給料手当	58,150	115,900	122,300	45,100	341,450
法定福利費	7,900	13,670	17,400	5,100	44,070
福利厚生費	9,750	25,800	35,000	9,540	80,090
雑　費　他	24,230	33,900	43,500	21,050	122,680
計	146,330	284,370	334,200	120,990	885,890

（注）経費に含まれる人件費の計算において，退職金及び退職給付引当金繰入額は考慮しない。

⑵　役員であるＷ氏は一般管理業務に携わるとともに，施工管理技術者の資格で現場管理業務も兼務している。役員報酬のうち，担当した当該業務に係る分は，従事時間数により工事原価に算入している。また，工事原価と一般管理費の業務との間には等価係数を設定している。関係資料は次のとおりである。

(a)　Ｗ氏の当月役員報酬額　　¥637,000

(b)　施工管理業務の従事時間

（単位：時間）

工事番号	３０２	３０３	３０４	３０５	合　計
従事時間	―	―	70	20	90

(c)　役員としての一般管理業務は110時間であった。

(d)　業務間の等価係数（業務１時間あたり）は次のとおりである。

施工管理　1.5　　一般管理　1.0

⑶　当社の常雇作業員によるＺ作業に関係する経費を運搬車両部門費として，次の(a)の変動予算方式で計算する予定配賦率によって工事原価に算入している。関係資料は次のとおりである。

(a)　当会計期間について設定された実行予算

固定費予算（年額）　¥1,932,000

変動費予算（年額）　¥1,656,000

その基準運転時間　Ｚ労務作業　年間　5,520時間

(b)　当月の運搬車両部門費の実際発生額は¥302,050であった。

(c)　月次の原価計算に使用される許容予算額の計算

ア．固定費　月割経費とする。固定費から予算差異は生じていない。

イ．変動費　実際時間に基づく許容予算額を計算する。

(d)　運搬車両部門費はすべて人件費を含まない経費である。

6⑵　施工管理業務の単価は，一般管理業務の単価の1.5倍となるように計算する。

6⑶　当月の許容予算額は，当月の実際操業時間に対する予算額である。

▶解答用紙→P. 14
▶解答・解説→２－86

標準時間	30分

Q 22回 **下記の〈資料〉は，熊本建設工業株式会社（当会計期間：平成X９年１月１日～平成X９年12月31日）における平成X９年７月の工事原価計算関係資料である。次の設問に解答しなさい。月次で発生する原価差異は，そのまま翌月に繰り越す処理をしている。なお，計算の過程で端数が生じた場合は，円未満を四捨五入すること。（40点）**

問１　当月の完成工事原価報告書を作成しなさい。ただし，収益の認識については工事完成基準を採用している。
問２　当月末における未成工事支出金の勘定残高を計算しなさい。
問３　次の配賦差異について，当月末の勘定残高を計算しなさい。なお，差異残高については，借方残高の場合は「X」，貸方残高の場合は「Y」を解答用紙の所定の欄に記入しなさい。
　①　材料副費配賦差異　　②　重機械部門費予算差異
　③　重機械部門費操業度差異

〈資料〉
１．当月の工事の状況

工事番号	着　工	竣　工
901	平成X8年12月	平成X9年 7月
902	平成X9年 4月	月末現在未成
903	平成X9年 7月	平成X9年 7月

２．月初における前月繰越金額
(1)　月初未成工事原価の内訳

（単位：円）

工事番号	材料費	労務費	外注費	経費（人件費）	合　計
901	201,300	103,500	145,700	91,300（54,230）	541,800
902	98,900	77,200	85,000	44,110（30,750）	305,210

（注）（　）の数値は，当該費目の内書の金額である。
(2)　配賦差異の残高
　材料副費配賦差異　¥1,350（借方）　　重機械部門費予算差異　¥850（貸方）
　重機械部門費操業度差異　¥1,100（貸方）

３．当月の材料費に関する資料
(1)　甲材料は工事引当材料である。当月の工事別購入代価は次のとおりである。当月中に残材は発生していない。

（単位：円）

工事番号	901	902	903	合　計
購入代価	88,000	300,500	145,000	533,500

甲材料の購入に際して，引取運賃等の副費について予定配賦している。当期の予定配賦率は購入代価に対して3%である。また，当月の材料副費実際発生額は¥18,500であった。

3 (2)　材料の戻りがあった場合，当該材料の出庫時の消費単価を用いる。

6 (1)　直接経費のうち人件費に該当するものは３つ。

6 (3)　操業度差異は実際操業度と基準操業度の差に予定配賦率を掛けて求める。

第２部 解答・解説

この解答例は，ネットスクールで作成したものです。

第１３回出題

解 答 解答にあたっては，それぞれ200字以内（句読点含む）で記入すること。

問１

工事原価総額は，工事契約に着手した後もさまざまな状
況の変化により変動することが多い。☆そのため，信頼性
をもって工事原価総額の見積りを行うには，当該見積り
が実際の原価発生と対比して適切に見直しができる状態
となっていること，☆また，適時・適切に工事原価総額の
見積りの見直しが行われる必要がある。☆この条件を満た
すためには，当該工事契約に関する実行予算や工事原価
等に関する管理体制の整備が不可欠である。☆☆

問２

材料購入原価の計算において，材料購入代価に材料副費
を加算するところに原価計算としての特徴がある。ただ
し，材料副費の購入原価算入に関しては，計算の経済性
が十分に考慮される必要がある。☆外部副費については，
購入材料との直接的な関連が明らかであるから，その算
入は適当である。☆☆一方，内部副費については，本格的な
配賦計算を実施しなければならないことが多いため，実
務上は間接経費として処理されることが多い。☆☆

予想採点基準

☆の前の文の内容が正解で２点×10 = 20点

解 説

問１　工事進行基準における工事原価総額の見積り

工事契約に関して，工事の進行途上においても，その進捗部分について成果の確実性が認められる場合には工事進行基準を適用し，この要件を満たさない場合には工事完成基準を適用しなければなりません。また，成果の確実性が認められるためには，工事収益総額，工事原価総額，決算日における工事進捗度について信頼性をもって見積もられることが必要です。

工事原価総額についてその見積りが信頼性をもって行われるためには，企業の工事原価計算システムの構築が重要な役割を担っています。なぜなら，工事原価総額には多くの見積りの要素を含んでおり，見積りと実績を比較することにより，適時・適切に工事原価総額を算定しなおす必要があるからです。そのため，企業は実行予算や工事原価等を管理する体制を構築する必要があります。

テキスト参照ページ

問１ ⇒ P. 1-4

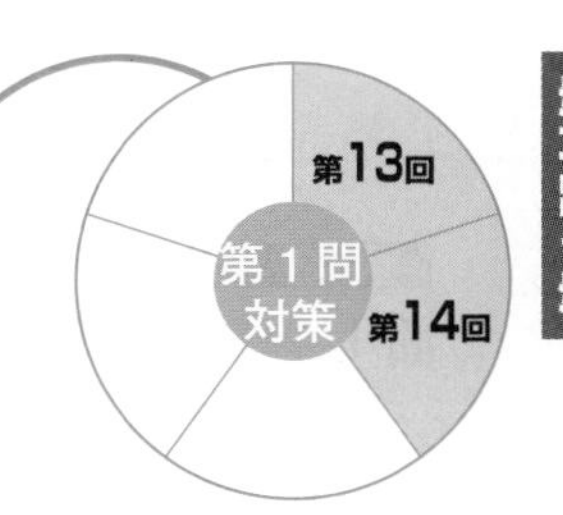

問２　材料購入原価の計算における材料副費の取扱い

　原則として，材料の購入代価に材料副費を加算して購入原価を算定します。

　材料副費とは，材料の購入から出庫までに要する付随費用をいいます。材料副費には，材料が仕入先から納入されるまでの費用である外部副費と材料の引取り後，工事現場に出庫されるまでに要する費用である内部副費があります。これら材料副費を購入原価に算入するさいには計算の経済性を十分に考慮しなければなりません。外部副費は，購入材料との直接的な関連が明らかなので，材料購入原価への算入は適当です。しかし，内部副費は，複数の材料購入に共通的に発生するため，適切な配賦基準を用いて関係材料に配賦することになります。そのため，内部副費については，経費として処理することも認められています。

テキスト参照ページ
問２ ⇒ P. 1-16

第14回出題

解 答　解答にあたっては，それぞれ200字以内（句読点含む）で記入すること。

問１

予定配賦率を算出する際に利用される基準操業度には，
次期予定操業度，長期正常操業度，実現可能最大操業度
などがある。☆☆第一に，次期予定操業度は，予算の対象期
間に現実に予定される操業度水準である。☆第二に，長期
正常操業度は，長期にわたる将来数年間の操業度を平均
化した操業度水準である。☆第三に，実現可能最大操業度
は，経営の有する能力を正常状態で最大限に発揮した時
に期待される操業度水準である。☆

問２

品質適合コストは，設計仕様に合致しない建造物の施工
を防ぐために生じる予防コスト☆とそのような建造物の発
見のために生じる評価コスト☆からなる。一方，品質不適
合コストは，建造物の施主への引渡前に発見された欠陥
や品質不良により生じる内部失敗コスト☆と施主への引渡
後に発見された欠陥や品質不良により生じる外部失敗コ
スト☆からなる。前者が経営者の裁量による自発的なコス
トであるのに対し，後者は非自発的なコストである。☆

予想採点基準

☆の前の文の内容が正解で２点×10＝20点

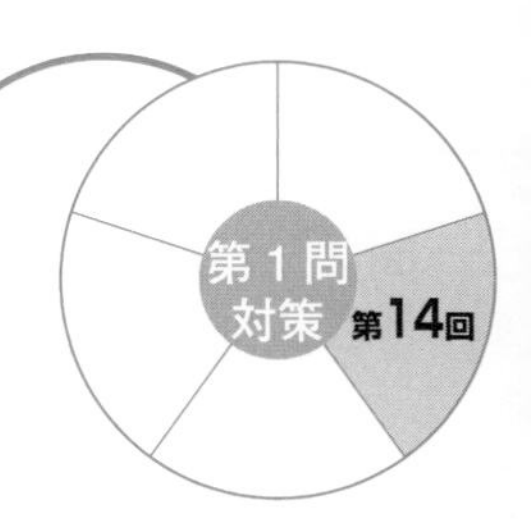

解　説

問１　予定配賦率の算定に用いる各種の基準操業度

予定配賦率は，一定期間の工事間接費予算額を同期間の基準操業度で除して求められます。基準操業度は，予算編成の際にまさしく基準とされる操業度ですが，次期予定操業度，長期正常操業度，実現可能最大操業度など各種のものがあります。

次期予定操業度は，予算の対象期間に現実に予定される操業度をいい，単年度のキャパシティ・コストを当該期間の生産品に全額負担させようというものです。

これに対して，長期正常操業度は，長期（景気の１循環期間）にわたる数年間の平均化された操業度をいい，長期にわたる生産品に当該期間のキャパシティ・コストを負担させようとするものです。

実現可能最大操業度は，経営の有する能力を正常状態で最大限に発揮した時に期待される操業度をいい，遊休となってしまった経営能力を析出しようとする意図があります。

問２　品質適合コストと品質不適合コスト（失敗コスト）

品質原価計算における品質は，施主（発注者）のニーズを正しく把握し，それに合致した設計となっているかを問題にする「設計品質（市場品質)」と，設計仕様どおりに生産しているかを問題にする「適合品質（施工品質)」からなります。品質原価計算では，適合品質（施工品質）を重点的に考えていきますが，「予防－評価－失敗アプローチ」にもとづいて品質原価を大きくは予防コストと評価コストからなる品質適合コストと内部失敗コストと外部失敗コストからなる品質不適合コストに分類します。

品質適合コストは建築物の品質をその設計仕様に合致させるためのコストであり，品質保証教育訓練費や材料受入検査費など経営者の裁量によって決まるため自発的なコストであるといえます。一方，建築物の品質をその設計仕様に合致させることができなかったために発生するコストである品質不適合コストには，手直費や引き渡し後の補修費用などがあり，経営者の裁量によることができない非自発的なコストであるといえます。

テキスト参照ページ

問 1 ⇒　P. 1-39
問 2 ⇒　P. 1-123

第17回出題

解答 解答にあたっては，それぞれ200字以内（句読点含む）で記入すること。

問１

1つは，社内損料計算方式である。☆この方式では，あら
かじめ仮設材料の使用による損耗分の各工事負担分を使
用日数あたりの損料として予定しておく。☆そして，その
予定にもとづく各工事への負担計算後，実際発生額との
差額を損料差異として把握する。☆もう1つは，すくい出
し方式である。☆この方式では，仮設材料を工事に供した
時点で取得価額全額を仮設材料費として処理したうえで
，工事完了時の評価額を当該工事原価から控除する。☆

問２

顧客ライフサイクル・コストとは，固定資産を購入する
顧客側における取得から廃棄処分に至るまでの期間に発
生するすべてのコストの合計である。☆☆具体的には，固定
資産の取得コスト，運転費，保管費，廃棄費などから構
成される。☆固定資産の取得後に顧客ライフサイクル・コ
ストの低減を図ることは容易でない。よって，その低減
のためには，固定資産の取得時点でライフサイクル・コ
ストが最小になるような代替案を選択する必要がある。☆☆

予想採点基準

☆の前の文の内容が正解で２点×10＝20点

解説

問１　仮設材料費の２つの把握方法

仮設材料費の把握方法には，社内損料計算方式とすくい出し方式があります。

社内損料計算方式では，あらかじめ仮設材料の使用による損耗分の各工事負担分を使用日数あたりの損料として予定しておき，各工事の実際の使用日数に応じて，各工事の原価に仮設材料費を算入します。そして，仮設材料費の実際発生額と各工事に算入した額との差額を損料差異として処理します。

また，すくい出し方式では，仮設材料を工事に供した時点において，仮設材料の取得価額の全額を仮設材料費として，工事原価に算入し，工事完了時に仮設材料に資産価値がある場合には，その評価額を当該工事原価から控除します。

テキスト参照ページ

問１ ⇒ P. 1-18

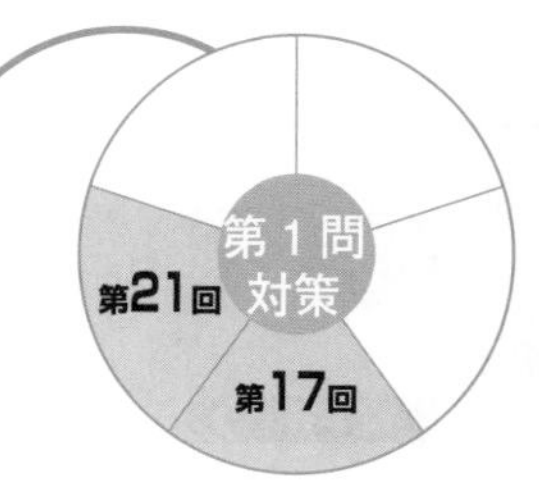

問２　顧客ライフサイクル・コストの意義と低減方法

ライフサイクル・コストとは，製品の企画・開発段階から廃棄処分に至るまでに発生するすべてのコストの合計です。また，顧客ライフサイクル・コストとは，製品の顧客であるユーザー側で発生するコストであり，製品の取得コストや，運転費，保管費，廃棄費などの使用コストが該当します。固定資産の取得後に顧客ライフサイクル・コストの低減を図ることは容易でないため，取得コストと使用コストの間のトレードオフ関係にもとづいて，固定資産の取得時点でライフサイクル・コストが最小になるような代替案を選択する必要があるといえます。

テキスト参照ページ
問２ ⇒　P. 1-126

第21回出題

解答　解答にあたっては，それぞれ200字以内（句読点含む）で記入すること。

問１

特殊原価調査は，財務会計機構のらち外にあり，随時断
片的に行われる原価計算で，☆経営意思決定に必要な原価
情報を提供する目的に資するために実施される原価計算
である。☆☆建設業においては，現状の経営構造を前提とし
て新規の工事を引き受けるべきか否かなどの短期的な意
思決定である業務的意思決定のほか，☆建設機械を新しい
ものに取り替えるべきか否かなどの経営の基本構造に関
する長期的な意思決定である構造的意思決定がある。☆

問２

正味現在価値法は，投資によって生じる年々の正味現金
流入額を割り引いた現在価値合計から，同じく現在価値
に割り引いた投資額を差し引いて，その投資案の正味現
在価値を計算し，☆☆正味現在価値が正であればその投資は
有利，負であれば不利と判定する方法である。☆☆なお，設
備投資の資金には資本コストがかかっているため，調達
源泉別資本コストを加重平均した加重平均資本コスト率
を用いて，キャッシュ・フローを割り引く。☆

予想採点基準
☆の前の文の内容が正解で２点×10＝20点

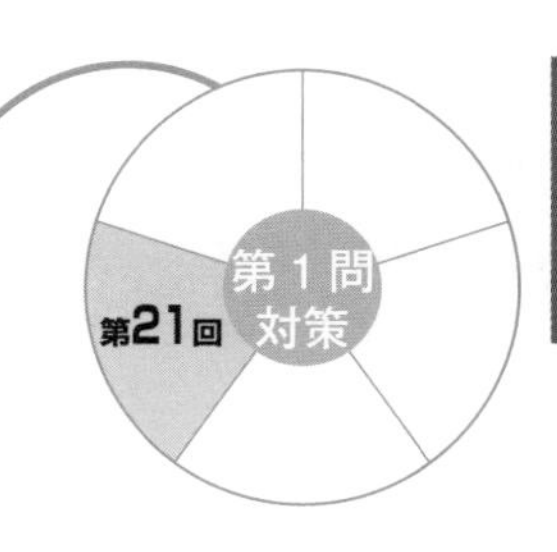

解説

問１　特殊原価調査

特殊原価調査とは，臨時的にまた必要に応じて随時的に行われる原価計算であり，経常的にかつ勘定機構と結びついて行われる原価計算制度に対応する概念です。

建設業においては，新規の工事の引受可否などの短期的で，業務的な問題から，建設機械を新しいものに取り替えるべきか否かなどの長期的で，構造的な問題まで，多様な意思決定問題が生じたときに個別的に特殊原価調査が行われます。

テキスト参照ページ
問１ ⇒ P. 1-6，130

問２　正味現在価値法

正味現在価値法は，貨幣の時間価値を考慮して，設備投資の経済性を事前に評価する方法の一つです。

具体的には，投資によって生じる年々の正味現金流入額を割り引いた現在価値合計から，同じく現在価値に割り引いた投資額を差し引いて，その投資案の正味現在価値を計算し，正味現在価値がプラスの値であればその投資は有利，マイナスの値であれば不利と判定する方法です。

テキスト参照ページ
問２ ⇒ P. 1-140

第22回出題

解答 解答にあたっては，それぞれ200字以内（句読点含む）で記入すること。

問１

変動予算とは，工事間接費予算を予算期間に予期される
範囲内における種々の操業度に対応して算定した予算を
いい，☆☆実際間接費額を当該操業度の予算と比較して，部
門の業績を管理することを可能にするものである。☆
変動予算の算定には，予期される種々の操業度に対応す
る複数の間接費予算を算定する実査法や，☆間接費を変動
費と固定費に分け，固定費は操業度に関わらず一定，変
動費のみ操業度を乗じて算定する公式法等がある。☆

問２

標準原価は，これをどれほどに厳しいものと考えていく
かというタイトネスによって３つに分類される。☆１つ目
は，技術的に達成可能な最大操業度のもとにおいて最高
能率を表す理想標準原価である。☆２つ目は，良好な能率
のもとにおいて，その達成が期待され得る現実的標準原
価である。☆☆３つ目は，経営における異常な状態を排除し
，比較的長期にわたる過去の実際数値と将来のすう勢を
加味して決定される正常標準原価である。☆

予想採点基準
☆の前の文の内容が正解で２点×10＝20点

解説

問１　工事間接費予算の設定方式としての変動予算方式

工事間接費予算の設定方式には，大きく変動予算方式と固定予算方式があります。このうち，変動予算方式は，工事間接費予算を予算期間に予期される範囲内における種々の操業度に対応して算定した予算をいい，実際間接費額を当該操業度の予算と比較して予算差異を把握します。また，変動予算方式には，予期される種々の操業度に対応する複数の間接費予算を算定する実査法や，間接費を変動費と固定費に分け，固定費は操業度に関わらず一定，変動費のみ操業度を乗じて算定する公式法などがあります。

テキスト参照ページ
問１ ⇒ P. 1-37

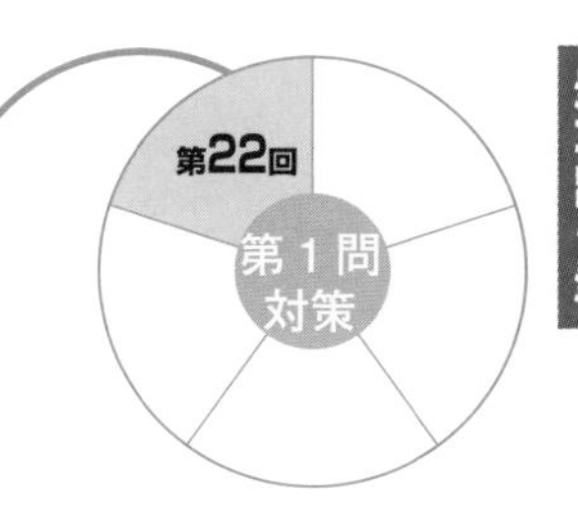

問２　標準原価の種類（タイトネスの観点から）

標準原価をどれほどに厳しいものと考えていくかというタイトネスの決定要素は，価格，能率および操業度です。これらの要素の組み合わせにより，標準原価は次の３つに分類することができます。

	価格水準	能率水準	操業度水準
理想標準原価	理想価格	理想能率	実現可能最大操業度
現実的標準原価	予定価格	達成可能良好能率	予定操業度
正常標準原価	正常価格	正常能率	正常操業度

テキスト参照ページ
問２　⇒　P. 1-114

コラム 流星哲学

毎年，夏になると流星群がやってくる。

大阪にいた頃には，流星群がくるたびに三重と奈良の県境に出かけ，望遠鏡で流れ星を追ったものでした。

ところで，みなさんは『流れ星に願いごとをすると，その願いごとが叶う』という話，信じておられますか？

『そんなお伽話，今どき信じている人はいないよ』とお思いでしょう。

でも，私は信じています。

信じているどころか、『流れ星に願いごとをすると，その願いごとが叶う』と保証します。

夜，星空を見上げて，流れ星を探してみてください。

晴れた日ばかりではなく，雨の日も曇りの日もあります。つまり，必ず星空が見えるとは限りません。

また，運よく星空が見え，さらに運よく流れ星が流れたとしましょう。しかし，広い夜空の下，そこを見ていなければ流れ星に気づくことはありません。

さらに，流れ星などほんの一瞬です。

その一瞬の間に自分の願いごとを言う。

それは本当に多くの偶然が重なった，その一瞬に願いごとを言うということになります 。

つまり，一日 24 時間四六時中，自分が本当に願っていることでないと，とてもとてもその瞬間に言葉になるものではないのです 。

もう，おわかりでしょう。

私が『流れ星に願いごとをすると，その願いごとが叶う』ことを保証するわけが。

そうです。

一人の人間が 24 時間四六時中，寝ても醒めても本当に願っていることならば，当然にそのための努力を厭うこともなく，それは必然的に実現するのです。

あっ，流れ星だ！

間に合いましたか？　そして，あなたは何を願いましたか？

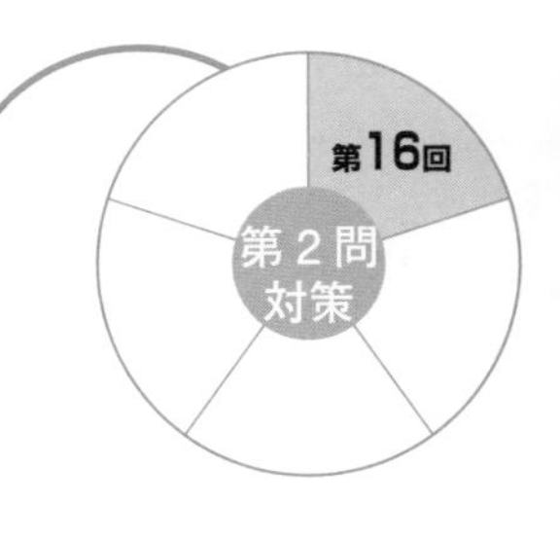

第 16 回出題

解 答

記号（AまたはB）

1	2	3	4	5
A	B	B	A	A
☆	☆	☆	☆	☆

予想採点基準
☆…２点×５＝10点

解 説

原価計算制度上の原価は製造原価（工場・工事現場での生産活動に要した原価）だけではなく，販売費（営業所での販売活動に要した原価）および一般管理費（本社での全般的な経営活動の管理に要した原価）もそのうちに含まれます。

また，原価計算基準５では，非原価項目として①経営目的に関連しない価値の減少，②異常な状態を原因とする価値の減少，③税法上とくに認められている損金算入項目，④その他の利益剰余金に課する項目の４つを例示しています。

1．本社建物に対する固定資産税

本社建物に対する固定資産税は，全般的な経営活動の管理を行う本社機能維持のために付随的に発生するため，一般管理費に相当し，原価計算制度上の原価となります。

2．保有株式の売却損

原価計算基準に規定される企業の経営目的とは，製品を生産・販売すること（いわゆる「営業活動」）にあります。しかし，保有株式の売却損は，営業活動外である財務活動において発生する財務費用であるため，上記①経営目的に関連しない価値の減少にあたり，非原価となります。

3．水害による建設機械の著しい損耗

水害による建設機械の著しい損耗は，水害という偶発的事故にもとづくため，上記②異常な状態を原因とする価値の減少にあたり，非原価となります。

4．工事現場作業員に対する慰労会の費用

工事現場作業員に対する慰労会の費用は，建物等が無事竣工することを目的に，その達成のために貢献した工事現場作業員に対する慰労のために支出したものであるから，製造原価に相当し，原価計算制度上の原価となります。

5．本社経理部職員の支店への出張旅費

本社経理部職員の支店への出張旅費は，各地域で営業活動している支店への監督・管理のために必要な活動にもとづく出費であると考えられるため，一般管理費に相当し，原価計算制度上の原価となります。

テキスト参照ページ
⇒　P. 1-7

第 17 回出題

解 答

記号（ＡまたはＢ）

1	2	3	4	5
B	A	A	B	A
☆	☆	☆	☆	☆

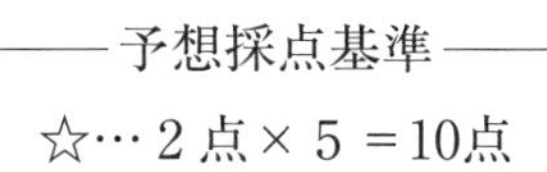

解 説

原価計算制度とは，財務会計機構，すなわち複式簿記の会計システムと有機的に結合して，日々継続的に制度として実施される原価測定のシステムです。一方，特殊原価調査とは，将来の経営行動を選択する際に実施する意思決定目的の原価に関する分析と調査の作業です。

1．建設用資材の採用可否に関しての採算計算

ある建設用資材を採用すべきか否かという意思決定目的の原価に関する計算であるため，特殊原価調査です。

2．受注した工事の実行予算の作成

受注した工事の実行予算の作成は，制度として実施される原価計算システムの中で行われます。よって，原価計算制度です。

3．２つの工事現場を管理する作業所の費用の各工事への配賦

工事原価の各工事への配賦は，制度として実施される原価計算システムの中で行われます。よって，原価計算制度です。

4．ブルドーザー10台の取替えに関する検討資料の作成

ブルドーザーを取り替えるべきか否かという意思決定目的の原価に関する計算であるため，特殊原価調査です。

5．損料の予定配賦額の工事台帳への記入

損料の各工事への配賦は，制度として実施される原価計算システムの中で行われます。よって，原価計算制度です。

テキスト参照ページ

⇒ P. 1-6

第19回出題

解答

記号（AまたはB）

1	2	3	4	5
B	A	B	A	A
☆	☆	☆	☆	☆

予想採点基準
☆…２点×５＝10点

解説

個別原価計算は種類を異にする製品を個別的に生産する生産形態に適用します。個別原価計算にあっては，特定製造指図書について個別的に直接費及び間接費を集計し，製品原価は，これを当該製造指図書に含まれる製品の生産完了時に算定します。

これに対して，総合原価計算では，一定期間における生産量に対応する総製造費用を算定し，これを期間生産量に分割負担させることによって完成品総合原価を計算します。

〈個別原価計算と総合原価計算の特徴〉

	個別原価計算	総合原価計算
生産形態	個別受注生産	市場見込生産
原価の集計単位	指図書ごとの命令生産量	期間生産量

1．「小物家具を（販売を見込んで)」とあることから，総合原価計算の生産形態に該当します。

2．「受注により」，「自社用の原価計算システム」とあることから個別原価計算の生産形態に該当します。

3．先入先出法は，一定期間における生産量に対応する当期製造費用を完成品と月末仕掛品原価に配分する原価配分の方法であるため，総合原価計算に関連します。

4．請負工事は個別受注生産の一種であるため，個々の工事番号別に原価を集計する個別原価計算を採用していることが分かります。

5．「新製品の試作に関する原価を他の量産品と区別して把握」とあり，新製品の試作に関して発生した原価を個別に把握・集計していることが読み取れるため，個別原価計算を採用していることが分かります。

テキスト参照ページ
⇒ P. 1-70

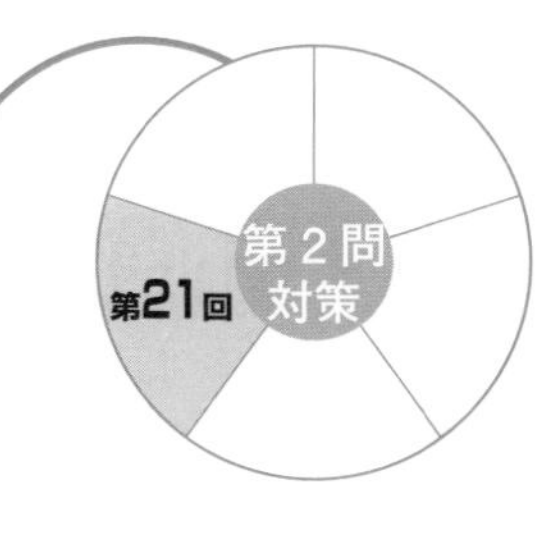

第21回出題

解答

記号（AまたはB）

1	2	3	4	5
B	B	B	A	A
☆	☆	☆	☆	☆

予想採点基準
☆…２点×５＝10点

解説

1．完成工事原価報告書における経費

完成工事原価報告書における経費には，直接工事費のうちの経費のみならず，工事間接費的な材料費や労務費や現場管理費が含まれます。よって，本問の文章は，誤っています。

2．完成工事原価報告書の経費欄の下に内書表示される人件費

内書表示される人件費のうちの福利厚生費は，必ずしも個人との関係が明確ではありません。よって，本問の文章は，誤っています。

3．制度的な原価計算における原価

制度的な原価計算における原価は，経営目的に関連した経済価値の犠牲であるため，製造過程で発生する製造原価のみならず，販売費及び一般管理費も原価に含まれます。よって，本問の文章は，誤っています。

4．購入した建設資材に対する値引き，割戻し

本問の文章のとおりです。

5．保証事業会社に支払う保証料

本問の文章のとおりです。

公共工事において，国や地方公共団体は工事受注者に工事代金の一部を前払いするにあたり，保証事業会社による保証を条件とします。よって，工事受注者にとって，この保証料の支払いは前払金を得るための費用といえます。

テキスト参照ページ
1　⇒　P.1-74
2　⇒　P.1-74
3　⇒　P.1-7
4　⇒　P.1-16

第22回出題

解答

記号（ア～ス）

1	2	3	4	5
カ	エ	ス	コ	サ
☆	☆	☆	☆	☆

予想採点基準
☆…２点×５＝10点

解説

1．前払金保証制度における保証料

保証料は，資金調達に要する費用であるため，工事原価には算入せず，**営業外費用**として処理するのが原則です。しかし，個別工事に直接対応していることから，**経費**として工事原価に算入することも考えられます。

2．重機械の損料計算

重機械の損料計算では，その原価要素を**変動費**と**固定費**に区分して，変動費をもとに運転１時間当たり損料を，固定費をもとに供用１日当たり損料を計算します。なお，このとき，重機械の減価償却費については，その２分の１ずつを変動費と固定費に区分します。

3．非原価項目の処理

漏水事故による補償費などの異常な状況での価値喪失は，原価計算制度上，非原価項目であり，工事原価には算入されません。また，このような異常な状況による非原価項目は，**特別損失**として処理します。

第 17 回出題

解答

問１

年間の増加件数	4	件	☆☆

問２

① 差額収益	24000	千円	☆★	
② 差額原価	16800	千円	☆★	
③ 差額利益	7200	千円	☆	記号（AまたはB） A ☆

予想採点基準
☆…２点×６＝12点
★…１点×２＝２点
合計　14点

解説

問１　改善案による増加工事件数

同時に４件を並行して施工することができるため，改善案を採用する場合には，４件あたりの工事日数が50日となります。よって，改善案の場合の年間工事件数は次のように計算できます。

300日（年間稼働日数）÷50日×４件＝24件

改善案による増加工事件数：24件－20件（現状）＝ **4 件**

問２　差額原価収益分析

改善案を採用する場合と採用しない場合の差額を計算します。

①差額収益

6,000千円×（24件（採用する場合の工事件数）－20件（採用しない場合の工事件数））＝ **24,000千円**

②差額原価

採用する場合：（1,200千円＋150千円（採用する場合の増加額）
（材料その他の直接費）
＋1,500千円＋100千円（採用する場合の増加額））
（外注諸費用）
×24件＝70,800千円

採用しない場合：（1,200千円＋1,500千円）×20件＝54,000千円

差額原価：70,800千円－54,000千円＝ **16,800千円**

なお，人件費（常雇の給料手当）と間接費配賦額は，改善案を採用するか否かで変化しない埋没原価であるため，差額原価の計算上考慮する必要はありません。

③差額利益

差額利益＝差額収益－差額原価
＝24,000千円－16,800千円＝ **7,200千円**

ここに！注意

差額収益は，問１の増加件数４件分のみを計算すればよいが，差額原価は，４件分のみではない。

テキスト参照ページ
⇒　P. 1 -130

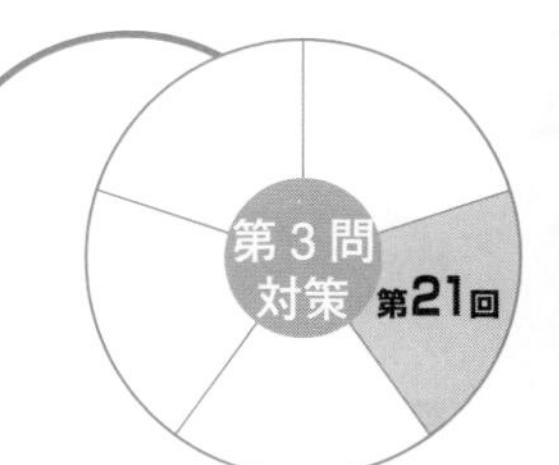

第21回出題

解 答

問１　パワーショベルの取得価額　¥ 12000000 ☆☆★

問２　甲工事現場への当月配賦額　¥ 302160 ☆☆★

問３　当月の損料差異　¥ 10170

記号（XまたはY） X　両方正解で☆☆

予想採点基準
☆… 2点× 6 ＝12点
★… 1点× 2 ＝ 2点
合計 14点

解 説

問１　パワーショベルの取得価額の推定

$$\text{運転時間1時間当たり損料} = \text{取得価額} \times \left(\frac{\text{償却費率} \times 1/2}{\text{耐用年数}} + \text{年間修繕費率}\right) \times \frac{1}{\text{年間標準運転時間}}$$

上記の式について，取得価額をAとおいて，他は〈資料〉１．のデータをあてはめると次のようになります。

$$1{,}920\text{円} = A \times \left(\frac{100\% \times 1/2}{5\text{年}} + \frac{50\%}{5\text{年}}\right) \times \frac{1}{1{,}250\text{時間}}$$

これをAについて解くと，

$$\frac{0.2}{1{,}250} A = 1{,}920\text{円}$$

$\therefore A =$ **12,000,000円**

ここに！注意

〈資料〉１．ただし書きより，減価償却費の半額ずつを各損料に含める。

問２　甲工事現場への当月配賦額

⑴　**供用１日当たり損料**

$$\text{供用1日当たり損料} = \text{取得価額} \times \left(\frac{\text{償却費率} \times 1/2}{\text{耐用年数}} + \text{年間管理費率}\right) \times \frac{1}{\text{年間標準供用日数}}$$

上記の式に〈資料〉１．のデータをあてはめて計算します。

$$\text{供用1日当たり損料} = 12{,}000{,}000\text{円} \times \left(\frac{100\% \times 1/2}{5\text{年}} + 8\%\right) \times \frac{1}{200\text{日}}$$
$$= 10{,}800\text{円}$$

⑵　**甲工事現場への当月配賦額**

@1,920円×73時間＋@10,800円×15日＝ **302,160円**

問３　損料差異の計算

実際発生額：112,330円＋12,000,000円÷５年÷12ヵ月＝312,330円
（12,000,000円÷５年÷12ヵ月：減価償却費）

損料差異：302,160円（予定配賦額，問２の解答より）－312,330円（実際発生額）
＝△10,170円（配賦不足（借方差異））…… **10,170円（X）**

テキスト参照ページ
⇒ P. 2-10

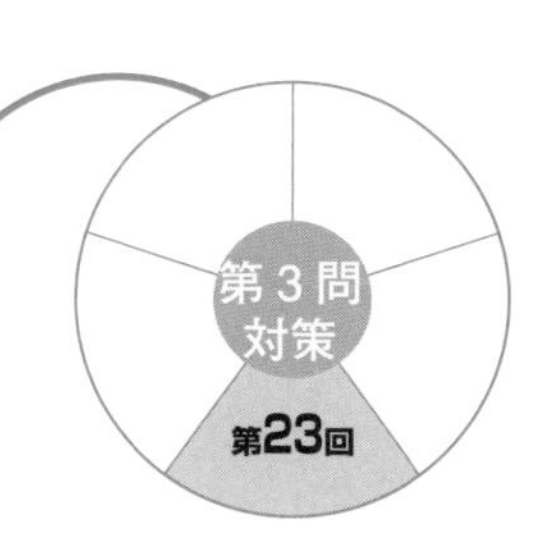

第23回出題

解答

問1

運転１時間当たり損料	¥	4180	☆★
供用１日当たり損料	¥	20520	☆★

問2

甲現場への配賦額	¥	120080	☆
乙現場への配賦額	¥	546440	☆

問3

¥ 205200 ☆　記号（AまたはB） B ☆

予想採点基準
☆… 2点×6＝12点
★… 1点×2＝2点
合計 14点

解説

問１　運転時間１時間当たり損料，供用１日当たり損料

(1)　運転時間１時間当たり損料

$$\text{運転時間１時間当たり損料}=\frac{\text{年間減価償却費}\times 1/2+\text{年間修繕費}}{\text{年間標準運転時間}}$$

① 年間減価償却費

31,680,000円（基礎価格）×100％（償却費率）÷８年×$\frac{1}{2}$＝1,980,000円

② 年間修繕費
(2,000,000円×４年＋2,400,000円×４年)÷８年＝2,200,000円

③ 運転時間１時間当たり損料

$$\frac{1{,}980{,}000\text{円}+2{,}200{,}000\text{円}}{1{,}000\text{時間}}=$$ **@4,180円**

(2)　供用１日当たり損料

$$\text{供用１日当たり損料}=\frac{\text{年間減価償却費}\times 1/2+\text{年間管理費}}{\text{年間標準供用日数}}$$

① 年間減価償却費
上記(1)①より1,980,000円

② 年間管理費
31,680,000円（基礎価格）×８％＝2,534,400円

③ 供用１日当たり損料

$$\frac{1{,}980{,}000\text{円}+2{,}534{,}400\text{円}}{220\text{日}}=$$ **@20,520円**

ここに！注意

問１の問題文より，減価償却費の半額ずつを変動費，固定費として扱う。

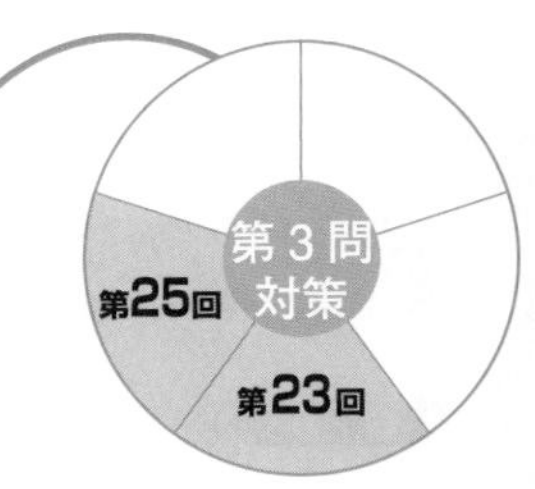

問２　予定配賦額の計算

甲現場：@4,180円×14時間＋@20,520円×３日＝ **120,080円**

乙現場：@4,180円×62時間＋@20,520円×14日＝ **546,440円**

問３　損料差異の計算

予定配賦額：@4,180円×（14時間＋62時間＋８時間）＋@20,520円（３日＋14日＋２日）＝741,000円

実際発生額：220,700円＋395,500円＋31,680,000円×100％÷８年÷12カ月＝946,200円

損料差異：741,000円－946,200円＝△205,200円（不利差異）…… **205,200円（Ｂ）**

テキスト参照ページ
⇒　P. 1-82

第25回出題

解答

問１

工事番号１０１　¥ 192000 ☆☆★

問２

工事番号１０２　¥ 500000 ☆☆★

問３

請負工事利益総額　¥ 1251000 ☆☆

予想採点基準
☆…２点×６＝12点
★…１点×２＝２点
合計　14点

解説

(1)　当月直接労務費，当月製造間接費の計算

どちらも直接作業時間を配賦基準とするため，直接労務費と製造間接費を加工費としてまとめて計算します。

	１０１	１０２	１０３	１０４	１０５
第一製造部門	—	—	318,000*	265,000*	212,000*
第二製造部門	—	—	—	320,000	256,000
第三製造部門	240,000	240,000	300,000	—	—
第四製造部門	354,000	531,000	—	—	177,000
合　計	594,000	771,000	618,000	585,000	645,000

＊　第一製造部門の加工費配賦率：@1,200円（労務費）＋@4,100円（製造間接費）＝@5,300円

103工事：@5,300円×60時間＝318,000円

104工事：@5,300円×50時間＝265,000円

105工事：@5,300円×40時間＝212,000円

他の製造部門についても同様に計算します。

⑵ 当月の工事原価発生額の計算

	１０１	１０２	１０３	１０４	１０５
直接材料費	294,000	229,000	624,000	255,000	405,000
加工費	594,000	771,000	618,000	585,000	645,000
発生額合計	888,000	1,000,000	1,242,000	840,000	1,050,000

⑶ 当月の工事収益の計算

工事進行基準によるため，未完成の工事についても工事進捗度に応じて完成工事高及び完成工事原価を計上します。原価比例法によるため，工事原価の発生割合を工事進捗度として計算します。

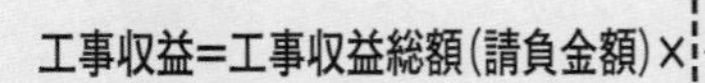

工事収益=工事収益総額(請負金額)×$\dfrac{\text{当月末までの実際発生工事原価累計額}}{\text{見積工事原価総額}}$−前月以前の工事収益累計額

（分数部分：工事進捗度）

（前月以前の工事収益累計額を差し引く前の部分：当月末までの工事収益累計額）

なお，本問では前月から繰り越された請負工事はないため，「前月以前の工事収益累計額」を考慮する必要はありません。

101工事：1,800,000円×$\dfrac{888{,}000円}{1{,}480{,}000円}$＝1,080,000円

102工事：1,500,000円（当月に完成しているため，工事進捗度は100％）

103工事：3,100,000円×$\dfrac{1{,}242{,}000円}{2{,}760{,}000円}$＝1,395,000円

104工事：2,590,000円×$\dfrac{840{,}000円}{2{,}100{,}000円}$＝1,036,000円

105工事：2,100,000円×$\dfrac{1{,}050{,}000円}{1{,}750{,}000円}$＝1,260,000円

⑷ 当月の請負工事利益の計算

工事収益（上記⑶参照）から工事原価（上記⑵参照）を差し引いて工事利益を計算します。

101工事：1,080,000円－ 888,000円 ＝ **192,000円**
102工事：1,500,000円－1,000,000円 ＝ **500,000円**
103工事：1,395,000円－1,242,000円 ＝ 153,000円
104工事：1,036,000円－ 840,000円 ＝ 196,000円
105工事：1,260,000円－1,050,000円 ＝ 210,000円
合　計： **1,251,000円**

ここに！注意

102工事は当月に完成しているため，請負金額の全額を当月の完成工事高として計算する。

テキスト参照ページ
⇒ P. 1-4

第26回出題

解答

問1

予定配賦額	¥ 11625000 ☆			
予算差異	¥ 175000 ★	記号（AまたはB）	B	★
操業度差異	¥ 1125000 ★	記号（同　　上）	B	★

問2

予定配賦額	¥ 13020000 ☆			
予算差異	¥ 175000 ★	記号（AまたはB）	B	★
操業度差異	¥ 270000 ★	記号（同　　上）	A	★

問3

予定配賦額	¥ 12496875 ☆			
予算差異	¥ 175000 ★	記号（AまたはB）	B	★
操業度差異	¥ 253125 ★	記号（同　　上）	B	★

予想採点基準
☆…２点×３＝６点
★…１点×12＝12点
合計 18点

解説

問１　基準操業度 … 実現可能最大操業度

⑴　実現可能最大操業度

８時間×10台×250日－2,000時間（休止時間）＝18,000時間

⑵　予定配賦額

まずは，変動費率と固定費率に分けて，予定配賦率を計算します。

変動費率：$\frac{5{,}400{,}000\text{円（変動費予算）}}{18{,}000\text{時間（基準操業度）}}$＝@300円

固定費率：$\frac{8{,}100{,}000\text{円（固定費予算）}}{18{,}000\text{時間（基準操業度）}}$＝@450円

予定配賦額：（@300円＋@450円）×15,500時間＝**11,625,000円**

(3)　**予算差異，操業度差異**

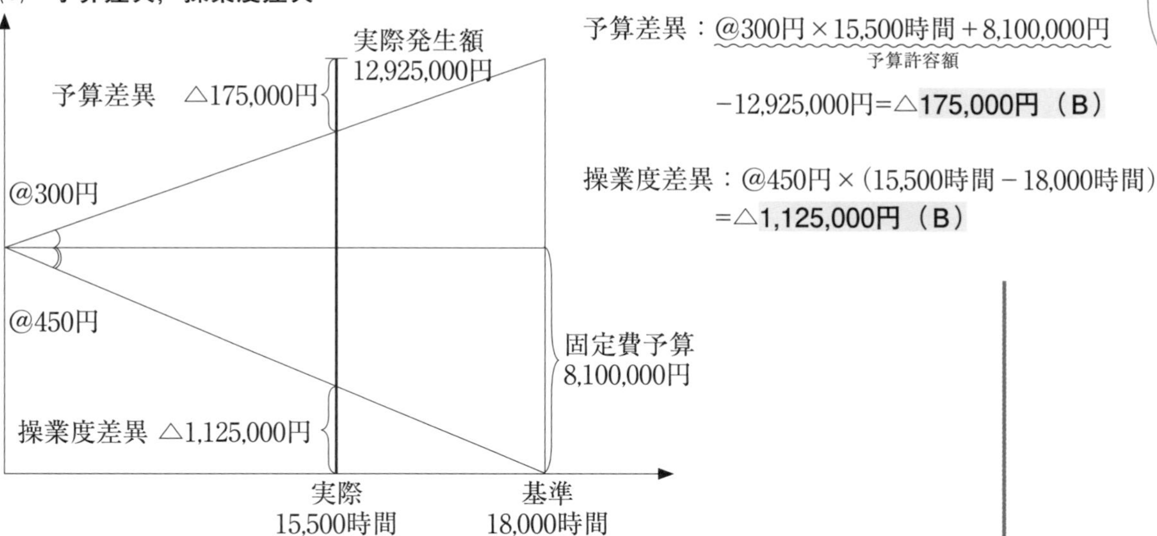

予算差異：@300円×15,500時間＋8,100,000円（予算許容額）
−12,925,000円＝△**175,000円（Ｂ）**

操業度差異：@450円×（15,500時間−18,000時間）
＝△**1,125,000円（Ｂ）**

問２　基準操業度 … 長期正常操業度

(1)　**長期正常操業度**

（14,000時間＋14,000時間＋15,000時間＋16,000時間＋16,000時間）÷５年
＝15,000時間

(2)　**予定配賦額**

固定費率を計算します（変動費率は問１での計算結果を用います）。

固定費率：$\dfrac{8{,}100{,}000円（固定費予算）}{15{,}000時間（基準操業度）}$＝@540円

予定配賦額：（@300円＋@540円）×15,500時間＝**13,020,000円**

ここに！注意

変動費率を5,400,000円÷15,000時間と計算しないように注意。

(3)　**予算差異，操業度差異**

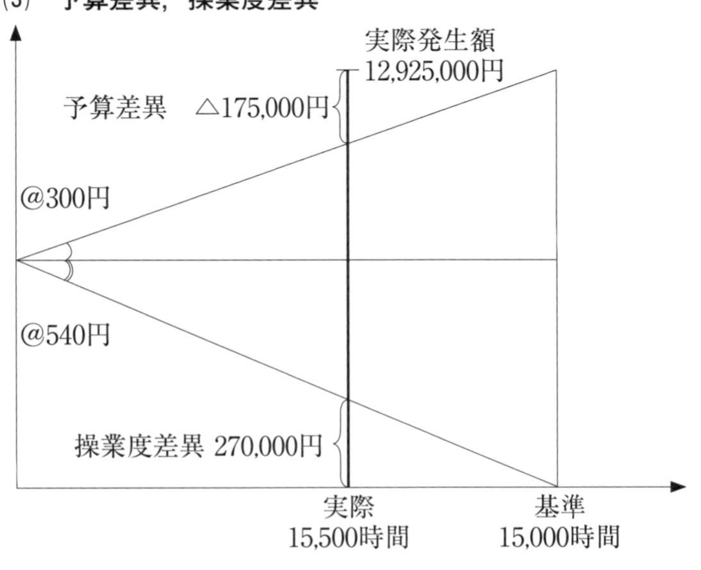

予算差異：問１と同じ計算により，
△**175,000円（Ｂ）**

操業度差異：@540円×（15,500時間−15,000時間）
＝**270,000円（Ａ）**

問３　基準操業度 … 次期予定操業度

⑴　次期予定操業度

当期は第５年度であるため，〈資料〉３の第５年度より，16,000時間

⑵　予定配賦額

固定費率を計算します。

固定費率：$\frac{8,100,000円（固定費予算）}{16,000時間（基準操業度）}$ ＝@506.25円

予定配賦額：（@300円＋@506.25円）×15,500時間＝**12,496,875円**

⑶　予算差異，操業度差異

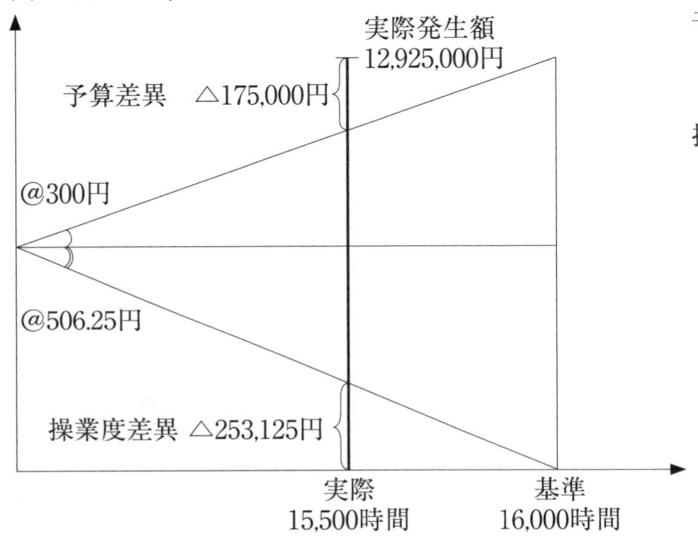

予算差異：問１と同じ計算により，
　　　　　△**175,000円（Ｂ）**

操業度差異：@506.25円×（15,500時間－16,000時間）
　　　　　　＝△**253,125円（Ｂ）**

ここに！注意

問題の指示により，計算途中では四捨五入しない。

テキスト参照ページ

⇒　P. 1-114

第１７回出題

解　答

① 直接配賦法　¥ 201750　☆☆★

② 階梯式配賦法　¥ 201860　☆☆★

③ 相互配賦法の連立方程式法　¥ 201100　☆☆☆

予想採点基準
☆… 2 点× 7 =14点
★… 1 点× 2 = 2 点
合計　16点

解　説

① 直接配賦法

直接配賦法は，補助部門相互間のサービスの授受を無視して計算します。

なお，本問の解答上必要がないため，以下の解説においても，第２部門への配賦は省略しています（②，③についても同様）。

⑴ 運搬部門費の第１部門への配賦額

$$124{,}200円\times\frac{50\%(第1部門への提供割合)}{50\%(第1部門への提供割合)+40\%(第2部門への提供割合)}$$
＝69,000円

⑵ 修繕部門費の第１部門への配賦額

$$144{,}000円\times\frac{45\%(第1部門への提供割合)}{45\%(第1部門への提供割合)+45\%(第2部門への提供割合)}$$
＝72,000円

⑶ 管理部門費の第１部門への配賦額

$$108{,}000円\times\frac{45\%(第1部門への提供割合)}{45\%(第1部門への提供割合)+35\%(第2部門への提供割合)}$$
＝60,750円

⑷ 合計：69,000円＋72,000円＋60,750円＝ **201,750円**

② 階梯式配賦法

階梯式配賦法は，低順位の補助部門から高順位の補助部門へのサービスの提供を無視して計算します。

なお，配賦計算は，高順位の補助部門から順に行います。

⑴ 管理部門費（第１順位）の配賦額
　第１部門：108,000円×45％（第１部門への提供割合）＝48,600円
　修繕部門：108,000円×10％（修繕部門への提供割合）＝10,800円 … A
　運搬部門：108,000円×10％（運搬部門への提供割合）＝10,800円 … B

⑵ 修繕部門費（第２順位）の配賦額
　第１部門：(144,000円＋10,800円(上記A))×45 ％（第１部門への提供割合）
　　＝69,660円
　運搬部門：(144,000円＋10,800円）×10％（運搬部門への提供割合）＝15,480円 … C

ここに！注意

低順位の補助部門費は，高順位の補助部門費からの配賦額を含めて配賦する。

(3)　運搬部門費（第３順位）の配賦額

第１部門：(124,200円＋10,800円（上記Ｂ）＋15,480円（上記Ｃ））

$$\times \frac{50\%（第１部門への提供割合）}{50\%（第１部門への提供割合）+40\%（第２部門への提供割合）}$$

＝83,600円

(4)　第１部門への配賦額合計：48,600円＋69,660円＋83,600円＝ **201,860円**

③　**相互配賦法の連立方程式法**

相互配賦法の連立方程式法は，補助部門相互に配賦しあった後の最終的な補助部門費を連立方程式によって算出する方法です。

(1)　連立方程式

最終的な運搬部門費（他の補助部門からの配賦額を含めた運搬部門費）をＸ，最終的な修繕部門費（他の補助部門からの配賦額を含めた修繕部門費）をＹとして，連立方程式を立てると次のようになります。

$$X = 124{,}200円 + \underbrace{0.1Y}_{修繕部門費} + \underbrace{0.1 \times 108{,}000円}_{管理部門費}$$

$$Y = 144{,}000円 + \underbrace{0.1X}_{運搬部門費} + \underbrace{0.1 \times 108{,}000円}_{管理部門費}$$

この連立方程式を解くと，

Ｘ＝152,000円，Ｙ＝170,000円　となります。

(2)　運搬部門費の第１部門への配賦額

152,000円×50％＝76,000円

(3)　修繕部門費の第１部門への配賦額

170,000円×45％＝76,500円

(4)　管理部門費の第１部門への配賦額

108,000円×45％＝48,600円

(5)　第１部門への配賦額合計：76,000円＋76,500円＋48,600円＝ **201,100円**

テキスト参照ページ
⇒　P.１-49

第 19 回出題

解　答

問１　　¥ 1620000 ☆☆☆

問２　　¥ 1770000 ☆☆☆

問３　　¥ 52167 ☆　記号（ＸまたはＹ）　Y　☆

予想採点基準

☆…２点×８＝16点

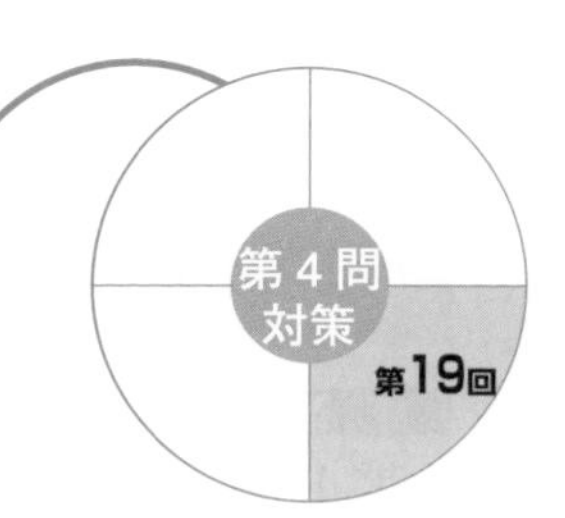

解　説

1．リース案の評価

(1)　各年度の現金流出額

各年度の現金流出額は，支払リース料のみであり毎年同額となります。そのため，第１年度末の現金流出額も同額です。

2,700,000円×（１－40％(法人税率)）＝ **1,620,000円** …… 問１

(2)　正味現在価値

－1,620,000円(各年度の現金流出額)×(0.893＋0.797＋0.712＋0.636)＝－4,921,560円

2．購入案の評価

各年度末の現金流出額の計算にあたっては，借入金の元金返済，支払利息，修繕維持費だけではなく，減価償却費にかかる法人税節約額（タックスシールド）を考慮する必要があります。なお，各年度において金額が異なるのは，期首元金未返済額にもとづいて計算する支払利息のみです。

(1)　借入金の元金返済及び支払利息

	期首元金未返済額	支払利息	元金返済額	期末元金未返済額
第１年度	8,200,000円	820,000円*	2,050,000円	6,150,000円
第２年度	6,150,000円	615,000円	2,050,000円	4,100,000円
第３年度	4,100,000円	410,000円	2,050,000円	2,050,000円
第４年度	2,050,000円	205,000円	2,050,000円	0円

＊　8,200,000円(期首元金未返済額)×10％＝820,000円

(2)　減価償却費にかかる法人税等節約額

8,200,000円÷４年×40％＝820,000円

(3)　各年度の現金流出額

第１年度期首：8,200,000円(設備購入額)－8,200,000円(銀行からの借入)＝０円

第１年度末：2,050,000円＋(820,000円＋80,000円)×(１－40%)－820,000円＝ **1,770,000円** …… 問２

第２年度末：2,050,000円＋(615,000円＋80,000円)×(１－40%)－820,000円＝ 1,647,000円

第３年度末：2,050,000円＋(410,000円＋80,000円)×(１－40%)－820,000円＝ 1,524,000円

第４年度末：2,050,000円＋(205,000円＋80,000円)×(１－40%)－820,000円＝ 1,401,000円

(4)　正味現在価値

－(1,770,000円×0.893＋1,647,000円×0.797＋1,524,000円×0.712＋1,401,000円×0.636)＝－4,869,393円

3．有利な投資案の決定

－4,921,560円（リース案）＞－4,869,393円（購入案）

よって，**購入案（Ｙ）**の方が **52,167円**＊有利となります。…… 問３

＊　4,921,560円－4,869,393円＝52,167円

ここに！注意

現金流出額の正味現在価値を比較しているので，金額の小さいほうが有利となる。

テキスト参照ページ
⇒　P.１-136

第23回出題

解　答

問１

(1)	¥	2400000	☆☆
(2)	¥	3000000	☆☆
(3)	¥	7200000	☆☆

問２

¥	5400000	☆☆

予想採点基準
☆…２点×８＝16点

解　説

改善による経済的効果を差額原価収益分析により計算します。なお，固定諸経費，直接労務費は本問において埋没原価となります。

問１　改善案による経済的効果（フル操業時）

「フル操業しても追いつかないほどの需要がある」ため，問１ではフル操業を前提として経済的効果の金額を計算します。

１．不良品の数を１割減らすことができる場合

不良品が減ることにより製品の販売量は増加しますが，生産量に影響は与えないため，フル操業時と同様の80,000単位の生産となります。

① 差額収益
増加する販売量：80,000単位×（10％－９％）＝800単位
売上高の増加額：@3,000円×800単位＝2,400,000円

② 差額原価　なし

③ 差額利益
2,400,000円－０円＝ **2,400,000円**

ここに！注意

「フル操業しても追いつかないほどの需要がある」ため，製品はすべて販売することができる。

実働時間，残業時間への影響はないため，変動加工費，直接労務費も改善前と同額発生することになる。

２．保全などの時間を１割減らすことができる場合

１ヵ月の勤務時間の内訳は次のとおりです。

200時間（勤務時間）＝40時間（定期保全などの時間）*＋160時間（実働時間）

＊　17時間＋23時間＝40時間

フル操業を前提とするため，勤務時間は200時間のままとなり，保全時間が減った分は実働時間に充てて製品を増産することになります。

(1) 実働時間，生産・販売量への影響

① 増加する実働時間：40時間×0.1＝４時間

② 増加する生産量：500単位/時間*×４時間＝2,000単位

＊　実働時間１時間当たりの生産量：80,000単位÷160時間（実働時間）＝500単位/時間

ここに！注意

「製品の生産能力は実働時間によって制約されている」ため，実働時間が増えることにより，製品の生産量も増加する。

残業時間への影響はないため，直接労務費は改善前と同額発生することになる。

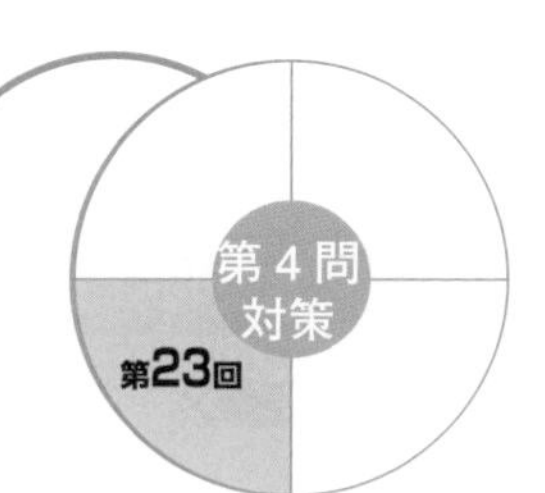

③　増加する販売量
2,000単位×（１－10％（不良率））＝1,800単位

(2)　**経済的効果の計算**
①　差額収益
売上高の増加額：@3,000円×1,800単位（増加する販売量）＝5,400,000円
②　差額原価
材料費の増加額：@900円×2,000単位（増加する生産量）＝1,800,000円
変動加工費の増加額：@300円×2,000単位（増加する生産量）＝600,000円
③　差額利益
5,400,000円－（1,800,000円＋600,000円）＝ **3,000,000円**

３．材料の消費量を１割減らすことができる場合

材料の消費量が減っても，製品１単位当たりの製造時間が減るわけではないため，実働時間への影響はありません。また，実働時間が変わらないことから，生産・販売量への影響もありません。

①　差額収益　　なし
②　差額原価
材料費の節約額：@90円*×80,000単位＝7,200,000円
③　差額利益
０円＋7,200,000円＝ **7,200,000円**

＊　製品１単位あたりの材料消費額は「材料単価×１単位あたり消費量」で計算されます。
仮に，「90円（単価）×10kg（消費量）＝@900円」であれば，節約額は次のように計算できます。
90円×10kg×0.1＝90円
（90円×10kg：@900円）
よって，本問で消費量は不明ですが，１単位当たりの材料消費額に0.1を乗じた金額が節約額となります。

問２　材料の消費量を１割減らすことができる場合の経済的効果（需要が54,000単位，残業時間なし）

まず，上記問１の３．で検討した通り，材料消費量の減少による実働時間への影響はありません。また，現状・改善後ともに54,000単位を販売することになります。

①　差額収益　　なし
②　差額原価
材料費の節約額：@900円×0.1×60,000単位*＝5,400,000円
＊　54,000単位÷0.9＝60,000単位
③　差額利益
０円＋5,400,000円＝ **5,400,000円**

ここに！注意

54,000単位を販売するためには60,000単位（＝54,000単位÷0.9）の生産が必要になる。

現状，改善後ともに残業は行わないため，残業手当は埋没原価となる。
「直接作業者の数を減らすことはできない」ため，月給部分も埋没原価となる。

テキスト参照ページ
⇒　P.１-130

第27回出題

解答

問１

甲製品

第１工程月末仕掛品原価　¥ 317850　☆★

第１工程当月完成品原価　¥ 1206000　☆

乙製品

第１工程月末仕掛品原価　¥ 226800　☆

第１工程当月完成品原価　¥ 1051200　☆★

問２

甲製品

第２工程月末仕掛品原価　¥ 412500　☆

当月完成品原価　¥ 1506750　☆

乙製品

第２工程月末仕掛品原価　¥ 152700　☆

当月完成品原価　¥ 1533600　☆

予想採点基準

☆…２点×８＝16点

★…１点×２＝２点

合計　18点

解 説

1．組間接費（加工費）の各製品への配賦

① 第１工程

甲製品：@750円×600時間＝450,000円

乙製品：@780円×400時間＝312,000円

② 第２工程

甲製品：@900円×480時間＝432,000円

乙製品：@950円×320時間＝304,000円

2．甲製品の計算

第１工程原材料費

	借方		貸方	
195,000円	月初 500kg	完成 2,250kg		785,250円
852,000円	当月投入 2,500kg			
		月末 750kg		261,750円
1,047,000円		3,000kg		

第１工程加工費

	借方	貸方	
26,850円	月初 100kg＊2	完成 2,250kg	420,750円
450,000円	当月投入（貸借差引） 2,450kg		
		月末 300kg＊1	56,100円
476,850円		2,550kg	

前工程費

	借方	貸方	
238,250円	月初 400kg	完成 2,050kg	1,117,250円
1,206,000円＊5	当月投入 2,250kg		
		月末 600kg	327,000円
1,444,250円		2,650kg	

（第１工程の完成 785,250円＋420,750円 →前工程費当月投入 1,206,000円）

第２工程加工費

	借方	貸方	
43,000円	月初 200kg＊4	完成 2,050kg	389,500円
432,000円	当月投入（貸借差引） 2,300kg		
		月末 450kg＊3	85,500円
475,000円		2,500kg	

＊1　750kg×40％＝300kg

＊2　500kg×20％＝100kg

＊3　600kg×75％＝450kg

＊4　400kg×50％＝200kg

＊5　第１工程完成品2,250kgの全てが第２工程に投入されているため，第１工程完成品原価がそのまま第２工程の前工程費当月投入額となります。

(1) 第１工程（甲製品）

① 月末仕掛品

原材料費：1,047,000円÷3,000kg×750kg　＝　261,750円

加 工 費：476,850円÷2,550kg×300kg　＝　56,100円

合　　計：　**317,850円**

② 当月完成品

原材料費：1,047,000円−261,750円　＝　785,250円

加 工 費：476,850円− 56,100円　＝　420,750円

合　　計：　**1,206,000円**　（→第２工程へ振替）

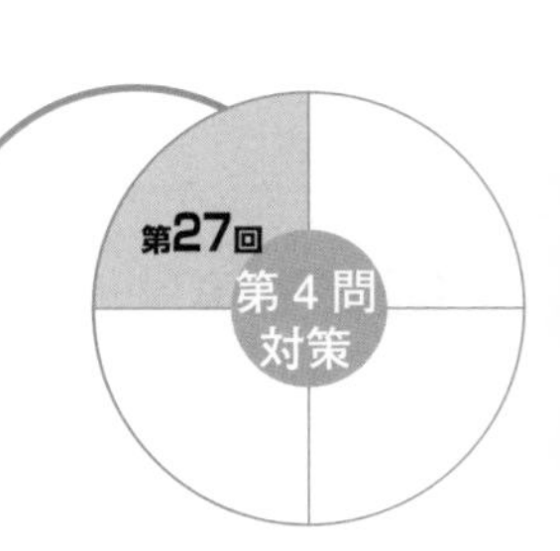

(2) 第２工程（甲製品）

① 月末仕掛品

前工程費：1,444,250円÷2,650kg×600kg ＝ 327,000円
加 工 費： 475,000円÷2,500kg×450kg ＝ 85,500円
合　　計： **412,500円**

② 当月完成品

前工程費：1,444,250円−327,000円 ＝ 1,117,250円
加 工 費： 475,000円− 85,500円 ＝ 389,500円
合　　計： **1,506,750円**

3．乙製品の計算

第１工程原材料費

120,000円	月初 400kg	完成 2,400kg	763,200円
834,000円	当月投入 2,600kg		
		月末 600kg	190,800円
954,000円		3,000kg	

前工程費

298,800円	月初 600kg	完成 2,700kg	1,215,000円
1,051,200円*5	当月投入 2,400kg		
		月末 300kg	135,000円
1,350,000円		3,000kg	

第１工程加工費

12,000円	月初 100kg*2	完成 2,400kg	288,000円
312,000円	当月投入（貸借差引） 2,600kg		
		月末 300kg*1	36,000円
324,000円		2,700kg	

第２工程加工費

32,300円	月初 240kg*4	完成 2,700kg	318,600円
304,000円	当月投入（貸借差引） 2,610kg		
		月末 150kg*3	17,700円
336,300円		2,850kg	

（763,200円＋288,000円 → 1,051,200円*5）

＊１　600kg×50％＝300kg
＊２　400kg×25％＝100kg
＊３　300kg×50％＝150kg
＊４　600kg×40％＝240kg
＊５　第１工程完成品2,400kgの全てが第２工程に投入されているため，第１工程完成品原価がそのまま第２工程の前工程費当月投入額となります。

(1) 第１工程（乙製品）

① 月末仕掛品

原材料費：954,000円÷3,000kg×600kg ＝ 190,800円
加 工 費：324,000円÷2,700kg×300kg ＝ 36,000円
合　　計： **226,800円**

② 当月完成品

原材料費：954,000円−190,800円 ＝ 763,200円
加 工 費：324,000円− 36,000円 ＝ 288,000円
合　　計： **1,051,200円**（→第２工程へ振替）

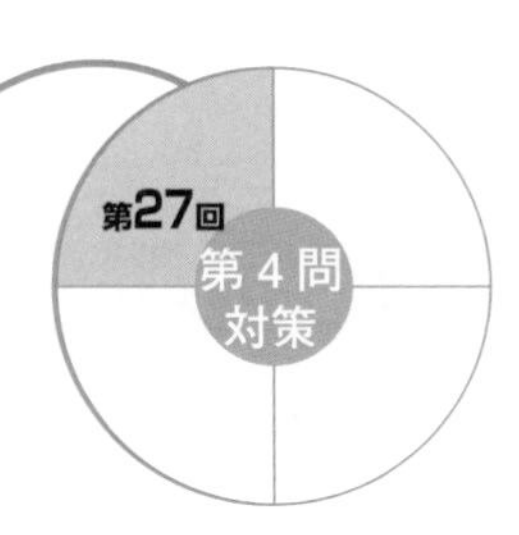

(2)　**第２工程**（乙製品）

①　月末仕掛品

前工程費	1,350,000円÷3,000kg×300kg	=	135,000円
加工費	336,300円÷2,850kg×150kg	=	17,700円
合計			**152,700円**

②　当月完成品

前工程費	1,350,000円－135,000円	=	1,215,000円
加工費	336,300円－ 17,700円	=	318,600円
合計			**1,533,600円**

テキスト参照ページ
⇒　P. 1-93, 97

第２０回出題

解 答

問１

完成工事原価報告書
自　平成×７年６月 1日
至　平成×７年６月30日

佐賀建設工業株式会社
（単位：円）

Ⅰ．材　料　費		874400	☆☆
Ⅱ．労　務　費		741650	☆☆
（うち労務外注費	359150）☆★		
Ⅲ．外　注　費		377010	☆☆
Ⅳ．経　　　費		479120	☆☆
（うち人件費	283360）☆★		
完成工事原価		2472180	☆☆

問２

¥ 818275 ☆☆★

問３

①	賃率差異	¥ 1635 ☆	記号（ＡまたはＢ）	A	★
②	重機械部門費予算差異	¥ 2350 ☆	記号（　同　上　）	A	★
③	重機械部門費操業度差異	¥ 1350 ☆	記号（　同　上　）	A	★

予想採点基準
☆… ２点×17＝34点
★… １点×６＝６点
合計 40点

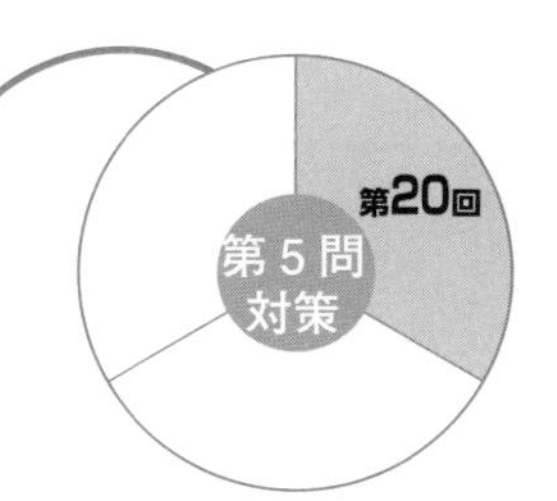

解　説

問１　完成工事原価報告書の作成

１．工事原価計算表の作成

本問では要求されていませんが，工事原価計算表を作成していきます。

（単位：円）

原価要素＼工事番号	７０１	７０２	７０３	７０４	合　計
月初未成工事原価					
１．材　料　費	161,200	65,800	—	—	227,000
２．労　務　費	112,700	42,300	—	—	155,000
３．一般外注費	25,320	31,060	—	—	56,380
４．労務外注費	110,500	31,050	—	—	141,550
５．経　　　費	80,100	32,900	—	—	113,000
（経費のうち人件費）	(44,400)	(20,020)	—	—	(64,420)
当月発生工事原価					
１．材　料　費					
(1)　Ｘ材料費	—	362,500	246,500	244,000	853,000
(2)　Ｙ材料費	—	28,400	44,500	12,500	85,400
２．労　務　費	29,750	72,625	128,625	125,125	356,125
３．一般外注費	29,880	97,550	99,600	193,200	420,230
４．労務外注費	19,500	53,400	77,500	144,700	295,100
５．経　　　費					
(1)　直接経費	19,440	45,530	57,300	99,100	221,370
(2)　Ｅ氏報酬	—	39,000	117,000	78,000	234,000
(3)　重機械部門費	10,800	27,000	47,250	47,250	132,300
（経費のうち人件費）	(15,040)	(70,800)	(154,100)	(133,100)	(373,040)
当月完成工事原価	599,190	929,115	—	943,875	2,472,180
月末未成工事原価	—	—	818,275	—	818,275

２．月初未成工事原価

〈資料〉２．から金額を記入します。ただし，工事番号701の材料費については，仮設工事用の資材であるＹ材料の残材評価額が含まれているため，これを控除します。

材料費（701）：172,000円－10,800円（評価額）＝161,200円

3．材料費

⑴　X 材料費

先入先出法により工事別の実際消費額を計算します。

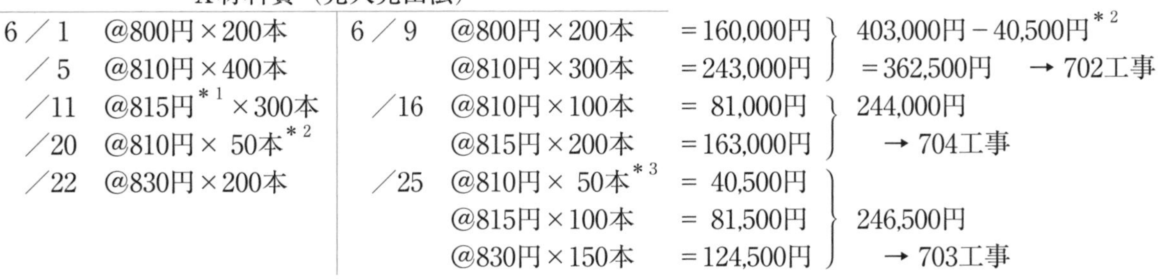

X材料費（先入先出法）

日付	受入	日付	払出	金額	
6／1	@800円×200本	6／9	@800円×200本	＝160,000円	403,000円－40,500円[＊2]
／5	@810円×400本		@810円×300本	＝243,000円	＝362,500円　→ 702工事
／11	@815円[＊1]×300本	／16	@810円×100本	＝ 81,000円	244,000円
／20	@810円× 50本[＊2]		@815円×200本	＝163,000円	→ 704工事
／22	@830円×200本	／25	@810円× 50本[＊3]	＝ 40,500円	
			@815円×100本	＝ 81,500円	246,500円
			@830円×150本	＝124,500円	→ 703工事

＊1　便宜上，12日の値引を考慮済みの単価で示しています。
1,500円÷300本＝@５円（１本当たり５円の値引）
値引考慮後の単価：@820円－@５円＝@815円

＊2　９日の出庫の一部取り消しとして処理します。また，先入先出法により，９日出庫分のうち@810円の材料の戻りとして処理するため，その額は40,500円（＝@810円×50本）です。なお，この戻り材料は，次回の出庫のとき最初に出庫させるとの指示があり，後の25日の出庫による消費額に含めます。

＊3　20日の戻り材料50本が最初に出庫されたとして処理します。

⑵　Y 材料費

701工事：なし
702工事：38,900円－10,500円＝28,400円
703工事：44,500円
704工事：42,000円－29,500円＝12,500円

4．労務費

予定賃率@3,500円を用いて，実際従事時間に応じて工事別の予定消費賃金を計算します。なお，残業時間については，予定賃率の25％の割増分を加算します。

701工事：@3,500円× 8時間＋@3,500円×0.25×２時間＝ 29,750円
702工事：@3,500円×20時間＋@3,500円×0.25×３時間＝ 72,625円
703工事：@3,500円×35時間＋@3,500円×0.25×７時間＝128,625円
704工事：@3,500円×35時間＋@3,500円×0.25×３時間＝125,125円

5．一般外注費

〈資料〉５．一般外注の金額をそのまま使用します。

6．労務外注費

〈資料〉５．労務外注の金額をそのまま使用します。

ここに！注意

材料購入に関する割引は，財務上の収益として処理するため，材料の購入原価の算定上控除しない。値引と混同しないように。

ここに！注意

すくい出し法（Y材料）では，仮設材料使用開始時点で購入金額を工事原価として処理し，工事完了時点で評価額を工事原価から控除する。

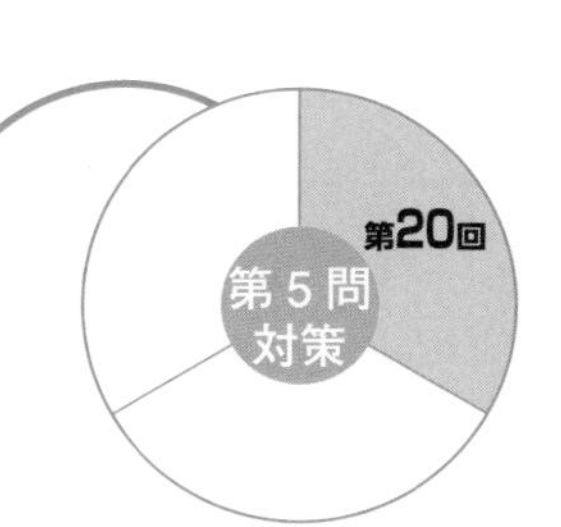

７．経費

⑴　直接経費

〈資料〉６．⑴の合計金額をそのまま使用します。

⑵　Ｅ氏の役員報酬

施工管理技術者であるＥ氏に対する当月役員報酬のうち，現場施工管理業務に対応する金額を工事原価に算入します。このとき，〈資料〉６．⑵(d)の等価係数にもとづいて，配賦率を計算します。

$$\text{配賦率：}\frac{546{,}000\text{円}}{60\text{時間(施工管理業務)}\times 1.5+120\text{時間(一般管理業務)}\times 1.0}=@2{,}600\text{円}$$

702工事：@2,600円×10時間×1.5＝　39,000円
703工事：@2,600円×30時間×1.5＝117,000円
704工事：@2,600円×20時間×1.5＝　78,000円

⑶　重機械部門費

重機械部門費はＤ工事に関係する経費であることから，〈資料〉４．の実際の従事時間に応じて，各工事に対して予定配賦します。

$$\text{予定配賦率：}@450\text{円(変動費率)}+\frac{1{,}080{,}000\text{円}}{1{,}200\text{時間}}\text{(固定費率@900円)}=@1{,}350\text{円}$$

701工事：@1,350円×　8時間＝10,800円
702工事：@1,350円×20時間＝27,000円
703工事：@1,350円×35時間＝47,250円
704工事：@1,350円×35時間＝47,250円

⑷　経費のうち人件費

直接経費のうち，従業員給料手当，法定福利費，福利厚生費，Ｅ氏の施工管理業務にかかる役員報酬は人件費に該当します。

701工事：　9,400円＋1,300円＋　4,340円　　　　　　　＝　15,040円
702工事：15,900円＋3,500円＋12,400円＋　39,000円＝　70,800円
703工事：19,000円＋4,200円＋13,900円＋117,000円＝154,100円
704工事：29,500円＋7,100円＋18,500円＋　78,000円＝133,100円

以上により，上記１．の工事原価計算表が完成します。

ここに！注意

Ｅ氏の役員報酬のうち工事原価に算入する額も人件費となる。

８．完成工事原価報告書

当月中に完成した701工事，702工事および704工事の工事原価を合計して「完成工事原価報告書」を作成します。

ここに！注意

完成工事原価報告書の作成にあたっては，月初未成工事原価を忘れないように注意。

⑴　材料費

月初未成工事原価と当月発生材料費より

161,200円(月初・材料費)
701工事

＋65,800円(月初・材料費)＋362,500円(当月・Ｘ材料費)＋28,400円(当月・Ｙ材料費)
702工事

＋244,000円(当月・Ｘ材料費)＋12,500円(当月・Ｙ材料費)＝**874,400円**
704工事

(2) 労務費

月初未成工事原価と当月発生労務費より

112,700円(月初・労務費)＋110,500円(月初・労務外注費)＋29,750円(当月・労務費)＋19,500円(当月・労務外注費)
701工事

＋42,300円(月初・労務費)＋31,050円(月初・労務外注費)＋72,625円(当月・労務費)＋53,400円(当月・労務外注費)
702工事

＋125,125円(当月・労務費)＋144,700円(当月・労務外注費)＝ **741,650円**
704工事

(3) 労務外注費

月初未成工事原価と当月発生労務外注費より

110,500円(月初・労務外注費)＋19,500円(当月・労務外注費)
701工事

＋31,050円(月初・労務外注費))＋53,400円(当月・労務外注費)
702工事

＋144,700円(当月・労務外注費)＝ **359,150円**
704工事

(4) 一般外注費

月初未成工事原価と当月発生一般外注費より

25,320円(月初・一般外注費)＋29,880円(当月・一般外注費)
701工事

＋31,060円(月初・一般外注費))＋97,550円(当月・一般外注費)
702工事

＋193,200円(当月・一般外注費)＝ **377,010円**
704工事

(5) 経費

月初未成工事原価と当月発生経費より

80,100円(月初・経費)＋19,440円(当月・直接経費)＋10,800円(当月・重機械部門費)
701工事

＋32,900円(月初・経費)＋45,530円(当月・直接経費)＋39,000円(当月・E氏報酬)＋27,000円(当月・重機械部門費)
702工事

＋99,100円(当月・直接経費)＋78,000円(当月・E氏報酬)＋47,250円(当月・重機械部門費)＝ **479,120円**
704工事

(6) 経費のうち人件費

月初未成工事原価と当月発生経費のうち人件費より

44,400円(月初・人件費)＋15,040円(当月・人件費)＋20,020円(月初・人件費)＋70,800円(当月・人件費)
701工事　702工事

＋133,100円(当月・人件費)＝ **283,360円**
704工事

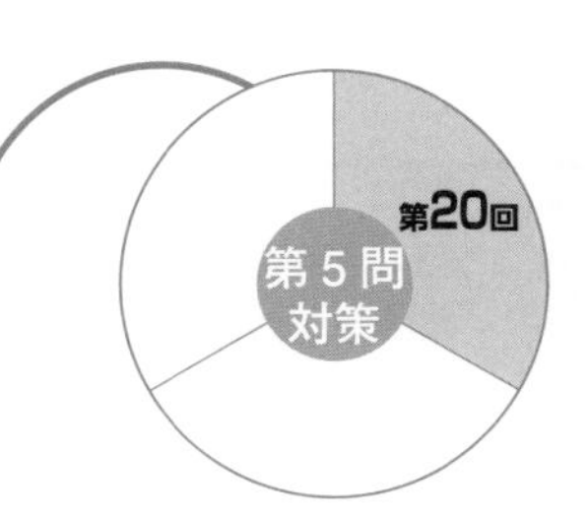

(7) **完成工事原価**

上記(1)．(2)．(4)．(5)の合計金額が完成工事原価です。

874,400円＋741,650円＋377,010円＋479,120円＝**2,472,180円**

または，上記１．の工事原価計算表における当月完成工事原価の合計欄より

599,190円（701工事）＋929,115円（702工事）＋943,875円（704工事）＝2,472,180円

問２　当月末における未成工事支出金の勘定残高

当月末に未成工事支出金として繰り越されるのは，当月末の未成工事原価です。よって，工事原価計算表より，703工事の原価 **818,275円** が月末における未成工事支出金の勘定残高となります。

問３　各原価差異の計算

(1) **賃率差異**

予定消費額：工事原価計算表の当月発生工事原価・労務費合計より，356,125円

当月発生の賃率差異：356,125円－358,000円（実際発生額）＝△1,875円（借方差異）

当月末の賃率差異残高：240円（月初・貸方残高）＋△1,875円（借方差異）＝△1,635円（借方残高）… **1,635円（Ａ）**

(2) **重機械部門費予算差異**

当月の予算許容額：@450円（変動費率）×98時間（当月実際Ｄ作業時間）＋1,080,000円（固定費）÷12＝134,100円

当月発生の予算差異：134,100円－135,400円（実際発生額）＝△1,300円（借方差異）

当月末の予算差異残高：△1,050円（月初・借方残高）＋△1,300円（借方差異）＝△2,350円（借方残高）… **2,350円（Ａ）**

(3) **重機械部門費操業度差異**

当月発生の操業度差異：@900円（固定費率）×（98時間－1,200時間（基準操業度）÷12）＝△1,800円（借方差異）

当月末の操業度差異残高：450円（月初・貸方残高）＋△1,800円（借方差異）＝△1,350円（借方残高）… **1,350円（Ａ）**

テキスト参照ページ
⇒　P. 1 -73

第21回出題

解答

問１

完成工事原価報告書
自　平成×６年11月１日
至　平成×６年11月30日

山形建設工業株式会社
（単位：円）

Ⅰ．材　料　費		1960250	☆☆
Ⅱ．労　務　費		1372700	☆☆
（うち労務外注費	624700）☆★		
Ⅲ．外　注　費		407500	☆☆
Ⅳ．経　　　費		982380	☆☆
（うち人件費	555800）☆★		
完成工事原価		4722830	☆☆

問２

￥ 3463060 ☆☆★

問３

①	Ｑ材料の副費配賦差異	￥ 2600 ☆	記号（ＡまたはＢ）	A	★
②	運搬車両部門費予算差異	￥ 3050 ☆	記号（　同　上　）	A	★
③	運搬車両部門費操業度差異	￥ 1450 ☆	記号（　同　上　）	B	★

予想採点基準
☆…２点×17＝34点
★…１点×６＝６点
合計　40点

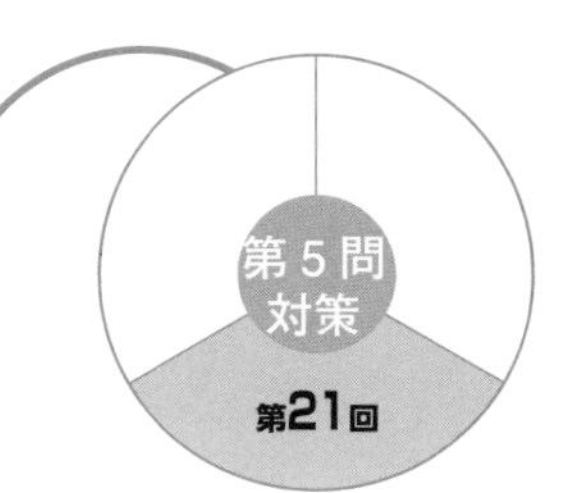

解　説

問１　完成工事原価報告書の作成

１．工事原価計算表の作成

本問では要求されていませんが，工事原価計算表を作成していきます。

（単位：円）

原価要素＼工事番号	302	303	304	305	合　計
月初未成工事原価					
１．材料費	192,000	68,200	―	―	260,200
２．労務費	30,500	9,470	―	―	39,970
３．一般外注費	52,300	30,300	―	―	82,600
４．労務外注費	92,500	31,030	―	―	123,530
５．経費	42,300	19,200	―	―	61,500
（経費のうち人件費）	(32,300)	(11,100)	―	―	(43,400)
当月発生工事原価					
１．材料費					
(1)Ｐ材料費	262,500	497,000	945,000	252,000	1,956,500
(2)Ｑ材料費	―	265,000	560,750	644,750	1,470,500
２．労務費	155,000	290,000	562,500	147,500	1,155,000
３．一般外注費	58,200	110,500	297,000	72,000	537,700
４．労務外注費	175,200	263,800	357,000	165,200	961,200
５．経費					
(1)直接経費	146,330	284,370	334,200	120,990	885,890
(2)Ｗ氏報酬	―	―	273,000	78,000	351,000
(3)運搬車両部門費	40,300	75,400	146,250	38,350	300,300
（経費のうち人件費）	(75,800)	(155,370)	(447,700)	(137,740)	(816,610)
当月完成工事原価	1,247,130	―	3,475,700	―	4,722,830
月末未成工事原価	―	1,944,270	―	1,518,790	3,463,060

２．月初未成工事原価

〈資料〉２．(1)月初未成工事原価の内訳の金額をそのまま使用します。

３．材料費

(1)　Ｐ材料費

予定単価@3,500円を用いて，工事別の消費額を計算します。

302工事：@3,500円× 75kg＝262,500円
303工事：@3,500円×142kg＝497,000円
304工事：@3,500円×270kg＝945,000円
305工事：@3,500円× 72kg＝252,000円

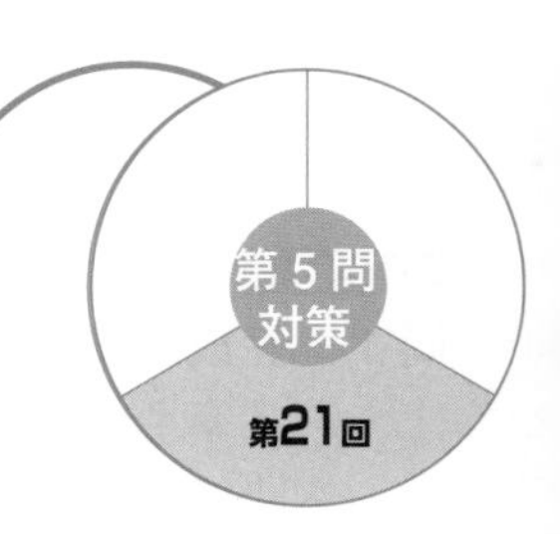

⑵　**Q材料費**

先入先出法により工事別の消費額を計算します。

Q材料費（先入先出法）

11／8	@5,300円*1×100本	11／10	@5,300円× 50本	＝	265,000円	→ 303工事
／16	@4,225円*2×200本	／19	@5,300円× 50本	＝	265,000円	687,500円－126,750円*3
／24	@4,225円 × 30本*3		@4,225円×100本	＝	422,500円	＝560,750円 → 304工事
／25	@4,775円*4×100本	／28	@4,225円×130本	＝	549,250円	644,750円
			@4,775円× 20本	＝	95,500円	→ 305工事

＊1　購入代価：@5,000円×100本＝500,000円
内部材料副費の予定配賦額：500,000円×５％＝25,000円
購入原価：500,000円＋25,000円＋5,000円（引取費用）＝530,000円
単価：530,000円÷100本＝@5,300円
11月16日および25日購入分についても同様に計算します。

＊2　購入原価：@4,000円×200本＋800,000円×５％＋5,000円＝845,000円
単価：845,000円÷200本＝@4,225円

＊3　19日の出庫の一部取り消しとして処理します。また，先入先出法により，19日出庫分のうち@4,225円の材料の戻りとして処理するため，その額は126,750円（＝@4,225円×30本）です。

＊4　購入原価：@4,500円×100本＋450,000円×５％＋5,000円＝477,500円
単価：477,500円÷100本＝@4,775円

ここに！注意

内部材料副費は，購入代価を基準に配賦することが指示されている。

４．労務費

予定賃率@2,500円を用いて，工事別の消費賃金を計算します。
302工事：@2,500円× 62時間＝155,000円
303工事：@2,500円×116時間＝290,000円
304工事：@2,500円×225時間＝562,500円
305工事：@2,500円× 59時間＝147,500円

５．一般外注費

〈資料〉５．一般外注の金額をそのまま使用します。

６．労務外注費

〈資料〉５．労務外注の金額をそのまま使用します。

７．経費

⑴　**直接経費**

〈資料〉６．⑴の合計金額をそのまま使用します。

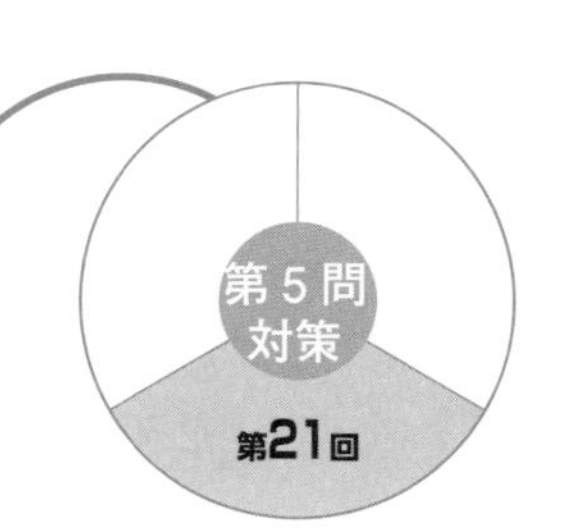

(2) **W氏の役員報酬**

施工管理技術者であるW氏に対する当月役員報酬のうち，現場施工管理業務に対応する金額を工事原価に算入します。このとき，〈資料〉６．(2)(d)の等価係数にもとづいて，配賦率を計算します。

配賦率：$\dfrac{637{,}000円}{90時間(施工管理業務)\times1.5+110時間(一般管理業務)\times1.0}$＝@2,600円

304工事：@2,600円×70時間×1.5＝273,000円

305工事：@2,600円×20時間×1.5＝ 78,000円

(3) **運搬車両部門費**

運搬車両部門費はＺ作業に関係する経費であることから，〈資料〉４．の実際作業時間に応じて，各工事に対して予定配賦します。

予定配賦率：$\dfrac{1{,}932{,}000円(固定費予算)+1{,}656{,}000円(変動費予算)}{5{,}520時間(基準運転時間)}$＝@650円

302工事：@650円× 62時間＝ 40,300円

303工事：@650円×116時間＝ 75,400円

304工事：@650円×225時間＝146,250円

305工事：@650円× 59時間＝ 38,350円

(4) **経費のうち人件費**

直接経費のうち，従業員給料手当，法定福利費，福利厚生費，W氏の施工管理業務にかかる役員報酬が人件費に該当します。

302工事： 58,150円＋ 7,900円＋ 9,750円 ＝ 75,800円

303工事：115,900円＋13,670円＋25,800円 ＝155,370円

304工事：122,300円＋17,400円＋35,000円＋273,000円＝447,700円

305工事： 45,100円＋ 5,100円＋ 9,540円＋ 78,000円＝137,740円

以上により，上記１．の工事原価計算表が完成します。

ここに！注意

W氏の役員報酬のうち工事原価に算入する額も人件費となる。

８．完成工事原価報告書

当月中に完成した302工事および304工事の工事原価を合計して「完成工事原価報告書」を作成します。

(1) **材料費**

月初未成工事原価と当月発生材料費より

192,000円(月初・材料費)＋262,500円(当月・Ｐ材料費)　［302工事］

＋945,000円(当月・Ｐ材料費)＋560,750円(当月・Ｑ材料費)　［304工事］＝**1,960,250円**

(2) **労務費**

月初未成工事原価と当月発生労務費より

30,500円(月初・労務費)＋92,500円(月初・労務外注費)＋155,000円(当月・労務費)＋175,200円(当月・労務外注費)　［302工事］

＋562,500円(当月・労務費)＋357,000円(当月・労務外注費)　［304工事］＝**1,372,700円**

ここに！注意

完成工事原価報告書の作成にあたっては，月初未成工事原価を忘れないように注意。

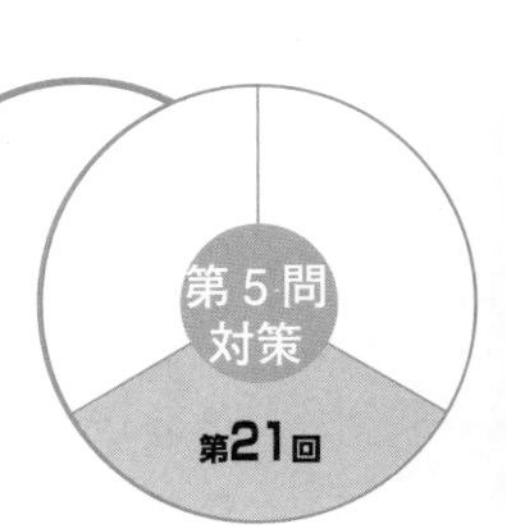

(3) **労務外注費**

月初未成工事原価と当月発生労務外注費より

92,500円(月初・労務外注費)＋175,200円(当月・労務外注費)
302工事

＋357,000円(当月・労務外注費)＝**624,700円**
304工事

(4) **一般外注費**

月初未成工事原価と当月発生一般外注費より

52,300円(月初・一般外注費)＋58,200円(当月・一般外注費)
302工事

＋297,000円(当月・一般外注費)＝**407,500円**
304工事

(5) **経費**

月初未成工事原価と当月発生経費より

42,300円(月初・経費)＋146,330円(当月・直接経費)＋40,300円(当月・運搬車両部門費)
302工事

＋334,200円(当月・直接経費)＋273,000円(当月・W氏報酬)＋146,250円(当月・運搬車両部門費)
304工事

＝**982,380円**

(6) **経費のうち人件費**

月初未成工事原価と当月発生経費のうち人件費より

32,300円(月初・人件費)＋75,800円(当月・人件費)
302工事

＋447,700円(当月・人件費)＝**555,800円**
304工事

(7) **完成工事原価**

上記(1)，(2)，(4)，(5)の合計金額が完成工事原価です。

1,960,250円＋1,372,700円＋407,500円＋982,380円＝**4,722,830円**

または，上記１．の工事原価計算表における当月完成工事原価の合計欄より

1,247,130円（302工事）＋3,475,700円（304工事）＝4,722,830円

問２　当月末における未成工事支出金の勘定残高

当月末に未成工事支出金として繰り越されるのは，当月末の未成工事原価です。よって，工事原価計算表より，303工事および305工事の原価合計が月末における未成工事支出金の勘定残高となります。

1,944,270円（303工事）＋1,518,790円（305工事）＝**3,463,060円**

問３　各原価差異の計算

⑴　Ｑ材料の副費配賦差異

予定配賦額：(500,000円（８日購入代価）＋800,000円（16日購入代価）＋450,000円（25日購入代価））×５％＝87,500円

当月発生の副費配賦差異：87,500円－92,000円（実際発生額）＝△4,500円（借方差異）

当月末の副費配賦差異残高：1,900円（月初・貸方残高）＋△4,500円（借方差異）
＝△2,600円（借方残高）… **2,600円(A)**

⑵　運搬車両部門費予算差異

当月の許容予算額：変動予算にもとづく許容予算額を計算します。

@300円（変動費率）*×462時間（当月実際Ｚ作業時間）＋1,932,000円（固定費予算）÷12＝299,600円

＊　変動費率：$\frac{1,656,000円（変動費予算）}{5,520時間（基準運転時間）}$＝@300円

当月発生の予算差異：299,600円－302,050円（実際発生額）＝△2,450円（借方差異）

当月末の予算差異残高：△600円（月初・借方残高）＋△2,450円（借方差異）
＝△3,050円（借方残高）… **3,050円(A)**

⑶　運搬車両部門費操業度差異

当月発生の操業度差異：@350円（固定費率）*×（462時間－5,520時間（基準運転時間）÷12）
＝700円（貸方差異）

＊　固定費率：$\frac{1,932,000円（固定費予算）}{5,520時間（基準運転時間）}$＝@350円

または @650円（予定配賦率）－@300円（変動費率）＝@350円

当月末の操業度差異残高：750円（月初・貸方残高）＋700円（貸方差異）＝1,450円（貸方残高）
… **1,450円(B)**

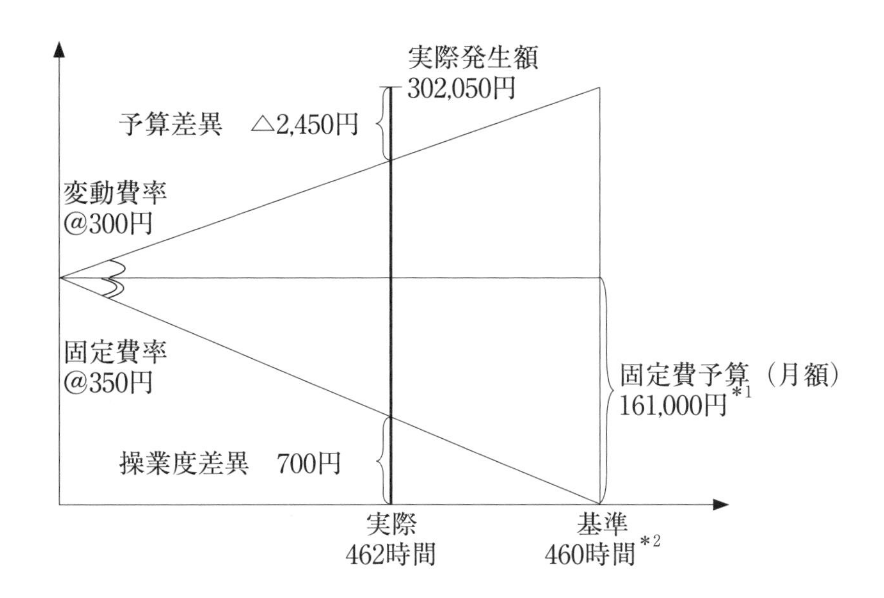

＊１　1,932,000円÷12カ月＝161,000円

＊２　5,520時間÷12カ月＝460時間

テキスト参照ページ
⇒　P. 1 -73

第22回出題

解答

問１

完成工事原価報告書
自　平成×９年７月 1日
至　平成×９年７月31日

熊本建設工業株式会社
（単位：円）

Ⅰ．材　料　費	568490	☆☆
Ⅱ．労　務　費	381000	☆☆
Ⅲ．外　注　費	442600	☆☆
Ⅳ．経　　　費	564740	☆☆
（うち人件費　331990）		☆☆
完成工事原価	1956830	☆☆

問２

¥ 1162915 ☆☆

問３

		金額		記号		
①	材料副費配賦差異	¥ 3845	☆	記号（XまたはY）	X	☆
②	重機械部門費予算差異	¥ 3950	☆	記号（　同　上　）	X	☆
③	重機械部門費操業度差異	¥ 7350	☆	記号（　同　上　）	Y	☆

予想採点基準
☆… 2 点×20＝40点

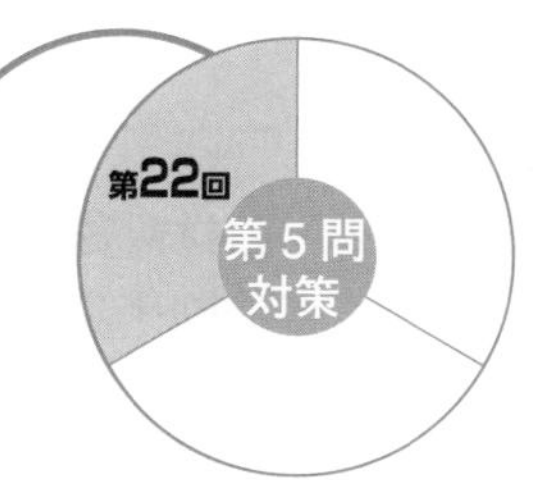

解　説

問１　完成工事原価報告書の作成

１．工事原価計算表の作成

本問では要求されていませんが，工事原価計算表を作成していきます。

（単位：円）

工事番号 / 原価要素	９０１	９０２	９０３	合　計
月初未成工事原価				
１．材　料　費	201,300	98,900	—	300,200
２．労　務　費	103,500	77,200	—	180,700
３．外　注　費	145,700	85,000	—	230,700
４．経　　　費	91,300	44,110	—	135,410
（経費のうち人件費）	(54,230)	(30,750)	—	(84,980)
当月発生工事原価				
１．材　料　費				
⑴甲材料費	90,640	309,515	149,350	549,505
⑵乙材料費	64,200	110,400	63,000	237,600
２．労　務　費	87,300	116,400	190,200	393,900
３．外　注　費				
⑴一般外注費	26,650	67,650	112,750	207,050
⑵労務外注費	51,700	76,300	105,800	233,800
４．経　　　費				
⑴直接経費	18,440	59,190	67,500	145,130
⑵Ｓ氏報酬	91,500	45,750	137,250	274,500
⑶重機械部門費	32,500	72,500	126,250	231,250
（経費のうち人件費）	(101,600)	(81,940)	(176,160)	(359,700)
当月完成工事原価	1,004,730	—	952,100	1,956,830
月末未成工事原価	—	1,162,915	—	1,162,915

２．月初未成工事原価

〈資料〉２．⑴月初未成工事原価の内訳の金額をそのまま使用します。

３．材料費

⑴　甲材料費

購入代価に対して３％の副費を予定配賦していることを考慮します。

901工事：　88,000円×1.03＝　90,640円

902工事：300,500円×1.03＝309,515円

903工事：145,000円×1.03＝149,350円

⑵ 乙材料費

移動平均法により乙材料の消費単価を計算します。単価の異なる材料の仕入や，仕入値引のあったときに消費単価を計算し直します。

材料元帳

乙材料

平成×9年		摘要	受入 数量	受入 単価	受入 金額	払出 数量	払出 単価	払出 金額	残高 数量	残高 単価	残高 金額
7	1	前月繰越	30	2,000	60,000				30	2,000	60,000
	5	仕入	70	2,200	154,000				100	2,140	214,000
	7	仕入値引						4,000	100	2,100	210,000
	10	903工事で消費				40	2,100	84,000	60	2,100	126,000
	14	仕入	40	2,200	88,000				100	2,140	214,000
	19	901工事で消費				30	2,140	64,200	70	2,140	149,800
	21	10日分出庫取消	10	2,100	21,000				80	2,135	170,800
	25	仕入	20	2,500	50,000				100	2,208	220,800
	29	902工事で消費				50	2,208	110,400	50	2,208	110,400
	31	次月繰越				50	2,208	110,400			
			170		373,000	170		373,000			

① 消費単価の計算

７月５日　(60,000円＋154,000円) ÷ (30個＋70個) ＝@2,140円
７月７日　(214,000円－4,000円) ÷100個＝@2,100円
７月14日　(126,000円＋88,000円) ÷ (60個＋40個) ＝@2,140円
７月21日　(149,800円＋21,000円) ÷ (70個＋10個) ＝@2,135円
７月25日　(170,800円＋50,000円) ÷ (80個＋20個) ＝@2,208円

② 各工事における材料消費額

901工事：64,200円
902工事：110,400円
903工事：84,000円－21,000円（出庫取消）＝63,000円

ここに！注意

21日の戻り分は10日に出庫した材料のうち，消費されずに倉庫に戻ってきた分であるため,10日の消費単価を用いる。

4．労務費

当月支払 375,300円	前月未払 77,500円
	当月消費 378,300円（貸借差額）
当月未払 80,500円	

消費賃率：378,300円÷26日＝@14,550円
901工事：@14,550円× 6日＝ 87,300円
902工事：@14,550円× 8日＝116,400円
903工事：@14,550円×12日＋15,600円（残業手当）＝190,200円

ここに！注意

労務費のうち特定の工事（本問の場合は903工事）に跡付けできる分は直課する。直課できない部分についてのみ工事従事日数で配賦することに注意。

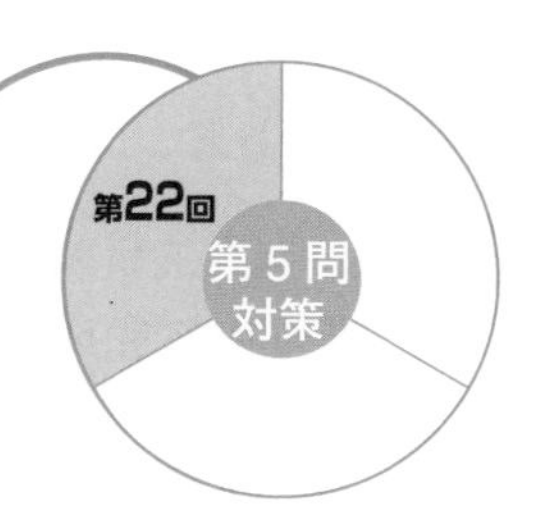

５．外注費

⑴　一般外注工事

配賦率：207,050円÷101時間＝@2,050円
901工事：@2,050円×13時間＝ 26,650円
902工事：@2,050円×33時間＝ 67,650円
903工事：@2,050円×55時間＝112,750円

⑵　労務外注工事

〈資料〉５．労務外注工事の金額をそのまま使用します。

６．経費

⑴　直接経費

〈資料〉６．⑴の金額をそのまま使用します。

⑵　Ｓ氏報酬

施工管理技術者であるＳ氏に対する当月役員報酬のうち，現場管理業務に対応する金額を工事原価に算入します。このとき，〈資料〉６．⑵(d)の等価係数にもとづいて，配賦率を計算します。

配賦率：$\dfrac{549{,}000\text{円}}{60\text{時間（施工管理業務）}\times 1.5 + 90\text{時間（一般管理業務）}\times 1.0}$

＝@3,050円

901工事：@3,050円×20時間×1.5＝ 91,500円
902工事：@3,050円×10時間×1.5＝ 45,750円
903工事：@3,050円×30時間×1.5＝137,250円

ここに！注意

Ｓ氏の報酬のうち，役員としての一般管理業務90時間分は販売費および一般管理費に該当するため，工事原価に算入しない。

⑶　重機械部門費

固定予算方式によって予定配賦します。
予定配賦率：225,000円÷180時間＝@1,250円
901工事：@1,250円× 26時間＝ 32,500円
902工事：@1,250円× 58時間＝ 72,500円
903工事：@1,250円×101時間＝126,250円

⑷　経費のうち人件費

経費のうち，従業員給料手当，法定福利費，福利厚生費，Ｓ氏の施工管理業務にかかる役員報酬が人件費に該当します。
901工事： 5,500円＋1,250円＋ 3,350円＋ 91,500円＝101,600円
902工事：15,500円＋8,390円＋12,300円＋ 45,750円＝ 81,940円
903工事：15,100円＋9,480円＋14,330円＋137,250円＝176,160円

ここに！注意

Ｓ氏の役員報酬のうち工事原価に算入する額も人件費となる。

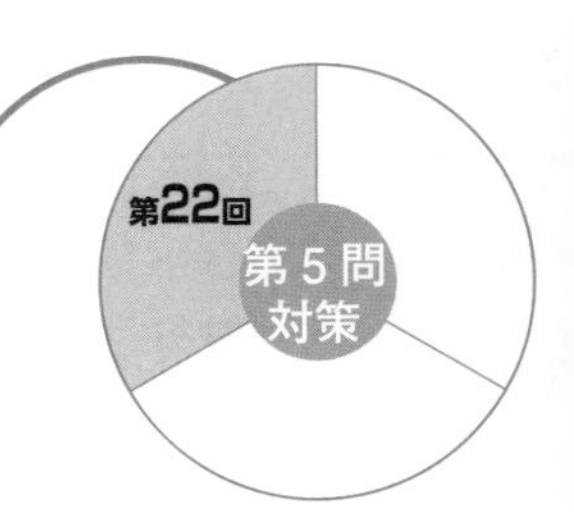

７．完成工事原価報告書

当月中に完成した901工事，903工事の工事原価を合計して「完成工事原価報告書」を作成します。

⑴ **材料費**

月初未成工事原価と当月発生材料費より

201,300円（月初・材料費）＋90,640円（当月・甲材料費）＋64,200円（当月・乙材料費）（901工事）

＋149,350円（当月・甲材料費）＋63,000円（当月・乙材料費）（903工事）＝ **568,490円**

⑵ **労務費**

月初未成工事原価と当月発生労務費より

103,500円（月初・労務費）＋87,300円（当月・労務費）（901工事）＋190,200円（当月・労務費）（903工事）＝ **381,000円**

⑶ **外注費**

月初未成工事原価と当月発生一般外注費および労務外注費より

145,700円（月初・外注費）＋26,650円（当月・一般外注費）＋51,700円（当月・労務外注費）（901工事）

＋112,750円（当月・一般外注費）＋105,800円（当月・労務外注費）（903工事）＝ **442,600円**

⑷ **経費**

月初未成工事原価と当月発生経費より

91,300円（月初・経費）＋18,440円（当月・直接経費）＋91,500円（当月・Ｓ氏報酬）＋32,500円（当月・重機械部門費）（901工事）

＋67,500円（当月・直接経費）＋137,250円（当月・Ｓ氏報酬）＋126,250円（当月・重機械部門費）（903工事）＝ **564,740円**

⑸ **経費のうち人件費**

月初未成工事原価と当月発生経費のうち人件費より

54,230円（月初・人件費）＋101,600円（当月・人件費）（901工事）＋176,160円（当月・人件費）（903工事）＝ **331,990円**

⑹ **完成工事原価**

上記⑴から⑷の合計金額が完成工事原価です。

568,490円＋381,000円＋442,600円＋564,740円＝ **1,956,830円**

または，上記１．の工事原価計算表における当月完成工事原価の合計欄より

1,004,730円（901工事）＋952,100円（903工事）＝1,956,830円

ここに！注意

完成工事原価報告書の作成にあたっては，月初未成工事原価を忘れないように注意。

問２　当月末における未成工事支出金の勘定残高

当月末に未成工事支出金として繰り越されるのは，当月末の未成工事原価です。よって，工事原価計算表より，902工事の原価 **1,162,915円** が月末における未成工事支出金の勘定残高となります。

問３　各原価差異の計算

⑴　材料副費配賦差異

予定配賦額：533,500円（購入代価合計）× ３％（予定配賦率）＝16,005円

当月発生の材料副費配賦差異：16,005円－18,500円（実際発生額）＝△2,495円（借方差異）

当月末の材料副費配賦差異残高：△1,350円（月初・借方残高）＋△2,495円（借方差異）

＝△3,845円（借方残高）… **3,845円(X)**

⑵　重機械部門費予算差異

当月発生の予算差異：225,000円（予算許容額）－229,800円（実際発生額）＝△4,800円（借方差異）

当月末の予算度差異残高：850円（月初・貸方残高）＋△4,800円（借方差異）＝△3,950円（借方差異）

… **3,950円(X)**

⑶　重機械部門費操業度差異

当月発生の操業度差異：@1,250円（予定配賦率）×（185時間－180時間）＝6,250円（貸方差異）

当月末の操業度差異残高：1,100円（月初・貸方残高）＋6,250円（貸方差異）＝7,350円（貸方差異）

… **7,350円(Y)**

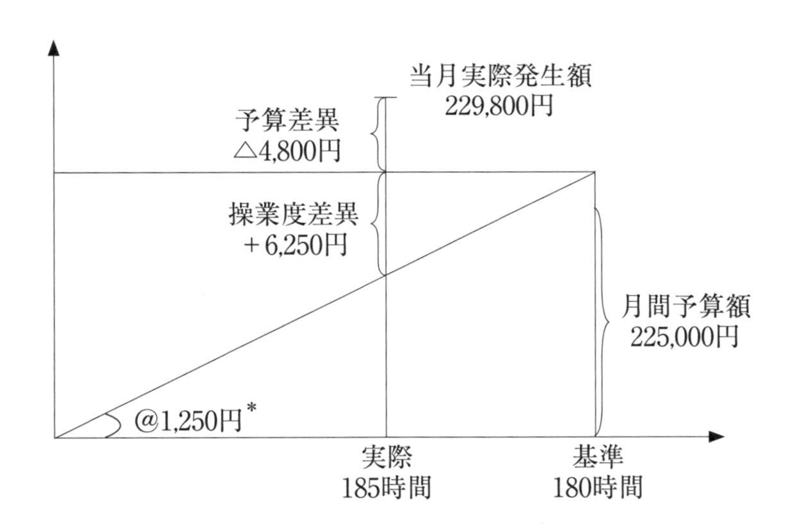

＊　225,000円÷180時間＝@1,250円

テキスト参照ページ
⇒　P. 1 -73

コラム『スピードアップは出る確率の高い問題から』

１級建設業経理士試験を受験される方から頂くご相談のうち、第１問の論述に次いで多いと思われるのが、『解答時間』に関するご相談です。

各科目で合格するためには、90分という制限時間内に70点分の得点を獲得しなければならないことになりますが、きちんと対策をとって戦略を練っておかなければ、時間が足りなくなってしまう恐れがあります。

その点については、過去問題などを解いて受験生の方も気づいていらっしゃるようで、「どうしたら速く解けますか？」という質問をされる方が多いのですが、そのご質問に対しては、基本的に「第５問を速く正確に解けるようにしてください」とお答えするようにしています。

１級建設業経理士試験で出題される問題のうち、各科目とも第５問は細かい内容について目を瞑れば、毎回似たような形式・内容で出題されています。
過去問題集を開けば「またこの問題か」と思わされることもあるはずですが、このような“毎回似たような内容”の問題こそ、スピードアップして解答時間を短縮すべき問題なのです。

“毎回似たような内容”で出題されているということは、過去問題集などで事前に対策もしやすいはずですし、なにより、自分が受験する回の第５問でも“似たような内容”が出題される可能性が高い訳ですから、スピードアップの効果を発揮できる可能性も高いといえます。

反対に、滅多に出題されないような問題や初めて出題される内容については、頑張ってスピードアップに努めても、勉強した通りの出題になる可能性は低く、自分が受験する回の問題でその効果を発揮できる可能性も低いことになります。
また、考え得るすべてのパターン・内容についてスピードアップしようと対策をするのは、時間や教材を考えても現実的ではありませんから、このような作戦を採るのは得策とは言えないのです。

限られた学習期間で効率よく合格を勝ち取るために、スピードアップのために努力すべき問題とそうでない問題のメリハリを意識するようにしてみましょう。

ネットスクール１級建設業経理士 WEB 講座
担当講師　藤本拓也

第３部　最新問題編

建設業経理士試験

第32回～第35回

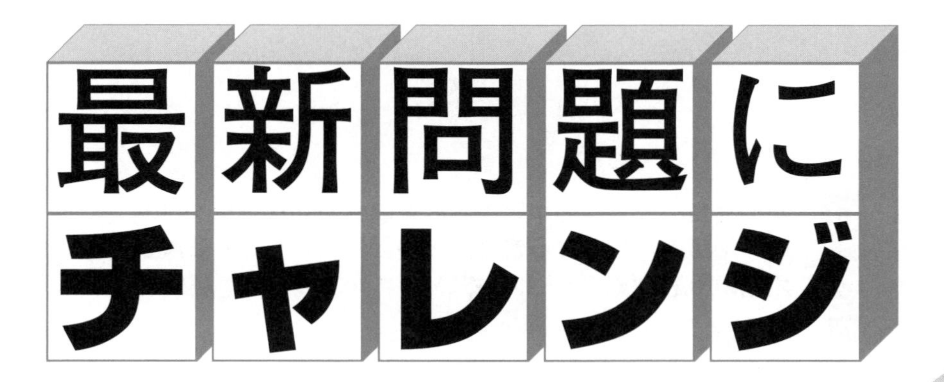

次の問に解答しなさい。各問ともに指定した字数以内で記入すること。（20点）

〈標準時間〉20分

問1　財務諸表作成目的のために実施される実際原価計算制度の3つの計算ステップについて説明しなさい。（250字）

問2　標準原価の種類を改訂頻度の観点から説明しなさい。（250字）

問1　最初に，材料費や労務費がいくら生じたのかを計算しないことには始まらない。

問2　一度設定した標準原価は状況や環境の変化によって見直すべきか否か，考え方が分かれる。

次の文章の［　　］の中に入るべき最も適切な用語を下記の〈用語群〉の中から選び，その記号（ア〜タ）を解答用紙の所定の欄に記入しなさい。（10点）

〈標準時間〉5分

(1)　補助部門の［ 1 ］とは，補助経営部門が相当の規模になった場合に，これを独立した経営単位とし，部門別計算上，施工部門として扱うことと解釈される。

(2)　間接費の配賦に際して，数年という景気の1循環期間にわたってキャパシティ・コストを平均的に吸収させようとする考えで選択された操業水準を［ 2 ］という。

(3)　経費のうち，従業員給料手当，退職金，［ 3 ］および福利厚生費を人件費という。

(4)　個別原価計算における間接費は，原則として，［ 4 ］率をもって各指図書に配賦する。

(5)　補助部門費の施工部門への配賦方法のうち，補助部門間のサービスの授受を計算上すべて無視して配賦計算を行う方法を［ 5 ］という。

〈用語群〉

ア	実際配賦	イ	相互配賦法	ウ	変動予算	エ	実現可能最大操業度
オ	長期正常操業度	カ	実行予算	キ	施工部門化	ク	予定配賦
コ	変動予算	サ	法定福利費	シ	階梯式配賦法	ス	労務管理費
セ	社内センター化	ソ	直接配賦法	タ	次期予定操業度		

1．文字通り，補助部門を施工部門のように扱うこと。

3．第5問でよく出てくる人件費の内訳を考えよう。

4．完成した工事の原価をできる限り迅速に計算できる方法が原則とされている。

Q 第3問 当社の大型クレーンに関する損料計算用の〈資料〉は次のとおりである。下の設問に解答しなさい。なお，計算の過程で端数が生じた場合は，計算途中では四捨五入せず，最終数値の円未満を四捨五入すること。（14点）

〈標準時間〉15分

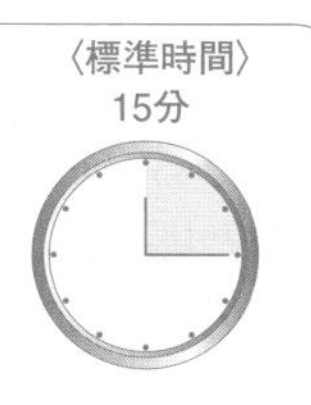

〈資料〉

1．大型クレーンは本年度期首において¥32,000,000（基礎価格）で購入したものである。
2．耐用年数8年，償却費率90％，減価償却方法は定額法を採用する。
3．大型クレーンの標準使用度合は次のとおりである。
　年間運転時間　1,000時間　　年間供用日数　200日
4．年間の管理費予算は，基礎価格の7％である。
5．修繕費予算は，定期修繕と故障修繕があるため，次のように設定する。損料計算における修繕費率は，各年平均化するものとして計算する。
　修繕費予算1～3年度　各年度　¥2,100,000
　　　　　　4～8年度　各年度　¥2,500,000
6．初年度3月次における大型クレーンの現場別使用実績は次のとおりである。

	供用日数	運転時間
M現場	4日	15時間
N現場	12日	58時間
その他の現場	3日	14時間

7．初年度3月次の実績額は次のとおりである。
　管理費　¥210,500　　修繕費　¥402,500　　減価償却費は月割経費である。

問1　大型クレーンの運転1時間当たり損料額と供用1日当たり損料額を計算しなさい。ただし，減価償却費については，両損料額の算定にあたって年当たり減価償却費の半額ずつをそれぞれ組み入れている。

問2　問1の損料額を予定配賦率として利用し，M現場とN現場への配賦額を計算しなさい。

問3　初年度3月次における大型クレーンの損料差異を計算しなさい。なお，有利差異の場合は「A」，不利差異の場合は「B」を解答用紙の所定の欄に記入すること。

修繕費の予算は最初の3年間と，その後の5年間で金額が異なるため，各年を平均するためには8年間の修繕費総額を求める必要がある。

減価償却費については，問1の問題文の指示に従って損料額の計算に組み入れる。

Q 第4問

当社では，新製品である製品Nを新たに生産・販売する案（N投資案）を検討している。製品Nの製品寿命は5年であり，各年度の生産量と販売量は等しいとする。次の〈資料〉に基づいて，下の設問に答えなさい。なお，すべての設問について税金の影響を考慮すること。また，製品Nの各年度にかかわるキャッシュ・フローは，特に指示がなければ各年度末にまとめて発生するものとする。（20点）

〈標準時間〉
20分

すべての設問について税金の影響を考慮する。

また，〈資料〉1．にある損益計算書の費用には減価償却費も含まれていることに注意する。

〈資料〉

1．製品Nに関する各年度の損益計算

（単位：千円）

	製品N
売上高	4,000,000
変動売上原価	1,800,000
変動販売費	275,000
貢献利益	1,925,000
固定製造原価	1,250,000
固定販売費及び一般管理費	150,000
営業利益	525,000

2．設備投資に関する資料

製品Nを生産する場合は設備Nを購入し使用する。設備Nの購入原価は5,000,000千円である。設備Nの減価償却費の計算は，耐用年数5年，5年後の残存価額ゼロの定額法で行われる。設備Nの耐用年数経過後の見積処分価額はゼロである。なお，法人税の計算では，減価償却費はすべて各年度の損金に算入される。

3．その他の計算条件

⑴ 設備投資により，現金売上，現金支出費用，減価償却費が発生する。

⑵ 今後5年間にわたり黒字が継続すると見込まれる。実効税率は30％である。

⑶ 加重平均資本コスト率は10％である。計算に際しては，次の現価係数を使用すること。

1年	2年	3年	4年	5年	合計
0.9091	0.8264	0.7513	0.6830	0.6209	3.7907

⑷ 解答に際して端数が生じるときは，最終の解答数値の段階で，金額については千円未満を切り捨て，年数については年表示で小数点第2位を四捨五入し，比率（％）については％表示で小数点第1位を四捨五入すること。

問１　N投資案の１年間の差額キャッシュ・フローを計算しなさい。ただし，貨幣の時間価値を考慮する必要はない。

問２　貨幣の時間価値を考慮しない回収期間法によって，N投資案の回収期間を計算しなさい。ただし，各年度の経済的効果が年間を通じて平均的に発生すると仮定すること。

問３　平均投資額を分母とする単純投資利益率法（会計的利益率法）によって，N投資案の投資利益率を計算しなさい。

問４　正味現在価値法によって，N投資案の正味現在価値を計算しなさい。

問５　問２において，貨幣の時間価値を考慮する場合，N投資案の割引回収期間を計算しなさい。

問１　会計上の営業利益が資料で示されている場合，どんな計算だと差額キャッシュ・フローが簡単に求められる？

問３　平均投資額を分母にするよう指示されているので，設備Nの購入原価を半分にした金額を分母とする。

問５　各年の差額キャッシュ・フローの現在価値を累計していくと，何年で設備Nの投資額を回収できる？

Q 第5問

下記の〈資料〉は，当社（当会計期間：20×7年４月１日～20×8年３月31日）における20×7年７月の工事原価計算関係資料である。次の設問に解答しなさい。なお，計算の過程で端数が生じた場合は，計算途中では四捨五入せず，最終数値の円未満を四捨五入すること。

（36点）

〈標準時間〉
25分

問１　当会計期間の車両部門費の配賦において使用する走行距離１km当たり車両費予定配賦率（円/km）を計算しなさい。

問２　工事完成基準を採用して，当月の工事原価計算表を作成しなさい。

問３　次の原価差異の当月発生額を計算しなさい。なお，それらについて，有利差異の場合は「A」，不利差異の場合は「B」を解答用紙の所定の欄に記入すること。
①　材料副費配賦差異　　②　労務費賃率差異　　③　重機械部門費操業度差異

〈資料〉

１．当月の請負工事の状況

工事番号	工事着工	工事竣工
７８１	20×7年２月	20×7年７月
７８２	20×7年３月	20×7年７月
７８３	20×7年７月	20×7年７月
７８４	20×7年７月	７月末現在未成

２．月初未成工事原価の内訳

（単位：円）

工事番号	材料費	労務費	外注費（労務外注費）	経費	合　計
７８１	102,220	55,070	94,700（22,910）	33,620	285,610
７８２	62,570	23,780	35,000（15,370）	20,930	142,280

（注）（　　）の数値は，当該費目の内書の金額である。

３．当月の材料費に関する資料

(1)　A材料は仮設工事用の資材で，工事原価への算入はすくい出し法により処理している。当月の工事別関係資料は次のとおりである。

（単位：円）

工事番号	７８１	７８２	７８３	７８４
当月仮設資材投入額	（注）	37,680	41,390	38,200
仮設工事完了時評価額	12,600	12,660	25,470	仮設工事未了

（注）７８１工事の仮設工事は前月までに完了しており，その資材投入額は前月末の未成工事支出金に含まれている。

工事原価計算表は，工事番号別に発生した原価を集計していくための表。〈資料〉で計算した各原価を，該当する工事番号の空欄に記入していく。

3(1)　781工事の資材投入額は前月末の未成工事支出金に含まれているため，完了時評価額は前月末未成工事原価から控除する。

⑵　B材料は工事引当材料で，当月の工事別引当購入額は次のとおりである。当月中に残材は発生していない。

（単位：円）

工事番号	781	782	783	784	合　計
引当購入額（送り状価格）	67,000	140,000	147,000	199,000	553,000

B材料の購入については，購入時に３％の材料副費を予定配賦して工事別の購入原価を決定している。当月の材料副費実際発生額は¥14,480であった。

4．当月の労務費に関する資料

当社では，専門工事のC作業について常雇従業員による工事を行っている。この労務費計算については予定平均賃率法を採用しており，当月の労務作業１時間当たり賃率は¥2,600である。当月の工事別労務作業時間は次のとおりである。なお，当月の労務費実際発生額は¥333,300であった。

（単位：時間）

工事番号	781	782	783	784	合　計
労務作業時間	20	33	38	34	125

5．当月の外注費に関する資料

当社では専門工事のD工事とE工事を外注している。D工事は重機械提供を含むもの（一般外注）であり，E工事は労務提供を主体とするもの（労務外注）である。工事別当月実績発生額は次のとおりである。

（単位：円）

工事番号	781	782	783	784	合　計
D工事（一般外注）	47,109	69,880	195,200	111,900	424,089
E工事（労務外注）	24,100	58,310	48,210	28,450	159,070

労務外注費について，月次の工事原価計算表においても，建設業法施行規則に従って表記することとしている。

6．当月の経費に関する資料

⑴　車両部門費の配賦については，会計期間中の正常配賦を考慮して，原則として年間を通じて車両別の同一の配賦率（車両費予定配賦率）を使用することとしている。

①　当会計期間の走行距離１km当たり車両費予定配賦率を算定するための資料

(a)　車両個別費の内訳

（単位：円）

摘要	車両F	車両G
減価償却費	125,000	139,000
修繕管理費	68,000	72,000
燃　料　費	101,000	123,000
税・保険料	35,690	44,810

5　労務外注費の記入場所で迷ったら，解答用紙もきちんと確認しよう。

6　費目別に指示された配賦基準で適切に配賦された車両共通費と車両個別費の年間予算を予定走行距離で割って，車両別予定配賦率を求める。

(b) 車両共通費

油脂関係費　183,000円　　消耗品費　126,000円
福利厚生費　 97,300円　　雑費　　　 66,000円

(c) 車両共通費の配賦基準と配賦基準数値

摘要	配賦基準	車両F	車両G
油脂関係費	予定走行距離（km）	680	820
消耗品費	車両重量（t）×台数	16	12
福利厚生費	運転者人員（人）	3	4
雑費	減価償却費（円）	個別費の車両別内訳を参照のこと	

② 当月の現場別車両使用実績（走行距離）

（単位：km）

工事番号	781	782	783	784	合計
車両F	1	11	25	20	57
車両G	5	17	23	23	68

③ 車両部門費はすべて経費として処理する。

(2) 常雇従業員による専門工事のC作業に係る重機械部門費の配賦については，変動予算方式の予定配賦法を採用している。当月の関係資料は次のとおりである。固定費から予算差異は生じていない。

① 基準作業時間（月間）　C労務作業　130時間

② 変動予算　固定費　月額　￥56,550
　　　　　　変動費　作業1時間当たり　￥216

③ 当月の実際発生額　￥83,220

(3) その他の工事経費については，請負工事全体を管理する出張所において一括して把握し，これを工事規模等を勘案した次の係数によって配賦している。

① 出張所経費　当月発生額　￥98,600

② 配賦の係数

工事番号	781	782	783	784	合計
配賦係数	25	50	60	35	170

建設業経理士　1級　原価計算　最新問題（第33回）

Q 第1問　次の問に解答しなさい。各問ともに指定した字数以内で記入すること。（20点）

〈標準時間〉20分

問1　建設業で用いられる事前原価の種類について説明しなさい。（250字）
問2　工事間接費の配賦に予定配賦法を用いることの二つの意義について説明しなさい。（250字）

問1　事前原価には，受注獲得（積算）に用いるもののほか，予算に用いるものなどがある。

問2　実際配賦法を採用することの欠点を克服することに，予定配賦法を用いる意義がある。

Q 第2問　当社の品質コストに関する次の〈資料〉を参照しながら，下記の文章の□に入れるべき最も適当な用語・数値を〈用語・数値群〉の中から選び，その記号（ア～ス）で解答しなさい。（10点）

〈標準時間〉10分

〈資料〉

	現在	1年後
苦情処理費	9,900万円	8,100万円
建物設計改善費	12,100万円	12,900万円
損害賠償費	4,100万円	3,200万円
購入資材受入検査費	4,400万円	5,000万円
訴訟費	7,800万円	7,200万円
品質保証教育訓練費	1,700万円	2,300万円
建造物自主検査費	6,000万円	6,200万円
手直費	3,300万円	3,200万円

品質コストは，品質適合コストと品質不適合コストに大別される。このうち品質適合コストはさらに，設計・仕様に合致しない建造物の施工を防ぐために発生するコストである［1］コストと，設計・仕様に合致しない建造物を発見するために発生するコストである［2］コストに分類できる。

当社では品質管理活動を充実させることを計画している。〈資料〉によれば，1年後の［1］コストは，現在の金額に比べて［3］万円増加し，1年後の［2］コストは，現在の金額に比べて［4］万円増加する予定である。一方，1年後の品質不適合コストは，現在の金額に比べて［5］万円減少することが見込まれているため，品質管理活動の充実は有益であると考えられる。

〈用語・数値群〉

ア　評価	イ　改善	ウ　予防	エ　設計
オ　失敗	カ　600	キ　800	ク　1,000
コ　1,200	サ　1,400	シ　2,800	ス　3,400

［3］　［1］コストは仕様に合致しない建造物の施工を防ぐためのコストであるため，事前の措置に該当するコストが分類される。

［4］　［2］コストは仕様に合致しない建造物を発見するためのコストであるため，検査などに要するコストが分類される。

［5］　品質不適合コストは，設計・仕様に合致しない結果生じるコストが該当する。

Q 第3問

当社では，鉄筋工事を第１部門と第２部門で実施している。また，両部門に共通して補助的なサービスを提供している運搬部門，修繕部門，経営管理部門を独立させて，部門ごとの原価管理を実施している。
次の〈資料〉に基づいて，下記の設問に示された方法によって補助部門費の配賦を行う場合，各補助部門から第１部門に配賦される金額の合計額をそれぞれ計算しなさい。なお，計算の過程で端数が生じた場合は，各補助部門費の配賦すべき金額の計算結果の段階で円未満を四捨五入すること。（18点）

〈標準時間〉
15分

〈資料〉

1．部門費配分表に集計された各部門費の合計金額

（単位：円）

第１部門	第２部門	運搬部門	修繕部門	経営管理部門
610,000	590,000	288,000	342,000	190,800

2．各補助部門の他部門へのサービス提供割合

（単位：％）

	第１部門	第２部門	運搬部門	修繕部門	経営管理部門
運搬部門	40	50	—	10	—
修繕部門	50	40	10	—	—
経営管理部門	30	30	30	10	—

問１　直接配賦法

問２　階梯式配賦法（ただし，配賦の順序については経営管理部門費を第１順位，修繕部門費を第２順位，運搬部門費を第３順位とする）

問３　連立方程式を使用した相互配賦法

問１　直接配賦法は補助部門間のサービス提供をすべて無視する。

問２　階梯式配賦法は順位の高い補助部門から低い補助部門へのサービス提供は考慮するが，反対に低い補助部門から高い補助部門へのサービス提供は考慮しない。

問３　連立方程式法は，各補助部門における他の補助部門からの配賦額を含めた最終的な部門費を文字において方程式を解く。

Q 第4問

当社では現在（当月初時点），次の２つの代替案のどちらを採用するほうが有利であるかを検討している。次の〈資料〉に基づいて，下記の設問に答えなさい。（18点）

〈標準時間〉20分

代替案１　当月，Ａ部品を500個製造し，Ｂ部品を250個製造する案
代替案２　当月，Ａ部品を750個製造し，Ｂ部品をまったく製造しない案

〈資料〉
1．一定の月間生産能力を利用して，建設資材であるＡ部品とＢ部品を製造販売している。Ａ部品だけを製造すれば750個製造でき，Ｂ部品だけを製造しても750個製造できる。
2．Ａ部品を製造する場合とＢ部品を製造する場合で，使用する材料がただ１品目だけ異なる。その他の製造条件はすべてＡ部品製造とＢ部品製造でまったく同じとする。そのＡ部品とＢ部品で異なる材料であるが，Ａ部品を製造するのに固有の材料ａ，Ｂ部品を製造するのに固有の材料ｂがそれぞれ必要である。
3．２つの代替案のどちらを採用しても，製造した部品は全量が販売可能であるものとする。
4．下記の問１から問３では，Ａ部品，Ｂ部品はともに１個当たり5,000円で販売できるものとする。

問１　当月初にＡ部品製造の材料ａとＢ部品製造の材料ｂのどちらも保有在庫が無いため，それらの材料を必要量だけ新たに購入したうえで，製造を行うものとする。Ａ部品１個当たりの材料ａの購入費が1,900円，Ｂ部品１個当たりの材料ｂの購入費が2,050円であると予想される。この場合，代替案１，代替案２のどちらが有利であるかを，当月の代替案間の差額原価とともに示しなさい。

問２　当月初にＡ部品を220個製造できる材料ａの保有在庫とＢ部品を180個製造できる材料ｂの保有在庫があるものとする。必要量だけ購入する材料の原価に関する情報は問１と同じであるとする。Ａ部品，Ｂ部品を１個製造するのに必要な保有材料の帳簿上の払出額は材料ａが1,970円，材料ｂが1,950円である。この場合，代替案１，代替案２のどちらが有利であるかを，当月の代替案間の差額原価とともに示しなさい。

問３　当月初にＡ部品を220個製造できる材料ａの保有在庫とＢ部品を180個製造できる材料ｂの保有在庫があるが，当社は，当月末時点で最低でもＡ部品160個製造分の材料ａ，Ｂ部品90個製造分の材料ｂを保有するという方針をとっているものとする。必要量だけ購入する材料の原価に関する情報は問１，問２と同じである。当月末時点の材料を最低量に抑えた場合，代替案１，代替案２のどちらが有利であるかを，当月の代替案間の差額原価とともに示しなさい。

意思決定で考慮する関連原価は，未来に発生する原価で，かつ，代替案間で発生する金額が異なる原価である。

問１　代替案間で異なるのは材料ａと材料ｂの購入に要する原価のみである。

問２　既に保有している材料は過去に購入したもの。この金額は，意思決定で考慮する関連原価に該当する？

問３　例えば材料ａであれば，製品Ａを220個製造できるだけの材料を保有していても，月末に160個製造できる分を確保しなければならないのであれば，実質的に使用できるのは60個製造できる分に過ぎない。

問４　代替案間で収益の額も異なるので，収益も意思決定上考慮しなければならない。

問4　〈資料〉の4．を変更し，代替案1，代替案2のどちらを採用したとしても，A部品は1個当たり5,300円で，B部品は1個当たり4,500円で外部に販売できるものとする。必要量だけ購入する材料の原価に関する情報は問1，問2，問3と，材料在庫量に関する情報は問3と同じであるとする。代替案1，代替案2のどちらが有利であるかを，当月の代替案間の差額利益とともに示しなさい。

Q 第5問

下記の〈資料〉は，X建設工業株式会社（当会計期間：20×1年4月1日～20×2年3月31日）における20×1年10月の工事原価計算関係資料である。次の設問に解答しなさい。月次で発生する原価差異は，そのまま翌月に繰り越す処理をしている。なお，計算の過程で端数が生じた場合は，計算途中では四捨五入せず，最終数値の円未満を四捨五入すること。（34点）

〈標準時間〉
25分

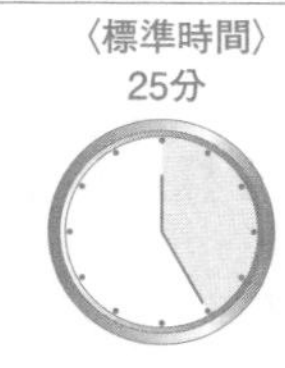

問１　当月の完成工事原価報告書を作成しなさい。ただし，収益の認識は工事完成基準を採用すること。

問２　当月末における未成工事支出金の勘定残高を計算しなさい。

問３　次の配賦差異について，当月末の勘定残高を計算しなさい。なお，それらの差異については，借方残高の場合は「A」，貸方残高の場合は「B」を解答用紙の所定の欄に記入すること。
①　運搬車両部門費予算差異　　②　運搬車両部門費操業度差異

〈資料〉
１．当月の工事の状況

工事番号	着工	竣工
０３２	20×1年３月	20×1年10月
０５３	20×1年５月	20×1年10月
１０１	20×1年10月	（未完成）
１０２	20×1年10月	20×1年10月

２．月初における前月繰越金額
(1)　月初未成工事原価の内訳　（単位：円）

工事番号	材料費	労務費	外注費	経費（人件費）	合　計
０３２	192,000	111,800	177,500	53,500（38,600）	534,800
０５３	76,200	43,800	64,300	29,000（16,900）	213,300

（注）（　　）の数値は，当該費目の内書の金額である。

(2)　配賦差異の残高
運搬車両部門費予算差異　　¥1,500（借方残高）
運搬車両部門費操業度差異　¥1,200（貸方残高）

3．当月の材料費に関する資料

⑴　甲材料は常備材料で，材料元帳を作成して実際消費額を計算している。消費単価の計算については先入先出法を採用している。当月の受払いに関する資料は次のとおりである。

日付	摘要	数量（個）	単価（円）
10月1日	前月繰越	50	10,000（先に購入）
		30	12,000（後から購入）
5日	購入	100	14,000
8日	０５３工事へ払出し	70	
15日	１０１工事へ払出し	80	
18日	購入	50	15,000
20日	戻り	10	
25日	１０２工事へ払出し	60	

（注１）20日の戻りは15 日出庫分である。戻りは出庫の取り消しとして処理する。

（注２）棚卸減耗は発生しなかった。

⑵　乙材料は仮設工事用の資材で，工事原価への算入はすくい出し法により処理している。当月の工事別関係資料は次のとおりである。

（単位：円）

工事番号	０３２	０５３	１０１	１０２
当月仮設資材投入額	43,700	（注）	39,700	42,900
仮設工事完了時評価額	14,600	10,600	（仮設工事未了）	29,100

（注）０５３工事の仮設工事は前月までに完了し，その資材投入額は前月末の未成工事支出金に含まれている。

4．当月の労務費に関する資料

当社では，Ｌ作業について常雇作業員による専門工事を実施している。工事原価の計算には予定賃率（１時間当たり￥2,600）を使用している。10月の実際作業時間は次のとおりである。

（単位：時間）

工事番号	０３２	０５３	１０１	１０２	合　計
Ｌ作業時間	13	25	42	16	96

5．当月の外注費に関する資料

当社の外注工事には，資材購入や重機械の提供を含むもの（一般外注）と労務提供を主体とするもの（労務外注）がある。工事別の当月実際発生額は次のとおりである。

（単位：円）

工事番号	０３２	０５３	１０１	１０２	合　計
一般外注	76,600	108,500	279,000	92,000	556,100
労務外注	166,200	228,800	289,500	179,900	864,400

（注）労務外注費は，月次の完成工事原価報告書の作成に当たっては，そのまま外注費として計上する。

3⑴　20日の戻りは出庫の取り消しとして処理するため，当該工事の材料費から差し引く。

6．当月の経費に関する資料

(1)　直接経費の内訳は次のとおりである。

（単位：円）

工事番号	０３２	０５３	１０１	１０２	合　計
従業員給料手当	66,700	109,700	107,200	49,000	332,600
労務管理費	48,900	85,400	87,000	40,100	261,400
法定福利費	7,100	13,300	17,200	6,770	44,370
福利厚生費	7,400	21,000	31,700	9,170	69,270
雑　費　他	22,100	30,200	42,500	21,100	115,900
計	152,200	259,600	285,600	126,140	823,540

（注）経費に含まれる人件費の計算において，退職金および退職給付引当金繰入額は考慮しない。

(2)　役員であるＱ氏は一般管理業務に携わるとともに，施工管理技術者の資格で現場管理業務も兼務している。役員報酬のうち，担当した当該業務に係る分は，従事時間数により工事原価に算入している。また，工事原価と一般管理費の業務との間には等価係数を設定している。関係資料は次のとおりである。

(a)　Ｑ氏の当月役員報酬額　¥716,800

(b)　施工管理業務の従事時間

（単位：時間）

工事番号	０３２	０５３	１０１	１０２	合　計
従事時間	20	30	40	30	120

(c)　役員としての一般管理業務は80時間であった。

(d)　業務間の等価係数（業務１時間当たり）は次のとおりである。

施工管理　1.2　　一般管理　1.0

(3)　当社の常雇作業員によるＬ作業に関係する経費を運搬車両部門費として，次の(a)の変動予算方式で計算する予定配賦率によって工事原価に算入している。関係資料は次のとおりである。

(a)　当会計期間について設定された変動予算の基準数値

基準運転時間　Ｌ労務作業　年間　1,200時間

変動費率（１時間当たり）　¥400　　固定費（年額）　¥1,080,000

(b)　当月の運搬車両部門費の実際発生額は¥135,500であった。

(c)　月次で許容される予算額の計算

ア．固定費　　月割経費とする。固定費から予算差異は生じていない。

イ．変動費　　実際時間に基づく予算額を計算する。

(d)　運搬車両部門費はすべて人件費を含まない経費である。

6(1)　直接経費のうち人件費に該当するものは３つ。

6(2)　施工管理業務の単価は，一般管理業務の単価の1.2倍となるように計算する。

Q 第1問

次の問に解答しなさい。各問ともに指定した字数以内で記入すること。　　　（20点）

〈標準時間〉
20分

問1　社内に対する建設業原価計算の目的について説明しなさい。(300字)

問2　積算上の直接工事費としての経費と完成工事原価報告書上の経費の相違点について説明しなさい。(200字)

問1　社内に対する原価計算の結果は，主に現場管理者や経営者に対して報告される。彼らは原価計算の結果をどのように活用するだろうか？

問2　積算上の直接工事費には，当該工事に直接かかる費用しか含まれない。

Q 第2問

経営意思決定の特殊原価分析に関する次の各文章は正しいか否か。正しい場合は「A」，正しくない場合は「B」を解答用紙の所定の欄に記入しなさい。　　　（12点）

〈標準時間〉
10分

1．関連原価（relevant costs）は代替案選択の意思決定における重要な概念である。その分析では，代替案間で金額が異ならない未来原価（future costs）を関連原価に集計する。

2．ある案を選択することで他の代替案を選択できなくなることがある。選択されない各代替案から得られるであろう利益の中で最小のものを機会原価（opportunity costs）という。

3．原価の発生が既に確定し，どの代替案を選択しても回避不能な原価を埋没原価（sunk costs）という。

4．遊休生産能力があり，かつ，新規顧客から通常価格より低い価格の特別注文がある場合，その差額利益がプラスであるとしても，既存顧客からの受注への影響を考慮すると，この特別注文を引き受けるとは限らない。

5．固定費は操業度の増減にかかわらず一定期間変化せず同額が発生する原価である。固定費の全てが埋没原価になるとは限らない。

6．設備投資の意思決定モデルの一つである回収期間法の欠点として，投資額を回収した後のキャッシュ・フローおよび貨幣の時間価値をそれぞれ無視していることがあげられる。これら二つの欠点は，割引回収期間法を採用することで克服される。

4．新規顧客に通常価格より低い価格で受注すると，既存顧客からも値下げを要求されるかもしれない。

5．意思決定の結果によって，固定費の発生額が変わることはあるだろうか？

6．割引回収期間法は，時間価値を考慮して割り引いた将来キャッシュ・フローに基づいて計算された投資額回収までの回収期間によって投資案を評価する方法。

Q 第3問

S建設工業株式会社は，近隣に多くの工事現場を同時に保有することが多く，建設機械や資材等の運搬に多くのコストを要する。この原価管理のために，重要な保有車両であるA，B，Cをコスト・センター化し，走行距離1km当たり車両費率（円／km）を予め算定し，これを用いて各現場に予定配賦している。次の〈資料〉によって，当月の各現場（No.101～No.104）への車両費配賦額を算定しなさい。なお，走行距離1km当たり車両費率の算定に際しては小数点第3位を四捨五入し，当月の各現場への車両費配賦額の算定に際しては円未満を四捨五入すること。　（16点）

〈資料〉

1．走行距離1km当たり車両費率を予め算定するための資料

(1)　車両関係予算額

①　個別費の車両別内訳

（単位：円）

	車両A	車両B	車両C
減価償却費	827,600	620,700	620,700
修繕費	245,900	99,500	111,500
燃料費	522,000	387,700	349,500
税金	161,000	77,000	97,000
保険料	165,600	76,000	131,900

②　共通費

油脂代　￥288,650　　消耗品費　￥379,500　　福利厚生費　￥235,300
雑費　￥105,500

(2)　共通費の配賦基準と基準数値

	配賦基準	車両A	車両B	車両C
油脂代	走行距離	8,600km	8,400km	8,100km
消耗品費	車両重量	12 t	11 t	10 t
福利厚生費	関係人員	9人	8人	9人
雑費	減価償却費額	個別費の車両別内訳を参照のこと		

2．当月の現場別車両使用実績

（単位：km）

	車両A	車両B	車両C
No.101 現場	275	—	285
No.102 現場	215	180	55
No.103 現場	63	110	85
No.104 現場	—	385	305

走行距離1km当たり車両費率は，コストセンターごとに個別費と共通費を集計し，その合計額を適切な基準で割ることで算定できる。

Q 第4問

G建設株式会社では，現在（20×3年度末），３年前に購入し使用してきた機械（以下，旧機械）を高性能の新機械に取り替えるかどうかについて検討している。次の〈資料〉に基づいて，下記の設問に答えなさい。なお，計算の過程で端数が生じた場合は，計算途中では四捨五入せず，最終数値の円未満を四捨五入すること。　（18点）

〈標準時間〉
20分

〈資料〉

旧機械は取得原価￥45,000,000，耐用年数６年，残存価額ゼロとして，定額法による減価償却を過不足なく行ってきている。新機械の購入価額は￥60,000,000，耐用年数３年，残存価額ゼロとして，定額法による減価償却を行う予定である。旧機械から新機械に取り替えると今後３年間（20×4年度～20×6年度）にわたり，毎年，現金売上高がそれまでの年￥26,000,000から年￥37,000,000に増加し，現金支出費用は年￥11,000,000から年￥8,000,000に減少すると予想される。なお，新機械に取り替える場合，旧機械はその時の簿価で引き取ってもらう約束である。また，旧機械と新機械のいずれも３年後の耐用年数到来時の売却価額はゼロと予想される。今後３年間にわたり黒字が継続すると見込まれる。実効税率は40％である。

問１　旧機械を新機械に取り替える場合の20×3年度および20×4年度のキャッシュ・フローの純増減額を計算しなさい。インフローの場合は「Ａ」，アウトフローの場合は「Ｂ」を記入すること。

問２　新機械に取り替える場合，旧機械をそのまま用いる場合に比べていくら有利または不利になるかを正味現在価値法によって判定しなさい。有利の場合は「Ａ」，不利の場合は「Ｂ」を記入すること。ただし，各年度のキャッシュ・フローは年度末に生じるものとする。税引後資本コスト率を８％とし，計算にあたっては次の複利現価係数を用いること。

	１年	２年	３年
８％	0.926	0.857	0.794

実効税率が資料に与えられているときは，税金の影響を考慮する。

簿価で売却すると売却損益が生じないので，税金への影響は生じない。

問１　旧機械を新機械に取り替える場合のキャッシュ・フローの純増減額が問われているので，新機械に取り替えた結果キャッシュ・フローが増えればインフロー，反対に新機械に取り替えた結果キャッシュ・フローが減ればアウトフローと考える。

問２　毎年のキャッシュ・フローが同額の場合は年金と捉えて，資料にある現価係数を合計した年金現価係数を用いて計算すると，早く計算できる。

Q 第5問

下記の〈資料〉は，X建設工業株式会社（当会計期間：20×8年4月1日～20×9年3月31日）における20×8年7月の工事原価計算関係資料である。次の設問に解答しなさい。月次で発生する原価差異は，そのまま翌月に繰り越す処理をしている。なお，計算の過程で端数が生じた場合は，円未満を四捨五入すること。（34点）

〈標準時間〉
25分

問1　工事完成基準を採用して当月の完成工事原価報告書を作成しなさい。

問2　当月末における未成工事支出金の勘定残高を計算しなさい。

問3　次の配賦差異について当月末の勘定残高を計算しなさい。なお，それらの差異について，借方残高の場合は「A」，貸方残高の場合は「B」を解答用紙の所定の欄に記入すること。
　①　重機械部門費予算差異　　②　重機械部門費操業度差異

〈資料〉
1．当月の工事の状況

工事番号	着工	竣工
501	前月以前	当月
602	前月以前	当月
701	当月	当月
702	当月	月末現在未成

2．月初における前月繰越金額
(1)　月初未成工事原価の内訳

（単位：円）

工事番号	材料費	労務費	外注費（労務外注費）	経費（人件費）	合　計
501	125,700	88,300	133,300（ 98,800）	86,080（53,900）	433,380
602	66,600	65,000	76,100（ 45,550）	35,400（28,800）	243,100
計	192,300	153,300	209,400（144,350）	121,480（82,700）	676,480

（注）（　　）の数値は，当該費目の内書の金額である。

(2)　配賦差異の残高
　重機械部門費予算差異　　¥2,050（借方）
　重機械部門費操業度差異　¥3,900（貸方）

3．当月の材料費に関する資料

⑴　甲材料は常備材料で，材料元帳を作成して実際消費額を計算している。消費単価の計算について先入先出法を採用している。当月の材料元帳の記録は次のとおりである。

日付	摘要	単価（円）	数量（単位）
7月１日	前月繰越	10,500	30
４日	購入	11,000	70
７日	７０１工事で消費		60
10日	購入	12,500	50
15日	６０２工事で消費		70
18日	戻り		10
21日	購入	13,000	50
25日	７０２工事で消費		60
31日	月末在庫		20

（注１）11日に10日購入分として，￥25,000の値引を受けた。

（注２）18日の戻りは７日出庫分である。戻りは出庫の取り消しとして処理し，戻り材料は次回の出庫のとき最初に出庫させること。

（注３）棚卸減耗は発生しなかった。

⑵　乙材料は仮設工事用の資材で，工事原価への算入はすくい出し法により処理している。当月の工事別関係資料は次のとおりである。

（単位：円）

工事番号	５０１	６０２	７０１	７０２
当月仮設資材投入額	（注）	36,000	45,900	40,400
仮設工事完了時評価額	10,100	11,500	17,300	（仮設工事未了）

（注）５０１工事の仮設工事は前月までに完了し，その資材投入額は前月末の未成工事支出金に含まれている。

4．当月の労務費に関する資料

当社では，重機械のオペレーターとして月給制の従業員を雇用している。基本給および基本手当については，原則として工事作業に従事した日数によって実際発生額を配賦している。ただし，特定の工事に関することが判明している残業手当は，当該工事原価に算入する。当月の関係資料は次のとおりである。

⑴　支払賃金（基本給および基本手当　対象期間６月25日～７月24日）　￥805,000

⑵　残業手当（６０２工事　対象期間７月25日～７月31日）　￥26,000

⑶　前月末未払賃金計上額　￥111,800

⑷　当月末未払賃金要計上額（ただし残業手当を除く）　￥94,300

⑸　工事従事日数

（単位：日）

工事番号	５０１	６０２	７０１	７０２	合　計
工事従事日数	3	7	9	6	25

3⑴　18日の戻りは出庫の取り消しとして処理するため，当該工事の材料費から差し引く。

5．当月の外注費に関する資料
当社の外注工事には，資材購入や重機械工事を含むもの（一般外注）と労務提供を主体とするもの（労務外注）がある。当月の工事別の実際発生額は次のとおりである。

（単位：円）

工事番号	501	602	701	702	合　計
一般外注	26,500	97,100	155,900	65,900	345,400
労務外注	18,000	77,200	127,000	49,000	271,200

（注）労務外注費は，完成工事原価報告書においては労務費に含めて記載することとしている。

6．当月の経費に関する資料
(1)　直接経費の内訳

（単位：円）

工事番号	501	602	701	702	合　計
動力用水光熱費	5,000	5,700	9,400	11,300	31,400
労務管理費	2,000	4,200	6,100	9,400	21,700
従業員給料手当	9,900	18,800	25,800	35,100	89,600
法定福利費	1,100	4,050	4,000	5,550	14,700
福利厚生費	2,500	4,300	6,060	6,800	19,660
事務用品費	800	2,200	2,100	4,800	9,900
計	21,300	39,250	53,460	72,950	186,960

（注）経費に含まれる人件費の計算において，退職金および退職給付引当金繰入額は考慮しない。

(2)　役員であるＳ氏は一般管理業務に携わるとともに，施工管理技術者の資格で現場管理業務も兼務している。役員報酬のうち，担当した当該業務に係る分は，従事時間数により工事原価に算入している。また，工事原価と一般管理費の業務との間には等価係数を設定している。関係資料は次のとおりである。

(a)　Ｓ氏の当月役員報酬額　￥672,000

(b)　施工管理業務の従事時間

（単位：時間）

工事番号	501	602	701	702	合　計
従事時間	8	20	12	20	60

(c)　役員としての一般管理業務は120時間であった。

(d)　業務間の等価係数（業務１時間当たり）は次のとおりである。

施工管理　1.2　　一般管理　1.0

(3)　工事に利用する重機械に関係する費用（重機械部門費）は，固定予算方式によって予定配賦している。当月の関係資料は次のとおりである。

(a)　固定予算（月間換算）

基準重機械運転時間　180 時間　　その固定予算額　￥234,000

6(1)　直接経費のうち人件費に該当するものは３つ。

6(2)　施工管理業務の単価は，一般管理業務の単価の1.2倍となるように計算する。

(b) 工事別の使用実績

（単位：時間）

工事番号	５０１	６０２	７０１	７０２	合　計
従事時間	19	60	55	50	184

(c) 重機械部門費の当月実際発生額　￥246,000

(d) 重機械部門費はすべて人件費を含まない経費である。

建設業経理士 1級 原価計算 最新問題（第35回）

Q 第1問

次の問に解答しなさい。各問ともに指定した字数以内で記入すること。　　（20点）

〈標準時間〉
20分

問１　工事間接費（現場共通費）の具体的な内容について説明しなさい。（300字）
問２　社内センター制度の意義について説明しなさい。（200字）

ヒント

問１　工事間接費（現場共通費）は工事直接費（現場個別費）と対になる概念。工事別原価計算において，特定の工事に対していくらかかったのかを明らかにすることが困難なもの。

問２　社内センター制度を採用することで，複数の工事で共用する車両や仮設資材に関するコストの配賦計算が適切に行えるようになる。

Q 第2問

次の文章の［　　］に入れるべき最も適当な用語を下記の〈用語群〉の中から選び，その記号（ア～ナ）を解答用紙の所定の欄に記入しなさい。　　（10点）

〈標準時間〉
10分

1．工事原価を材料費，労務費，外注費および経費に区分して把握する方式を［ 1 ］分類といい，作業内容（工種）によって整理・把握される方式を［ 2 ］分類という。このうち，［ 2 ］分類においては，工事原価をまず，［ 3 ］と［ 4 ］に区分する。

2．大型クレーンなど重機械の損料を計算する場合には，その原価要素を変動費と固定費に区分して，前者をもとに［ 5 ］1時間当たり損料を，後者をもとに［ 6 ］1日当たり損料を計算する。

3．間接費をできる限りその発生と関係の深い［ 7 ］に結び付けて割り当てようとする原価計算方法をABCと呼んでいる。

4．VE（価値工学）においては，価値を［ 8 ］÷［ 9 ］と定義する。原価低減のツールとしてのVEの果たす役割は，建設業界においても大きい。

5．品質原価計算における品質の概念には，通常，設計品質と［ 10 ］がある。このうち後者は建設業の施工品質を意味している。

〈用語群〉

ア	発生源泉別	イ	機能	ウ	効用	エ	経営品質
オ	活動	カ	成果	キ	供用	ク	作業機能別
コ	発生形態別	サ	管理可能性	シ	直接工事費	ス	現場経費(現場管理費)
セ	運転	ソ	共通仮設費	タ	価格	チ	純工事費
ト	適合品質	ナ	コスト				

1．工種別に原価を分類する際は，まず建設作業に対して直接的に費やす工事費や仮設費と，それ以外の現場管理等に費やす原価に分類する。

2．損料計算において，変動費は機材等を使用した分に応じて，固定費は各工事現場に何日置いていたかに応じて損料を計算する。

5．設計品質とは設計が顧客のニーズに合致しているかという意味での品質を指すが，品質原価計算では設計品質ではなく，設計どおりに建設できたかを問題にする品質に関係するコストを重点的に考えていく。

Q 第3問

S建設株式会社が竣工したA工事に関する次の〈資料〉に基づいて，各年度末から完成までに要する工事原価の見積額はいくらであったかを計算し，解答用紙の所定の欄に記入しなさい。なお，計算の過程で端数が生じた場合は，計算途中では四捨五入せず，最終数値の千円未満を四捨五入すること。（16点）

〈標準時間〉15分

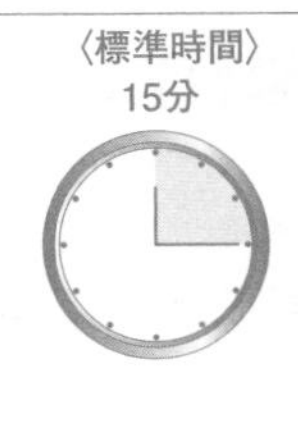

〈資料〉

1．工事期間　4年
2．工事の契約金額（請負金額）　80,000千円
　なお，工事期間中，契約金額の変更はなかった。
3．当初の工事原価総額　68,000千円
　なお，工事原価の見積額の見直しが各年度末に行われた。
4．実際に発生した工事原価
　　第1年度　20,400千円　　第2年度　14,400千円
　　第3年度　17,400千円　　第4年度　19,000千円
5．収益の認識基準に工事進行基準を採用した。ただし，工事進捗度の計算は原価比例法による。
6．これ（上記5）により計上されたA工事の完成工事高
　　第1年度　24,000千円　　第2年度　16,000千円
　　第3年度　20,000千円　　第4年度　20,000千円

ヒント

各年度の工事進捗度に基づいて完成される完成工事高が与えられていることから，工事進捗度を逆算し，各年度末における見積工事原価総額を推定する。なお，本問は見積もり工事原価総額そのものではなく，“各年度末から完成まで”に要する工事原価の見積額が問われている点に注意する。

Q 第4問

G社では建設資材のR製品を製造・販売している。これまでE１型の設備を用いて生産を行ってきたが，当期末にE１型より高性能で維持費を今までよりも低く抑えられる新型のE２型に設備を切り替えるかどうか検討しているところである。次の〈資料〉に基づいて，下記の設問に答えなさい。なお，計算の過程で端数が生じた場合は，計算途中では四捨五入せず，最終数値の円未満を四捨五入すること。（20点）

〈資料〉

1．設備に関する資料

	E１型	E２型
取得価額	100,000,000円	70,000,000 円
耐用年数	10年	5 年
残存価額	ゼロ	ゼロ

(1)　E１型設備は取得してから当期末で５年経過する。この設備を当期末に売却すると，その売却価額は39,000,000円になる。

(2)　両設備の耐用年数経過時における売却価額は残存価額と同様にゼロとする。

(3)　両設備の減価償却方法は定額法を採用する。

2．E２型設備を導入した場合，操作法の習得に工員の教育・訓練が必要となる。そのため導入時（当期末）にのみ900,000円の現金支出が必要になる。

3．E２型設備の各年度の維持費はE１型設備と比較して10,000,000円低いと見込まれる。

4．E２型設備を導入した場合，保険料および固定資産税の年額合計は，E１型設備と比較して1,500,000円増加すると見込まれる。

5．実効税率は30％である。なお，当社は今後５年間にわたり黒字企業であると見込まれる。

問１　E１型設備およびE２型設備の減価償却によって各期間に発生する法人税節約額（１年分）を求めなさい。

問２　E１型設備を当期末で売却する際に生じる法人税節約額を求めなさい。

問３　E２型設備の導入時（当期末）および次年度以降の各年度における差額キャッシュ・フローを計算しなさい。ここでいう差額キャッシュ・フローとは，E１型設備をそのまま用いる案を基準とした場合のE２型設備を導入する案の差額キャッシュ・フローである。この金額がプラスの場合は「A」，マイナスの場合は「B」を解答用紙の所定の欄に記入し，金額欄に符号は付けないこと。

問４　E２型設備を導入する場合にいくら有利または不利になるかについて，当期末を計算開始時点とした正味現在価値法によって判定しなさい。有利の場合は「A」，不利の場合は「B」を解答用紙の所定の欄に記入すること。ただし，各年度のキャッシュ・フローは年度末に生じるものとする。また，税引後資本コスト率を10％とし，計算にあたっては次の複利現価係数を用いること。

	1年	2年	3年	4年	5年
10%	0.9091	0.8264	0.7513	0.6830	0.6209

実効税率が資料に与えられているときは，税金の影響を考慮する。

簿価とは異なる金額で設備を売却すると売却損益が生じる。売却損が生じると，法人税の支払額が減少する。

問２　当期末に売却すると39,000,000円で売却できるE１型設備の当期末の簿価を計算すると，売却損が計算できる。

問３　E２設備を導入する案の場合，当期末においてE２設備購入に伴う支出のほか，E１型設備の売却収入，E１型設備の売却損計上に伴う法人税節約額，工員の教育・訓練支出（費用）が生じる。また，E２型設備に切り替えることで削減される維持費や，増加する保険料や固定資産税は費用として計上されるので，税金の影響を考慮する。

Q 第5問

下記の〈資料〉は，X建設工業株式会社（当会計期間：20×1年4月1日～20×2年3月31日）における20×1年9月の工事原価計算関係資料である。次の設問に解答しなさい。月次で発生する原価差異は，そのまま翌月に繰り越す処理をしている。なお，計算の過程で端数が生じた場合は，計算途中では四捨五入せず，最終数値の円未満を四捨五入すること。（34点）

〈標準時間〉
25分

問1　当月の完成工事原価報告書を作成しなさい。ただし，収益の認識は工事完成基準を採用すること。

問2　当月末における未成工事支出金の勘定残高を計算しなさい。

問3　次の配賦差異について，当月末の勘定残高を計算しなさい。なお，それらの差異については，借方残高の場合は「A」，貸方残高の場合は「B」を解答用紙の所定の欄に記入すること。
　①　運搬車両部門費予算差異　　②　運搬車両部門費操業度差異

〈資料〉

1．当月の工事の状況

工事番号	着工	竣工
0 5 2	20×1年5月	20×1年9月
0 7 3	20×1年7月	20×1年9月
0 9 1	20×1年9月	（未完成）
0 9 2	20×1年9月	20×1年9月

2．月初における前月繰越金額

(1)　月初未成工事原価の内訳

（単位：円）

工事番号	材料費	労務費	外注費	経費（人件費）	合計
0 5 2	188,000	126,300	199,500	49,200（29,900）	563,000
0 7 3	77,500	46,600	71,500	30,500（14,400）	226,100

（注）（　　）の数値は，当該費目の内書の金額である。

(2)　配賦差異の残高

運搬車両部門費予算差異　　2,200円（貸方残高）
運搬車両部門費操業度差異　3,500円（貸方残高）

3．当月の材料費に関する資料

(1)　甲材料は常備材料で，材料元帳を作成して実際消費額を計算している。消費単価の計算については先入先出法を採用している。当月の受払いに関する資料は次のとおりである。

日　付	摘　要	数量（個）	単価（円）
9月1日	前月繰越	50 30	10,000（先に購入） 11,000（後から購入）
5日	購入	100	12,000
8日	０７３工事へ払出し	70	
15日	０９１工事へ払出し	90	
18日	戻り	10	
20日	購入	100	13,000
25日	０９２工事へ払出し	70	

（注１）18日の戻りは８日出庫分である。戻りは出庫の取り消しとして処理し，戻り材料は次回の出庫のとき最初に出庫させること。

（注２）棚卸減耗は発生しなかった。

(2)　乙材料は仮設工事用の資材で，工事原価への算入はすくい出し法により処理している。当月の工事別関係資料は次のとおりである。

（単位：円）

工事番号	０５２	０７３	０９１	０９２
当月仮設資材投入額	（注）	45,500	45,100	40,800
仮設工事完了時評価額	10,600	9,500	（仮設工事未了）	26,600

（注）０５２工事の仮設工事は前月までに完了し，その資材投入額は前月末の未成工事支出金に含まれている。

4．当月の労務費に関する資料

当社では，L作業について常雇作業員による専門工事を実施している。工事原価の計算には予定賃率（１時間当たり2,500円）を使用している。当月の実際作業時間は次のとおりである。

（単位：時間）

工事番号	０５２	０７３	０９１	０９２	合計
L作業時間	20	25	45	14	104

3(1)　18日の戻りは８日の073工事への出庫の取り消しとして処理するため，当該工事の材料費から差し引く。

5．当月の外注費に関する資料

当社の外注工事には，資材購入や重機械の提供を含むもの（一般外注）と労務提供を主体とするもの（労務外注）がある。工事別の当月実際発生額は次のとおりである。

（単位：円）

工事番号	052	073	091	092	合計
一般外注	78,200	101,000	282,000	88,000	549,200
労務外注	149,200	209,800	279,700	155,000	793,700

（注）労務外注費は，月次の完成工事原価報告書の作成に当たっては，そのまま外注費として計上する。

6．当月の経費に関する資料

(1) 直接経費の内訳は次のとおりである。

（単位：円）

工事番号	052	073	091	092	合計
従業員給料手当	65,800	110,500	106,700	48,400	331,400
労務管理費	47,700	88,800	89,000	41,200	266,700
法定福利費	7,300	12,900	16,500	7,900	44,600
福利厚生費	7,700	22,200	30,900	9,250	70,050
雑費他	20,900	29,800	44,500	23,300	118,500
計	149,400	264,200	287,600	130,050	831,250

（注）経費に含まれる人件費の計算において，退職金および退職給付引当金繰入額は考慮しない。

(2) 役員であるQ氏は一般管理業務に携わるとともに，施工管理技術者の資格で現場管理業務も兼務している。役員報酬のうち，担当した当該業務に係る分は，従事時間数により工事原価に算入している。また，工事原価と一般管理費の業務との間には等価係数を設定している。関係資料は次のとおりである。

(a) Q氏の当月役員報酬額 745,800円

(b) 施工管理業務の従事時間

（単位：時間）

工事番号	052	073	091	092	合計
従事時間	30	30	45	25	130

(c) 役員としての一般管理業務は70時間であった。

(d) 業務間の等価係数（業務1時間当たり）は次のとおりである。

施工管理 1.2　　一般管理 1.0

(3) 当社の常雇作業員によるL作業に関係する経費を運搬車両部門費として，次の(a)の変動予算方式で計算する予定配賦率によって工事原価に算入している。関係資料は次のとおりである。

(a) 当会計期間について設定された変動予算の基準数値

基準運転時間　L労務作業　年間　1,200時間

変動費率（1時間当たり）　400円　　固定費（年額）　1,020,000円

(b) 当月の運搬車両部門費の実際発生額は132,500円であった。

6(1) 直接経費のうち人件費に該当するものは3つ。

6(2) 施工管理業務の単価は，一般管理業務の単価の1.2倍となるように計算する。

(c) 月次で許容される予算額の計算
　ア．固定費　　月割経費とする。固定費から予算差異は生じていない。
　イ．変動費　　実際時間に基づく予算額を計算する。
(d) 運搬車両部門費はすべて人件費を含まない経費である。

コラム **必然的な偶然**

『必然的な偶然』という話をしましょう。

実は、幸運にも合格した人は口を揃えてこう言います。

『いやー、たまたま前の日に見たところが出てねー、それができたから…』とか、『いやー、たまたま行く途中に見たところが出てねー、それができたから…』と、いかにも偶然に運がよかったかのように。

しかし、私から見るとそれは偶然ではなく、必然です。前の日に勉強しなかったら、試験会場に行く途中に勉強しなかったら、その幸運は起こらなかったのですから。

つまり、最後まで諦めなかった人だけが最後の幸運を手にできる必然性があるということだと思います。

みなさんも諦めずに、最後まで可能性を追求してくださいね。

第３部　解答・解説

この解答例は，ネットスクールで作成したものです。

解答・解説（建設業経理士 第32回）

第1問

解答 解答にあたっては，各問とも指定した字数以内（句読点を含む）で記入すること。

問1

第1のステップは費目別原価計算である。これは，一定
期間における原価要素を費目別に分類測定する手続きで
ある。☆第2のステップは部門別原価計算である。これは
，費目別原価計算において把握された原価要素を，原価
部門別に分類集計する手続きである。☆第3のステップは
工事別原価計算である。これは，原価要素を一定の工事
単位に集計し，単位たる工事別原価を算定する手続きで
ある。☆☆なお，経営規模の小さい企業では部門別原価計算
を省略し，費目別原価計算で把握された間接費を適当な
配賦基準によって，各工事に配賦することもある。☆

問2

標準原価には，状況や環境の変化に応じて改訂していく
場合と，ひとたび設定した後は，これを指数的に固定化
して使用する場合があり，前者を当座標準原価，後者を
基準標準原価という。☆☆当座標準原価は，作業条件の変化
や価格要素の変動を考慮して，毎期その改訂を検討して
いく標準原価であるため，☆原価管理目的ばかりでなく，
棚卸資産評価や売上原価算定のためにも利用し得るもの
である。☆一方の基準標準原価は，経営の基本構造に変化
がない限り改訂しないものであるため，一定水準とのす
う勢的な比較を目的としたものである。☆

予想採点基準

☆の前の文の内容が正解で加点

☆…2点×10＝20点

解　説

問１　実際原価計算制度の３つの計算ステップ

実際原価計算制度では，以下の３つのステップに従って工事（製品）別の実際原価が集計されます。

原価の費目別計算 → 原価の部門別計算 → 工事別原価計算

それぞれの役割は次の通りです。

1．原価の費目別計算

一定期間における原価要素を費目別に分類・測定する手続きです。財務会計における費用計算であると同時に，原価計算における最初の計算手続きとなります。

2．原価の部門別計算

費目別計算において把握された原価要素（特に製造間接費）を，原価部門別に分類・集計する手続きです。

3．工事別原価計算

原価要素を一定の工事（製品）単位に集計し，集計単位である工事（製品）別の実際原価を算定する手続きです。

なお，小規模な企業などで必要性に乏しい場合は，部門別計算を省略することもあります。

テキスト参照ページ

問１　⇒　P．1-12

問２　改訂の頻度に基づく標準原価の種類

標準原価は，設定された後の作業条件や経済環境の変化に基づいて改訂をどのように考えるのかによって，大きく２つの種類に分類されます。

当座標準原価	作業条件の変化や材料などの価格水準の変動を考慮し，毎期改訂を検討していく標準原価。差異分析を通じて作業能率などの向上を図る原価管理目的のほか，財務諸表作成目的の観点でもその時々の条件が反映されるため適しているとされる。
基準標準原価	経営の基本構造に変化がない限り，作業条件の変化や価格水準の変動があっても改訂しない標準原価。長期的な趨勢の変化を把握するのに適しているとされる。

第2問

解答

記号（ア～タ）

1	2	3	4	5
キ	オ	サ	ク	ソ
☆	☆	☆	☆	☆

予想採点基準
☆… 2 点× 5 ＝10点

解説

文中の空欄に正しい語句の穴埋めを行うと次のようになります。

⑴　補助部門の**施工部門化**とは，補助経営部門が相当の規模になった場合に，これを独立した経営単位とし，部門別計算上，施工部門として扱うことと解釈される。
⑵　間接費の配賦に際して，数年という景気の１循環期間にわたってキャパシティ・コストを平均的に吸収させようとする考えで選択された操業水準を**長期正常操業度**という。
⑶　経費のうち，従業員給料手当，退職金，**法定福利費**および福利厚生費を人件費という。
⑷　個別原価計算における間接費は，原則として，**予定配賦**率をもって各指図書に配賦する。
⑸　補助部門費の施工部門への配賦方法のうち，補助部門間のサービスの授受を計算上すべて無視して配賦計算を行う方法を**直接配賦法**という。

ここに！注意

2．数年単位の変動を平均的に吸収するには，長期にわたる操業水準を平均したものを用いる必要がある。
4．個別原価計算では，完成した製品（工事）の原価を迅速に計算する要請などから，予定配賦率を用いることが原則となっている。

テキスト参照ページ

1　⇒　P．1-51
2　⇒　P．1-39
3　⇒　P．1-74
5　⇒　P．1-49

第3問

解答

問1

運転1時間当たり損料額　¥ 4150　☆★

供用1日当たり損料額　¥ 20200　☆★

問2

M現場への配賦額　¥ 143050　☆

N現場への配賦額　¥ 483100　☆

問3　¥ 168150　☆　記号（AまたはB）B　☆

予想採点基準
☆… 2点×6 =12点
★… 1点×2 = 2点
合計 14点

解説

問1　大型クレーンの運転1時間当たり損料額と供用1日当たり損料額

(1)　運転1時間当たり損料額

$$\text{運転1時間あたり損料額} = \frac{\text{年間減価償却費} \times 1/2 + \text{年間修繕費}}{\text{年間標準運転時間}}$$

① 年間減価償却費
減価償却費：32,000,000円(取得価額) ×90%(償却費率) ÷ 8年＝3,600,000円

② 年間管理費
修　繕　費：(6,300,000円＋12,500,000円) *÷ 8年＝2,350,000円
＊修繕費予算1～3年度：2,100,000円× 3年＝ 6,300,000円
　修繕費予算4～8年度：2,500,000円× 5年＝12,500,000円

③ 運転1時間当たり損料額

$$\frac{3{,}600{,}000\text{円} \times 1/2 + 2{,}350{,}000\text{円}}{1{,}000\text{時間}} = \text{@4,150円}$$

(2)　供用1日当たり損料額

$$\text{供用1日当たり損料額} = \frac{\text{年間減価償却費} \times 1/2 + \text{年間管理費}}{\text{年間標準供用日数}}$$

① 年間減価償却費
減価償却費：32,000,000円(取得価額) ×90%(償却費率) ÷ 8年＝3,600,000円

② 年間管理費
管　理　費：32,000,000円× 7 %(管理費率) ＝2,240,000円

ここに！注意

問1の問題文より，減価償却費の半額ずつをそれぞれに組み入れる。

ここに！注意

修繕費は，各年平均化するものとして計算する。

③ 供用１日当たり損料額

$$\frac{3,600,000円 \times 1/2 + 2,240,000円}{200日} = @20,200円$$

問２ M現場とN現場への配賦額

(1) M現場への配賦額

@4,150円×15時間＋@20,200円×４日＝**143,050円**

(2) N現場への配賦額

@4,150円×58時間＋@20,200円×12日＝**483,100円**

問３ 損料差異の計算

(1) 予定配賦額

143,050円（M現場予定配賦額）＋483,100円（N現場予定配賦額）＋118,700円*（その他の現場予定配賦額）＝744,850円

＊その他の現場予定配賦額：@4,150円×14時間＋@20,200円×３日＝118,700円

(2) 実績額

210,500円（管理費）＋402,500円（修繕費）＋300,000円*（減価償却費）＝913,000円

＊減価償却費：32,000,000円×90％÷８年÷12か月＝300,000円

(3) 損料差異

744,850円（予定配賦額）－913,000円（実績額）＝△168,150円（不利差異）

…**168,150円（B）**

ここに！注意

減価償却費は月割経費なので，１か月あたりの減価償却費を計算する。

テキスト参照ページ

⇒ P. 1-82

第4問

解答

問１　1367500 千円　☆☆

問２　3.7 年　☆☆

問３　15 ％　☆☆

問４　183782 千円　☆☆

問５　4.8 年　☆☆

予想採点基準
☆… ２点×10＝20点

解説

問１　差額キャッシュ・フロー

営業利益が与えられているため，税引後の営業利益を計算し，その金額に非現金支出費用（減価償却費）を加算することにより，１年間の差額キャッシュ・フロー（以下，差額ＣＦとする）を計算します。

減価償却費：5,000,000千円（設備Ｎの購入原価）÷５年＝1,000,000千円

差額ＣＦ：525,000千円（営業利益）×（１－30％（実効税率））＋1,000,000千円
＝**1,367,500千円**

問２　回収期間法

5,000,000千円÷1,367,500千円（年間の差額ＣＦ）＝3.65…→**3.7年**

問３　単純投資利益率法（会計的利益率法）

次の算式により，各投資案の利益率を計算します。

$$\text{投資利益率}=\frac{\text{（各年度の差額ＣＦの合計－投資額）÷投資期間}}{\text{投資額÷２}}\times 100(\%)$$

$$\frac{(1{,}367{,}500\text{千円}\times 5\text{年}-5{,}000{,}000\text{千円})\div 5\text{年}}{5{,}000{,}000\text{千円}\div 2}\times 100=14.7\rightarrow=\mathbf{15\%}$$

問４　正味現在価値法

1,367,500千円×3.7907（年金現価係数10％）－5,000,000千円
＝183,782.25→**183,782千円**

ここに！注意

冒頭の問題文の指示により，すべての設問について税金の影響を考慮する。

ここに！注意

問題の指示により，分母を平均投資額とする。

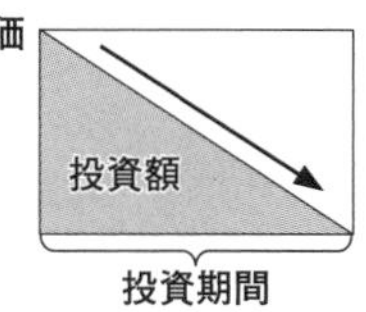

問５　割引回収期間法

各年度の時間価値を考慮した差額ＣＦは次の通りです。

年度	時間価値を考慮した差額ＣＦ	各年度末の差額ＣＦ累計額
１年度	1,367,500千円×0.9091＝1,243,194.25千円	1,243,194.25千円
２年度	1,367,500千円×0.8264＝1,130,102千円	2,373,296.25千円
３年度	1,367,500千円×0.7513＝1,027,402.75千円	3,400,699千円
４年度	1,367,500千円×0.6830＝934,002.5千円	4,334,701.5千円
５年度	1,367,500千円×0.6209＝849,080.75千円	5,183,782.25千円

上記により，設備Ｎの購入原価5,000,000千円を回収できるのは，４年度と５年度の間です。

そこで，補完法により回収期間を計算します。

$$4\text{年}+\frac{5{,}000{,}000\text{千円}-4{,}334{,}701.5\text{千円}}{849{,}080.75\text{千円}}=4.78\cdots\rightarrow \mathbf{4.8年}$$

ここに！注意

金額の端数は最終の解答数値の段階で千円未満を切り捨てるため，途中段階ではそのまま計算する。

テキスト参照ページ

⇒　P．1-136～

第5問

解 答

問１　走行距離１km当たり車両費予定配賦率

車両Ｆ　820 円/km　☆

車両G　760 円/km　☆

問２

工事原価計算表

20×7年７月　（単位：円）

工事番号	781	782	783	784	合計
月初未成工事原価	273010	☆ 142280	—	—	415290
当月発生工事原価					
1．材料費					
(1)A仮設資材費	0	25020	☆ 15920	38200	79140
(2)B引当材料費	☆ 69010	144200	151410	204970	569590
［材料費計］	69010	169220	167330	243170	648730
2．労務費	76100	144110	147010	☆ 116850	484070
（うち労務外注費）	24100	☆ 58310	48210	28450	159070
3．外注費	47109	69880	☆ 195200	111900	424089
4．経費					
(1)車両部門費	☆ 4620	21940	37980	33880	98420
(2)重機械部門費	13020	21483	24738	☆ 22134	81375
(3)出張所経費配賦額	☆ 14500	29000	34800	20300	98600
［経費計］	32140	72423	97518	76314	278395
当月完成工事原価	497369	597913	607058	—	1702340
月末未成工事原価	—	—	—	☆ 548234	548234

問３

①	材料副費配賦差異	¥ 2110	☆	記号（ＡまたはＢ）	A	☆
②	労務費賃率差異	¥ 8300	☆	記号（　同　上　）	B	☆
③	重機械部門費操業度差異	¥ 2175	☆	記号（　同　上　）	B	☆

予想採点基準
☆…２点×18＝36点

解説

解く順番に決まりはありませんが，解説の都合により，問２から解説します。

問２　工事原価計算表の作成

１．月初未成工事原価

〈資料〉２．に基づいて金額を記入します。ただし，工事番号781の材料費については，仮設工事用の資材であるＡ材料の完了時評価額が含まれているため，これを控除します。

月初未成工事原価（781）：285,610円－12,600円（評価額）＝273,010円

２．材料費

(1)　Ａ材料費

781工事：なし
782工事：37,680円－12,660円＝25,020円
783工事：41,390円－25,470円＝15,920円
784工事：38,200円

ここに！注意

すくい出し法（Ａ材料）では，仮設材料使用開始時点で購入金額を工事原価として処理し，工事完了時点で評価金額を工事原価から控除する。

(2)　Ｂ材料費

問題文に「購入時に３％の材料副費を予定配賦して工事別の購入原価を決定している」とあることから，引当購入額に３％加算した金額を材料費とします。

781工事：　67,000円×1.03＝　69,010円
782工事：140,000円×1.03＝144,200円
783工事：147,000円×1.03＝151,410円
784工事：199,000円×1.03＝204,970円

３．労務費

〈資料〉５．に，「労務外注費について，月次の工事原価計算表においても，建設業法施行規則に従って表記することとしている」と示されています。解答用紙から，労務外注費は労務費に含まれることが分かります。

(1)　労務費

労務費計算は予定平均賃率法を採用しているので，予定賃率×労務作業時間で労務費を計算します。

781工事：@2,600円×20時間＝52,000円
782工事：@2,600円×33時間＝85,800円
783工事：@2,600円×38時間＝98,800円
784工事：@2,600円×34時間＝88,400円

(2) 労務外注費

〈資料〉５．労務外注の金額をそのまま使用します。

(3) 労務費と労務外注費の合計

工事原価計算表の労務費には，労務費と労務外注費の合計を計上します。

781工事：52,000円＋24,100円＝ 76,100円
782工事：85,800円＋58,310円＝144,110円
783工事：98,800円＋48,210円＝147,010円
784工事：88,400円＋28,450円＝116,850円

４．外注費

〈資料〉５．一般外注の金額をそのまま使用します。

５．経費

(1) 車両部門費

車両部門費は，車両別の同一の配賦率（車両費予定配賦率）を使用して，各工事に予定配賦します。

① 車両共通費の配賦

車両費予定配賦率を算定するためには，車両共通費を各車両に配賦する必要があります。

油脂関係費の配賦額（配賦基準…予定走行距離）

車両Ｆ：183,000円×$\frac{680}{680+820}$＝ 82,960円

車両Ｇ：183,000円×$\frac{820}{680+820}$＝100,040円

消耗品費の配賦額（配賦基準…車両重量×台数）

車両Ｆ：126,000円×$\frac{16}{16+12}$＝72,000円

車両Ｇ：126,000円×$\frac{12}{16+12}$＝54,000円

福利厚生費の配賦額（配賦基準…運転者人員）

車両Ｆ：97,300円×$\frac{3}{3+4}$＝41,700円

車両Ｇ：97,300円×$\frac{4}{3+4}$＝55,600円

雑費の配賦額（配賦基準…減価償却費）

$$車両F：66,000円 \times \frac{125,000}{125,000+139,000} = 31,250円$$

$$車両G：66,000円 \times \frac{139,000}{125,000+139,000} = 34,750円$$

② 車両費予定配賦率の算定

車両個別費と各車両に配賦された車両共通費の合計を，予定走行距離で割って車両費予定配賦率を算定します。

車両個別費合計

車両F：125,000円（減価償却費）＋68,000円（修繕管理費）＋101,000円（燃料費）＋35,690円（税・保険料）＝329,690円

車両G：139,000円（減価償却費）＋72,000円（修繕管理費）＋123,000円（燃料費）＋44,810円（税・保険料）＝378,810円

各車両に配賦された車両共通費の合計

車両F：82,960円（油脂関係費）＋72,000円（消耗品費）＋41,700円（福利厚生費）＋31,250円（雑費）＝227,910円

車両G：100,040円（油脂関係費）＋54,000円（消耗品費）＋55,600円（福利厚生費）＋34,750円（雑費）＝244,390円

車両費予定配賦率

車両F：（329,690円（車両個別費）＋227,910円（車両共通費））÷680km＝@820円
車両G：（378,810円（車両個別費）＋244,390円（車両共通費））÷820km＝@760円

③ 各工事への配賦額

算定した車両費予定配賦率を使用し，各工事へ予定配賦します。

車両F
781工事：@820円×1km＝820円
782工事：@820円×11km＝9,020円
783工事：@820円×25km＝20,500円
784工事：@820円×20km＝16,400円

車両G
781工事：@760円×5km＝3,800円
782工事：@760円×17km＝12,920円
783工事：@760円×23km＝17,480円
784工事：@760円×23km＝17,480円

④ 工事原価計算表への記入

車両Fと車両Gの予定配賦額の合計を，工事原価計算表に記入します。
781工事：820円＋3,800円＝4,620円
782工事：9,020円＋12,920円＝21,940円
783工事：20,500円＋17,480円＝37,980円
784工事：16,400円＋17,480円＝33,880円

(2) 重機械部門費

重機械部門費はＣ作業に関係する経費であることから，〈資料〉４．の労務作業時間に基づいて，各工事に対して予定配賦します。

固定費率：56,550円÷130時間＝@435円

予定配賦率：@216円（変動費率）＋@435円＝@651円

781工事：@651円×20時間＝13,020円
782工事：@651円×33時間＝21,483円
783工事：@651円×38時間＝24,738円
784工事：@651円×34時間＝22,134円

(3) その他の工事経費

〈資料〉６．(3)に示されている出張所経費について，工事規模等を勘案した係数によって各工事へ配賦します。

配賦率：98,600円÷170＝@580円

781工事：@580円×25＝14,500円
782工事：@580円×50＝29,000円
783工事：@580円×60＝34,800円
784工事：@580円×35＝20,300円

問１　走行距離１km当たり車両費予定配賦率の計算

上記５．経費(1)②で計算した車両費予定配賦率が解答です。

車両Ｆ… **820円/km**
車両Ｇ… **760円/km**

問３　原価差異の当月発生額の計算

(1)　材料副費配賦差異

553,000円×３％（予定配賦額）－14,480円（実際発生額）
＝2,110円（有利差異）… **2,110円（A）**

(2)　労務費賃率差異

@2,600円×125時間（予定配賦額）－333,300円（実際発生額）
＝△8,300円（不利差異）… **8,300円（B）**

(3)　重機械部門費操業度差異

@435円×(125時間（実際作業時間）－130時間（基準作業時間）)
＝△2,175円（不利差異）… **2,175円（B）**

テキスト参照ページ
⇒　P．1-73

解答・解説（建設業経理士 第33回）

第1問

解答 解答にあたっては，各問とも指定した字数以内（句読点を含む）で記入すること。

問1

事前原価とは行為の開始される前に測定される原価であり，☆1つには注文獲得や契約価格設定のために算定される見積原価がある。これは建設業独特の積算と関係の深いものであるが，一種の原価調査の結果であるため，原価計算制度との結びつきはない。☆この他の事前原価に現実の企業行動を想定して算定される予算原価と，☆原価能率の増進のために基準値として設定される標準原価があるが，☆これらは予算管理制度または原価管理制度としてシステム化されることが有効であるから，一般的には原価計算制度たる原価概念として機能する。☆

問2

工事間接費の配賦に予定配賦法を用いることの意義の1つに，計算の迅速性の確保がある。☆実際配賦法では，工事間接費の実際発生額を把握してからでないと配賦計算が行えないが，☆予定配賦法でその問題が克服できる。予定配賦法を用いる意義のもう1つは配賦の正常性の確保である。☆建設業の工事間接費は操業度の変動にほとんど影響されることがない固定費部分が多く，仮に実際配賦法によれば工事の繁忙期と閑散期で配賦額に大きな変動が生じてしまうが，☆予定配賦法では1年間を通して共通する配賦率を用いるので，その問題も克服できる。☆

予想採点基準

☆の前の文の内容が正解で加点

☆… 2 点×10＝20点

解　説

問１　事前原価の種類

事前原価とは工事の開始前における原価の測定される原価のことで，これには次の３つがあります。

① 見積原価：注文獲得や契約価額設定のために算定される原価
② 予算原価：工事の確実な採算化のために算定される原価
③ 標準原価：個々の工事の原価能率増進のために，能率の目標値として算定される原価

このうち，①の見積原価は建設業独特の「積算」業務とも関わりの深い原価であり，契約前に行われる一種の原価調査の過程で算出されるものであるため，原価計算制度との関わりはほとんどありません。

これに対し，②の予算原価と③の標準原価は，予算管理制度や原価管理制度といった日々の管理活動に組み込まれることが望ましいため，原価計算制度における原価として機能するものとされています。

テキスト参照ページ
問１　⇒　P．1-110

問２　工事間接費の予定配賦法

工事間接費の配賦計算における予定配賦法とは，来年度（１年間）の工事間接費予算と基準操業度から配賦率を算定し，それにもとづく配賦を行う方法です。一方，工事間接費の実際発生額と実際操業度が判明してから配賦計算を行う方法を実際配賦法と言いますが，一般的には，以下の２つの点において予定配賦法の方が優れていると言われ，そこに予定配賦法を用いる意義があります。

① 迅速性
　予定配賦の場合は，あらかじめ予定配賦率を算定してあるので，期末を待たずに間接費を配賦することができ，実際配賦に比べて工事にさいしてかかった費用を迅速に計算することができます。

② 正常性
　異常な要素を含まない配賦率を使用することにより，配賦の正常性を確保することができます。

なお，このほかに，予定配賦法で生じる配賦差異を分析することで原価管理に役立てることができるという点も，予定配賦法を用いることの意義に含めることも考えられます。

テキスト参照ページ
問２　⇒　P．1-36

第2問

解答

記号（ア～ス）

1	2	3	4	5
ウ	ア	サ	キ	ス
☆	☆	☆	☆	☆

予想採点基準

☆… 2 点× 5 ＝10点

解説

1．品質コストの分類

品質原価計算における品質コスト（品質原価）は，“予防－評価－失敗アプローチ”により分類されます。

本問の〈資料〉に与えられている項目を分類すると，下記のとおりとなります。

品質コストの種類		内容	本問の場合
品質適合コスト	予防コスト	設計・仕様に合致しない建造物の施工を防ぐために発生するコスト。	建物設計改善費 品質保証教育訓練費
	評価コスト	設計・仕様に合致しない建造物を発見するために発生するコスト。	購入資材受入検査費 建造物自主検査費
品質不適合コスト	内部失敗コスト	施主（発注者）に引き渡す前に発見された欠陥や品質不良を補修するためのコスト。	手直費
	外部失敗コスト	欠陥のある建築物を施主（発注者）に引き渡したために発生するコスト。	苦情処理費 損害賠償費 訴訟費

ここに！注意

品質不適合コストも内部失敗コストと外部失敗コストに分類できるが，本問では品質不適合コストの総額がいくら増減するかだけが問われているため，これ以上細かく分類する必要はない。

2．品質コストの増減額の計算

1．の分類に基づき，現在と1年後の各品質コストの増減額を計算します。

○予防コスト（建物設計改善費，品質保証教育訓練費）

現　在：12,100万円＋1,700万円＝13,800万円

1年後：12,900万円＋2,300万円＝15,200万円

増　減：15,200万円－13,800万円＝1,400万円（増加）

○評価コスト（購入資材受入検査費，建造物自主検査費）

現　在：4,400万円＋6,000万円＝10,400万円

1年後：5,000万円＋6,200万円＝11,200万円

増　減：11,200万円－10,400万円＝800万円（増加）

○品質不適合コスト（苦情処理費，損害賠償費，訴訟費，手直費）
現　在：9,900万円＋4,100万円＋7,800万円＋3,300万円＝25,100万円
１年後：8,100万円＋3,200万円＋7,200万円＋3,200万円＝21,700万円
増　減：21,700万円－25,100万円＝△3,400万円（減少）

以上をもとに，正しい語句・数値の穴埋めを行うと次のようになります。

品質コストは，品質適合コストと品質不適合コストに大別される。このうち品質適合コストはさらに，設計・仕様に合致しない建造物の施工を防ぐために発生するコストである**予防**コストと，設計・仕様に合致しない建造物を発見するために発生するコストである**評価**コストに分類できる。

当社では品質管理活動を充実させることを計画している。〈資料〉によれば，１年後の**予防**コストは，現在の金額に比べて**1,400**万円増加し，１年後の**評価**コストは，現在の金額に比べて**800**万円増加する予定である。一方，１年後の品質不適合コストは，現在の金額に比べて**3,400**万円減少することが見込まれているため，品質管理活動の充実は有益であると考えられる。

テキスト参照ページ
⇒　P．1-123～124

第3問

解　答

問１	直接配賦法	¥ 413400	☆☆☆
問２	階梯式配賦法	¥ 407268	☆☆☆
問３	相互配賦法－連立方程式法	¥ 411120	☆☆☆

予想採点基準
☆… 2 点× 9 ＝18点

解　説

問１　直接配賦法

直接配賦法は，補助部門間相互の用役の授受を無視し，補助部門費を施工部門に対してのみ配賦する方法です。したがって，各補助部門費を第１部門・第２部門のサービス提供割合に基づいて配賦することになります。

運搬部門から第１部門への配賦額：$288{,}000円 \times \dfrac{40\%}{40\% + 50\%} = 128{,}000円$

修繕部門から第１部門への配賦額：$342{,}000円 \times \dfrac{50\%}{50\% + 40\%} = 190{,}000円$

経営管理部門から第１部門への配賦額：$190{,}800円 \times \dfrac{30\%}{30\% + 30\%} = 95{,}400円$

第１部門に配賦される金額の合計：

$128{,}000円 + 190{,}000円 + 95{,}400円 =$ **413,400円**

ここに！注意

第１部門に配賦される金額のみ問われており，第２部門へ配賦される金額の計算は省略した方が効率的に解答できるため，解説でも第２部門への配賦計算は省略している。

なお，補助部門費配賦表を作成すると，次の通りになります。

補助部門費配賦表

	第１部門	第２部門	運搬部門	修繕部門	経営管理部門
第１次集計費	610,000	590,000	288,000	342,000	190,800
運搬部門	128,000	160,000			
修繕部門	190,000	152,000			
経営管理部門	95,400	95,400			
計	1,023,400	997,400			

問２　階梯式配賦法

階梯式配賦法は，低順位の補助部門から高順位の補助部門へのサービスの提供を無視して計算します。

(1)　経営管理部門

第１部門：$190{,}800円 \times \dfrac{30\%}{30\% + 30\% + 30\% + 10\%} = 57{,}240円$

運搬部門：$190{,}800円 \times \dfrac{30\%}{30\% + 30\% + 30\% + 10\%} = 57{,}240円$

修繕部門：$190{,}800円 \times \frac{10\%}{30\% + 30\% + 30\% + 10\%} = 19{,}080円$

(2) **修繕部門**

経営管理部門から配賦された金額を加えた修繕部門費を，第１部門，第２部門，運搬部門へ配賦します。

第１部門：$(342{,}000円 + 19{,}080円) \times \frac{50\%}{50\% + 40\% + 10\%} = 180{,}540円$

運搬部門：$(342{,}000円 + 19{,}080円) \times \frac{10\%}{50\% + 40\% + 10\%} = 36{,}108円$

(3) **運搬部門**

経営管理部門と修繕部門から配賦された金額を加えた運搬部門費を，第１部門と第２部門へ配賦します。

第１部門：$(288{,}000円 + 57{,}240円 + 36{,}108円) \times \frac{40\%}{40\% + 50\%} = 169{,}488円$

第１部門に配賦される金額の合計：

57,240円＋180,540円＋169,488円＝**407,268円**

ここに！注意

運搬部門から修繕部門へのサービス提供割合は無視する。

なお，補助部門費配賦表を作成すると，次の通りになります。

補助部門費配賦表

	第１部門	第２部門	運搬部門	修繕部門	経営管理部門
第１次集計費	610,000	590,000	288,000	342,000	190,800
経営管理部門	57,240	57,240	57,240	19,080	
修繕部門	180,540	144,432	36,108	361,080	
運搬部門	169,488	211,860	381,348		
計	1,017,268	1,003,532			

問３　相互配賦法－連立方程式法

相互配賦法の連立方程式法は，補助部門相互に配賦しあった後の最終的な補助部門費を連立方程式によって算出する方法です。

(1) **連立方程式**

最終的な運搬部門費（他の補助部門からの配賦額を含めた運搬部門費）をＸ，最終的な修繕部門費（他の補助部門からの配賦額を含めた修繕部門費）をＹとして，連立方程式を立てると次のようになります。

$X = 288{,}000円 + \underbrace{0.1Y}_{修繕部門費} + \underbrace{0.3 \times 190{,}800円}_{経営管理部門費}$

$Y = 342{,}000円 + \underbrace{0.1X}_{運搬部門費} + \underbrace{0.1 \times 190{,}800円}_{経営管理部門費}$

この連立方程式を解くと，

Ｘ＝385,200円，Ｙ＝399,600円となります。

⑵ 第１部門への配賦額

上記の連立方程式の解答をもとに，第１部門への配賦額を計算します。

運搬部門から第１部門への配賦額：385,200円×40％＝154,080円

修繕部門から第１部門への配賦額：399,600円×50％＝199,800円

経営管理部門から第１部門への配賦額：190,800円×30％＝57,240円

第１部門に配賦される金額の合計：

154,080円＋199,800円＋57,240円＝**411,120円**

なお，補助部門費配賦表を作成すると，次の通りになります。

補助部門費配賦表

	第１部門	第２部門	運搬部門	修繕部門	経営管理部門
第１次集計費	610,000	590,000	288,000	342,000	190,800
運搬部門	154,080	192,600	△385,200	38,520	—
修繕部門	199,800	159,840	39,960	△399,600	—
経営管理部門	57,240	57,240	57,240	19,080	△190,800
計	1,021,120	999,680	0	0	0

テキスト参照ページ

⇒　P．1-49～52

第4問

解　答

問1	当月の差額原価	37500 円	代替案	2	（1または2）	☆☆☆
問2	当月の差額原価	331500 円	代替案	1	（同　　上）	☆☆
問3	当月の差額原価	147000 円	代替案	1	（同　　上）	☆☆
問4	当月の差額利益	53000 円	代替案	2	（同　　上）	☆☆

予想採点基準
☆… 2点× 9 ＝18点

解　説

問1　材料をすべて新規に購入する場合

材料をすべて新規で購入する必要がある場合，代替案ごとの新たに購入する材料a・bの購入原価のみが関連原価となります。

(1)　代替案1の関連原価

A部品500個を製造するために必要な材料aと，B部品250個を製造するために必要な材料bを購入します。

@1,900円×500個＋@2,050円×250個＝1,462,500円

(2)　代替案2の関連原価

A部品750個を製造するために必要な材料aを購入します。

@1,900円×750個＝1,425,000円

以上より，関連原価が小さい**代替案2**の方が有利となります。

差額原価：1,462,500円－1,425,000円＝**37,500円**

問2　既に保有している材料がある場合

すでに保有している材料の取得原価は，過去の意思決定に基づく過去原価であるため，意思決定上は埋没原価として扱います。

したがって，考慮すべき関連原価は，各代替案で新たに購入すべき材料の取得原価のみとなります。

(1)　代替案1の関連原価

A部品500個を製造するために新たに購入すべき280個分（＝500個－220個）の材料aと，B部品250個を製造するために新たに購入すべき70個分（＝250個－180個）の材料bを購入します。

@1,900円×280個＋@2,050円×70個＝675,500円

(2)　代替案2の関連原価

A部品750個を製造するために新たに購入すべき530個分（＝750個－220個）の材料aを購入します。

@1,900円×530個＝1,007,000円

以上より，関連原価が小さい**代替案1**の方が有利となります。

差額原価：1,007,000円－675,500円＝**331,500円**

ここに！注意

材料a・材料b以外の製造原価の総額と売上高の総額は，代替案1・2ともに同じ金額であるため，意思決定上，考慮する必要はない。

ここに！注意

関連原価は小さい方が有利である。

ここに！注意

関連原価は未来原価であり，かつ，代替案ごとで発生額が異なるものをいう。

問３　保有している材料の一部しか使えない場合

当月末時点で保有しなければならない材料がある場合，部品の製造に使用できる数量は，保有している材料と当月末に保有すべき材料との差になります。

使用できる材料ａ：220個分－160個分＝60個分

使用できる材料ｂ：180個分－90個分＝90個分

⑴　**代替案１の関連原価**

Ａ部品500個を製造するために新たに購入すべき440個分（＝500個－60個）の材料ａと，Ｂ部品250個を製造するために新たに購入すべき160個分（＝250個－90個）の材料ｂを購入します。

@1,900円×440個＋@2,050円×160個＝1,164,000円

⑵　**代替案２の関連原価**

Ａ部品750個を製造するために新たに購入すべき690個分（＝750個－60個）の材料ａを購入します。

@1,900円×690個＝1,311,000円

以上より，関連原価が小さい**代替案１**の方が有利となります。

差額原価：1,311,000円－1,164,000円＝**147,000円**

問４　Ａ部品とＢ部品の販売価格が異なる場合

代替案１・２ともに部品Ａ・Ｂを合計750個販売しますが，部品Ａと部品Ｂで販売価格が異なる場合，代替案によって売上高（収益）も異なるため，意思決定において収益の額も考慮しなければなりません。

なお，材料の在庫に関する情報（条件）は問３と同じであるという仮定から，関連原価は問３の金額を用いて計算します。

代替案１の売上高：@5,300円×500個＋@4,500円×250個＝3,775,000円

代替案２の売上高：@5,300円×750個＝3,975,000円

	代替案１	代替案２
売上高（関連収益）	3,775,000円	3,975,000円
材料費（関連原価）*	1,164,000円	1,311,000円
利　益	2,611,000円	2,664,000円

＊　問３より

以上より，利益が大きい**代替案２**の方が有利となります。

差額利益：2,664,000円－2,611,000円＝**53,000円**

ここに！注意

関連収益と関連原価の差額として計算される利益が大きい代替案の方が有利である。

テキスト参照ページ
⇒　Ｐ．1-130～

第5問

解　答

問１

完成工事原価報告書
自　20×1年10月１日
至　20×1年10月31日

X建設工業株式会社
（単位：円）

Ⅰ．材　料　費	1900500	☆☆
Ⅱ．労　務　費	296000	☆☆
Ⅲ．外　注　費	1093800	☆☆
Ⅳ．経　　　費	997840	☆☆
（うち人件費　652840）☆☆		
完成工事原価	4288140	☆

問２

¥ 2171200 ☆☆

問３

① 運搬車両部門費予算差異　¥ 8600 ☆　記号（AまたはB）A ☆

② 運搬車両部門費操業度差異　¥ 2400 ☆　記号（　同　上　）A ☆

予想採点基準
☆… 2 点×17＝34点

解　説

問１　完成工事原価報告書の作成

１．工事原価計算表の作成

本問では要求されていませんが，工事原価計算表を作成していきます。

（単位：円）

原価要素＼工事番号	032	053	101	102	合　計
月初未成工事原価					
１．材　料　費	192,000	65,600	—	—	257,600
２．労　務　費	111,800	43,800	—	—	155,600
３．外　注　費	177,500	64,300	—	—	241,800
４．経　　　費	53,500	29,000	—	—	82,500
（経費のうち人件費）	（　38,600）	（　16,900）	—	—	（　55,500）
当月発生工事原価					
１．材　料　費					
(1)甲材料費	—	740,000	960,000	860,000	2,560,000
(2)乙材料費	29,100	—	39,700	13,800	82,600
２．労　務　費	33,800	65,000	109,200	41,600	249,600
３．一般外注費	76,600	108,500	279,000	92,000	556,100
４．労務外注費	166,200	228,800	289,500	179,900	864,400
５．経　　　費					
(1)直接経費	152,200	259,600	285,600	126,140	823,540
(2)Q氏報酬	76,800	115,200	153,600	115,200	460,800
(3)運搬車両部門費	16,900	32,500	54,600	20,800	124,800
（経費のうち人件費）	（　158,000）	（　259,200）	（　309,700）	（　180,140）	（　907,040）
当月完成工事原価	1,086,400	1,752,300	—	1,449,440	4,288,140
月末未成工事原価	—	—	2,171,200	—	2,171,200

２．月初未成工事原価

〈資料〉２．(1)に基づいて金額を記入します。ただし，工事番号053の材料費については，仮設工事用の資材である乙材料の完了時評価額が含まれているため，これを控除します。

材料費（053）：76,200円－10,600円(評価額)＝65,600円

3．材料費

⑴　**甲材料費**

先入先出法により工事別の実際消費額を計算します。

甲材料費（先入先出法）

日付	受入	日付	払出	金額	合計
10／1	@10,000円× 50個	10／8	@10,000円×50個	＝500,000円	740,000円 → 053工事
	@12,000円× 30個		@12,000円×20個	＝240,000円	
		／15	@12,000円×10個	＝120,000円	1,100,000円 → 101工事
／5	@14,000円×100個		@14,000円×70個	＝980,000円	
				△140,000円*1	→ 101工事
／18	@15,000円× 50個	／25	@14,000円×10個*2	＝140,000円	860,000円 → 102工事
／20	@14,000円× 10個*1		@14,000円×30個	＝420,000円	
			@15,000円×20個	＝300,000円	

＊1　15日の出庫の一部取り消しとして処理します。
　　（@14,000円×10個＝140,000円）

＊2　上記の20日の戻り材料が最初に出庫されたものとして処理します。

ここに！注意

20日の戻り分は15日に出庫した材料のうち，消費されずに倉庫に戻ってきた分であるため，15日の消費単価を用いる。

⑵　**乙材料費**

032工事：43,700円－14,600円＝29,100円
053工事：なし
101工事：39,700円
102工事：42,900円－29,100円＝13,800円

ここに！注意

すくい出し法（乙材料）では，仮設材料使用開始時点で購入金額を工事原価として処理し，工事完了時点で評価金額を工事原価から控除する。

4．労務費

032工事：@2,600円×13時間＝ 33,800円
053工事：@2,600円×25時間＝ 65,000円
101工事：@2,600円×42時間＝109,200円
102工事：@2,600円×16時間＝ 41,600円

5．一般外注費

〈資料〉5．一般外注の金額をそのまま使用します。

6．労務外注費

〈資料〉5．労務外注の金額をそのまま使用します。

7．経費

⑴　**直接経費**

〈資料〉6．⑴の金額をそのまま使用します。

⑵　**Q氏報酬**

施工管理技術者であるQ氏に対する当月役員報酬のうち,施工管理業務に対応する金額を工事原価に算入します。このとき，〈資料〉6．⑵（d）の等価係数にもとづいて，配賦率を計算します。

配賦率：$\dfrac{716{,}800円}{120時間(施工管理業務) \times 1.2 + 80時間(一般管理業務) \times 1.0}$ = @3,200円

032工事：@3,200円×20時間×1.2＝ 76,800円
053工事：@3,200円×30時間×1.2＝115,200円
101工事：@3,200円×40時間×1.2＝153,600円
102工事：@3,200円×30時間×1.2＝115,200円

ここに！注意

Q氏の報酬のうち，役員としての一般管理業務分は販売費及び一般管理費に該当するため，工事原価に算入しない。

(3) 運搬車両部門費

運搬車両部門費はL作業に関係する経費であることから，〈資料〉4.のL作業の実際作業時間に基づいて，各工事に対して予定配賦します。

固定費率：1,080,000円÷1,200時間＝@900円
予定配賦率：@400円(変動費率)＋@900円＝@1,300円
032工事：@1,300円×13時間＝16,900円
053工事：@1,300円×25時間＝32,500円
101工事：@1,300円×42時間＝54,600円
102工事：@1,300円×16時間＝20,800円

ここに！注意

Q氏の役員報酬のうち工事原価に算入する額も人件費となる。

(4) 経費のうち人件費

経費のうち，従業員給料手当，法定福利費，福利厚生費，Q氏の施工管理業務にかかる役員報酬が人件費に該当します。

032工事： 66,700円＋ 7,100円＋ 7,400円＋ 76,800円＝158,000円
053工事：109,700円＋13,300円＋21,000円＋115,200円＝259,200円
101工事：107,200円＋17,200円＋31,700円＋153,600円＝309,700円
102工事： 49,000円＋ 6,770円＋ 9,170円＋115,200円＝180,140円

ここに！注意

完成工事原価報告書の作成にあたっては，月初未成工事原価を忘れないように注意。

8．完成工事原価報告書

当月中に完成した032工事，053工事，102工事の工事原価を合計して「完成工事原価報告書」を作成します。

(1) 材料費

月初未成工事原価と当月発生材料費より

192,000円(月初・材料費)＋29,100円(当月・乙材料費)〔032工事〕＋65,600円(月初・材料費)＋740,000円(当月・甲材料費)〔053工事〕
＋860,000円(当月・甲材料費)＋13,800円(当月・乙材料費)〔102工事〕＝ **1,900,500円**

(2) 労務費

月初未成工事原価，当月発生労務費及び当月発生労務外注費より

111,800円(月初・労務費)＋33,800円(当月・労務費)〔032工事〕＋43,800円(月初・労務費)＋65,000円(当月・労務費)〔053工事〕
＋41,600円(当月・労務費)〔102工事〕＝ **296,000円**

(3) 外注費

月初未成工事原価と当月発生一般外注費・労務外注費より

177,500円(月初・外注費) ＋76,600円(当月・一般外注費) ＋166,200円(当月・労務外注費)
032工事

＋64,300円(月初・外注費) ＋108,500円(当月・一般外注費) ＋228,800円(当月・労務外注費)
053工事

＋92,000円(当月・一般外注費) ＋179,900円(当月・労務外注費) ＝ **1,093,800円**
102工事

(4) 経費

月初未成工事原価と当月発生経費より

53,500円(月初・経費) ＋152,200円(当月・直接経費) ＋76,800円(当月・Q氏報酬) ＋16,900円(当月・運搬車両部門費)
032工事

＋29,000円(月初・経費) ＋259,600円(当月・直接経費) ＋115,200円(当月・Q氏報酬) ＋32,500円(当月・運搬車両部門費)
053工事

＋126,140円(当月・直接経費) ＋115,200円(当月・Q氏報酬) ＋20,800円(当月・運搬車両部門費) ＝ **997,840円**
102工事

(5) 経費のうち人件費

月初未成工事原価と当月発生経費のうち人件費より

38,600円(月初・人件費) ＋158,000円(当月・人件費)（032工事） ＋16,900円(月初・人件費) ＋259,200円(当月・人件費)（053工事）

＋180,140円(当月・人件費)（102工事） ＝ **652,840円**

(6) 完成工事原価

上記(1)，(2)，(3)，(4)の合計金額が完成工事原価です。

1,900,500円＋296,000円＋1,093,800円＋997,840円＝ **4,288,140円**

または，上記１.の工事原価計算表における当月完成工事原価の合計欄より

1,086,400円(032工事) ＋1,752,300円(053工事) ＋1,449,440円(102工事) ＝4,288,140円

問２　当月末における未成工事支出金の勘定残高

当月末に未成工事支出金として繰り越されるのは,当月末の未成工事原価です。よって，工事原価計算表より，101工事の原価 **2,171,200円** が月末における未成工事支出金の勘定残高となります。

問３　各原価差異の計算

(1) 運搬車両部門費予算差異

当月発生の予算差異：@400円×96時間＋90,000円（予算許容額）－135,500円(実際発生額) ＝△7,100円（借方差異）

当月末の予算差異残高：△1,500円(月初・借方残高) ＋△7,100円(借方差異) ＝△8,600円（借方残高）

… **8,600円（A）**

(2) **運搬車両部門費操業度差異**

当月発生の操業度差異：@900円×（96時間－100時間）＝△3,600円（借方差異）

当月末の操業度差異残高：1,200円（月初・貸方残高）＋△3,600円（借方差異）＝△2,400円（借方差異）

…**2,400円（A）**

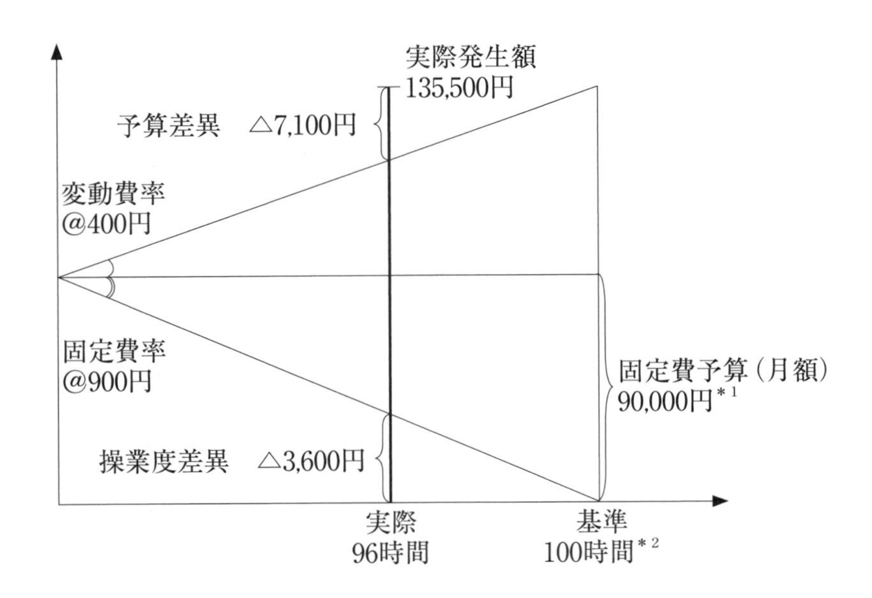

＊1　固定予算（月間）：1,080,000円÷12＝90,000円

＊2　基準操業度：1,200時間÷12＝100時間

ここに！注意

資料にある基準運転時間（基準操業度）と固定費予算は，いずれも年間の数値であるため，12で割って月間の数値にする必要がある。

テキスト参照ページ

⇒　P．1-73

解答・解説（建設業経理士　第34回）

第1問

解答 ≫ 解答にあたっては，各問とも指定した字数以内（句読点を含む）で記入すること。

問1

社内に対する建設業原価計算の目的の1つに，個別工事
の原価管理が挙げられる。☆これは，工事別の実行予算原
価を作成し，これに基づき日常的作業コントロールを実
施し，事後には予算と実績との差異分析をし，これらに
関する原価資料を，逐次経営管理者各層に報告し，原価
能率を増進する措置を講ずる一連の過程をいう。☆☆もう1
つの目的として，全社的な利益管理が挙げられる。☆企業
の安定的成長のため，一般に数年を対象とした長期利益
計画と，次期を対象とした短期利益計画すなわち予算が
立てられるが，この利益計画の過程では各種の選択的意
思決定があり，このための特別な計画原価の算定が，制
度外で臨時的に行われる。☆☆

問2

積算上の直接工事費とは当該工事の施工に直接かかる費
用を指すため，その中の経費も当該工事の施工に直接か
かる経費のみが該当する。☆☆これに対し，完成工事原価報
告書上の経費，つまり事後原価計算における経費には，
直接工事費としての経費だけでなく，工事間接費的な材
料費や労務費，共通仮設費としての経費や現場管理費た
る経費の配賦額も含まれるため，☆☆後者の方が広い概念と
言える。

予想採点基準

☆の前の文の内容が正解で加点

☆…２点×10＝20点

解　説

問１　原価計算の目的

建設業原価計算の目的は，⑴対内的目的と⑵対外的目的の２つに大別されます。

⑴　対内的目的 … 経営能力を増進させることを目的とするもの

①　個別工事の原価管理目的

日常的に予算を守るための努力をし，その後の予算実績差異分析により，以後の改善資料として役立てます。

②　全社的な利益管理目的

目標利益実現のための目標工事高および目標工事原価を予定計算します。

③　特殊原価調査（意思決定）目的

予算編成に必要な個別的選択事項に関する意思決定や，経営基本計画を設定するために必要な長期的な意思決定のために必要な原価情報を提供します。

⑵　対外的目的 … 適正な工事原価を算定することを目的とするもの

①　財務諸表の作成目的

経営成績と財政状態を報告するために必要かつ適正な原価を計算します。

②　受注関係書類の作成目的

受注のための積算という原価計算手続により請負価額決定の参考資料とします。

③　官公庁提出書類の作成目的

社会的責任の大きい公共事業との関連の深さゆえに，調査資料の提出が要求されています。

上記のうち，⑴対内的目的が本問で問われている社内に対する建設業原価計算の目的に該当するので，これらの内容に触れていれば，「③　特殊原価調査（意思決定）目的」を入れるなど，内容や構成が模範解答と異なっていても正解になると考えられます。

テキスト参照ページ
問１　⇒　P．1-5

問２　積算上の経費と完成工事原価報告書上の経費

積算において工事費（工事原価）は下記のように分類され，そのうち「直接工事費」は現場経費や共通仮設費などを除いた個々の工事に対して直接投入された原価を指します。したがって，「直接工事費としての経費」には，個々の工事に対して直接投入された原価のうち材料費・労務費・経費以外のものを指します。

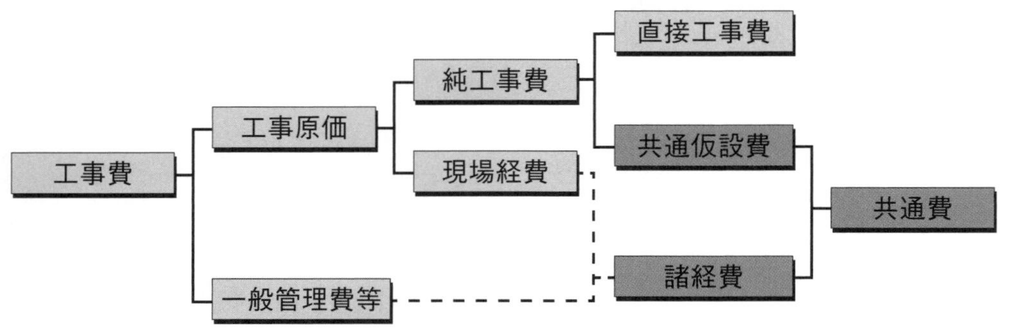

一方，完成工事原価報告書上の工事原価には現場経費も含まれるため，完成工事原価報告書上の経費の中には，積算上の経費には含まれないもの，すなわち，工事間接費的な材料費や労務費，共通仮設費としての経費や現場管理費たる経費の配賦額なども含まれるため，こちらの方が広い概念といえます。

テキスト参照ページ
問２　⇒　P．1-10,1-73

第2問

解答

記号（AまたはB）

1	2	3	4	5	6
B	B	A	A	A	B
☆	☆	☆	☆	☆	☆

予想採点基準
☆…２点×６＝12点

解説

1．関連原価（relevant costs）

関連原価は代替案選択の意思決定における重要な概念です。これは，代替案間で金額が異なる未来原価（future costs），つまり，意思決定の結果によって将来の発生額が異なる原価を指します。そのため，未来原価であっても代替案間で金額が異ならない原価は関連原価として集計しません。よって，本問の文章は誤っています。

2．機会原価（opportunity costs）

機会原価とは，ある案を採用したときに，別の案を採用していたならば得られるはずの利益の犠牲を原価として捉えたものです。複数の案の利益が犠牲となる場合，その中で最も大きな犠牲を機会原価として把握します。よって，本問の文章は誤っています。

3．埋没原価（sunk costs）

埋没原価とは，どの投資案をとっても同額発生し，どちらがよいのかを判断するうえで影響がない原価をいいます。よって，本問の文章のとおりです。

4．通常価格より低い価格の特別注文の引受可否

遊休生産能力がある場合，新規顧客からの注文を引き受ける場合に追加的な原価が発生しない（もしくは，発生しても少額）であるため，通常価格より低い価格の特別注文であっても，その差額利益がプラスになることが多く，そのことだけを考えれば，新規顧客からの注文は引き受けるべきと判断されます。しかし，新規顧客に対して通常よりも低い価格で注文を受けた場合，既存顧客から価格を下げるような圧力が働く可能性もあります。この場合，新規顧客からの注文で差額利益が生じても，それを上回る値下げを既存顧客に対する受注で行ってしまうと，会社としての利益は減少してしまうため，既存顧客の受注への影響も考慮して判断すべきと言えます。よって，本問の文章のとおりです。

ここに！注意

2．採用案以外に複数の案がある場合，その中で最も利益が大きい案を選ぶはずだったものを犠牲にしていると考える。

4．通常価格よりも低い価格の特別注文を引き受ける場合，既存注文の価格，すなわち収益が維持できるか否かも考慮する必要がある。

5．固定費と埋没原価の関係

固定費は操業度に関わらず一定額生じる原価であるため，固定費の内容は変わらず操業度のみに影響を与える意思決定であれば，固定費は埋没原価となります。しかし，賃借する生産設備のレンタル料のような原価は，操業度の変化だけでは発生額が変わらないので埋没原価となりますが，そもそも賃借をするか否かが変わるような意思決定や，賃借する台数を変化させるような意思決定では，レンタル料の発生額が変わるため，固定費であっても，意思決定上考慮すべき埋没原価になります。よって，本問の文章のとおりです。

6．回収期間法の欠点

回収期間法とは，設備投資の意思決定における投資案の評価方法の１つで，投資の回収期間を計算し，回収期間の短い案を有利とする方法です。この方法は貨幣の時間価値が無視されていることと，回収後の収益性（キャッシュ・フロー）が考慮されないという欠点があります。このうち，貨幣の時間価値が無視されている点については，割引後のキャッシュ・フローに基づいて回収期間を計算する割引回収期間法によって克服できますが，この方法でも回収後の収益性（キャッシュ・フロー）を考慮することはできません。よって，本問の文章は誤っています。

テキスト参照ページ
⇒　P．1-130～

第3問

解答

No.101現場　¥ 130407 ☆

No.102現場　¥ 102174 ☆

No.103現場　¥ 54641 ☆

No.104現場　¥ 134229 ☆

※別解　No.102現場：102,175円　No.104現場：134,230円

予想採点基準

☆… 4 点× 4 ＝16点

解説

コストセンター（車両A，B，C）ごとに原価を集計し，〈資料〉 1．(2)の走行距離で割ることにより車両費率を算定します。

1．個別費の集計

〈資料〉 1．(1)①にもとづいて，車両ごとに個別費を集計します。

車両A：827,600円＋245,900円＋522,000円＋161,000円＋165,600円＝1,922,100円

車両B：620,700円＋ 99,500円＋387,700円＋ 77,000円＋ 76,000円＝1,260,900円

車両C：620,700円＋111,500円＋349,500円＋ 97,000円＋131,900円＝1,310,600円

2．共通費の配賦

〈資料〉 1．(1)②と(2)にもとづいて，各車両へ共通費を配賦します。

	配賦基準	車両A	車両B	車両C
油脂代	走行距離	98,900円＊1	96,600円	93,150円
消耗品費	車両重量	138,000円	126,500円＊2	115,000円
福利厚生費	関係人員	81,450円	72,400円	81,450円＊3
雑費	減価償却費額	42,200円＊4	31,650円	31,650円
合計		360,550円	327,150円	321,250円

＊1　$288{,}650\text{円} \times \dfrac{8{,}600\text{km}}{8{,}600\text{km} + 8{,}400\text{km} + 8{,}100\text{km}} = 98{,}900\text{円}$

＊2　$379{,}500\text{円} \times \dfrac{11\,\text{t}}{12\,\text{t} + 11\,\text{t} + 10\,\text{t}} = 126{,}500\text{円}$

＊3　$235{,}300\text{円} \times \dfrac{9\text{人}}{9\text{人} + 8\text{人} + 9\text{人}} = 81{,}450\text{円}$

＊4　$105{,}500\text{円} \times \dfrac{827{,}600\text{円}}{827{,}600\text{円} + 620{,}700\text{円} + 620{,}700\text{円}} = 42{,}200\text{円}$

3．走行距離１㎞当たりの車両費率

車両Ａ：(1,922,100円＋360,550円) ÷8,600㎞＝265.424…→265.42円
車両Ｂ：(1,260,900円＋327,150円) ÷8,400㎞＝189.053…→189.05円
車両Ｃ：(1,310,600円＋321,250円) ÷8,100㎞＝201.462…→201.46円

4．各現場への車両費配賦額

上記３．で算定した車両費率に〈資料〉２の実績走行距離を乗じて，各現場への配賦額を計算します。

	車両Ａ	車両Ｂ	車両Ｃ	合計
101	72,991円＊1	－	57,416円	**130,407円**
102	57,065円	34,029円＊2	11,080円	**102,174円**
103	16,721円	20,796円	17,124円＊3	**54,641円**
104	－	72,784円	61,445円	**134,229円**

＊1　@265.42円×275㎞＝72,990.5→72,991円
＊2　@189.05円×180㎞＝34,029円
＊3　@201.46円× 85㎞＝17,124.1→17,124円

＜別解＞

上記解説では，各現場への配賦額をその都度四捨五入して計算していますが，最終解答数値で四捨五入しても正答として認められるものと思われます。なお，No.101とNo.103については同じ計算結果になります。

101：@265.42円×275㎞＋@201.46円×285㎞＝130,406.6→103,407円
102：@265.42円×215㎞＋@189.05円×180㎞＋@201.46円×55㎞
　　＝102,174.6→102,175円
103：@265.42円× 63㎞＋@189.05円×110㎞＋@201.46円×85㎞
　　＝54,641.06→54,641円
104：@189.05円×385㎞＋@201.46円×305㎞＝134,229.55→134,230円

テキスト参照ページ
⇒　Ｐ．1-81～

第4問

解答

問１

20×3年度	¥ 37500000	☆☆	記号（AまたはB） B	☆
20×4年度	¥ 13400000	☆☆	記号（AまたはB） A	☆

問２

¥ 2968200	☆☆	記号（AまたはB） B	☆

予想採点基準
☆…２点×９＝18点

解説

問１　キャッシュ・フローの純増減額

⑴　20X3年度

①　旧機械を新機械に取り換える場合：

△60,000,000円（新機械の購入価額）＋22,500,000円*（旧機械の売却収入）
＝△37,500,000円

＊　新機械に取り換える場合，旧機械の現在の簿価で売却するので，それを計算します。

旧機械の現在の簿価：
45,000,000円（旧機械の購入価額）－45,000,000円÷６年（耐用年数）×３年（経過年数）
（３年分の減価償却累計額）
＝22,500,000円

②　旧機械を使用し続ける場合：０円

20X3年度のキャッシュ・フローの純増減額：①－②＝△37,500,000円
…**¥37,500,000（B）**

⑵　20X4年度

①　旧機械を新機械に取り換える場合：

（37,000,000円（現金売上高）－8,000,000円（現金支出費用））×（１－40％（税率））
＋8,000,000円*（減価償却によるタックス・シールド）＝25,400,000円

＊　60,000,000円（購入価額）÷３年（耐用年数）×40％（税率）＝8,000,000円

②　旧機械を使用し続ける場合：

（26,000,000円（現金売上高）－11,000,000円（現金支出費用））×（１－40％（税率））
＋3,000,000円*（減価償却によるタックス・シールド）＝12,000,000円

＊　45,000,000円（購入価額）÷６年（耐用年数）×40％（税率）＝3,000,000円

20X4年度のキャッシュ・フローの純増減額：①－②＝13,400,000円
…**¥13,400,000（A）**

ここに！注意

キャッシュ・フローの純増減額が問われているので，旧機械を新機械に取り換える場合と，旧機械を使用し続けた場合の差額キャッシュ・フローを求める。

問２　正味現在価値法

⑴　新機械に取り替える場合の正味現在価値

	現在（20X3年度末）	20X4年度末	20X5年度末	20X6年度末
ＣＩＦ	②22,500,000円	③17,400,000円 ④ 8,000,000円	③17,400,000円 ④ 8,000,000円	③17,400,000円 ④ 8,000,000円
ＣＯＦ	①60,000,000円			
ＮＥＴ	△37,500,000円	25,400,000円	25,400,000円	25,400,000円

（注）ＣＩＦ…キャッシュ・インフロー，ＣＯＦ…キャッシュ・アウトフロー
ＮＥＴ…正味キャッシュ・フロー

① 新機械の取得による支出
② 旧機械の売却収入
③ 年々の現金収入：
（37,000,000円（現金売上高）－8,000,000円（現金支出費用））×（１－40％（税率））
＝17,400,000円
④ 新機械の減価償却によるタックス・シールド

正味現在価値

25,400,000円×（0.926＋0.857＋0.794）－37,500,000円＝27,955,800円

⑵　旧機械を使用し続ける場合の正味現在価値

	現在（20X3年度末）	20X4年度末	20X5年度末	20X6年度末
ＣＩＦ		①9,000,000円 ②3,000,000円	①9,000,000円 ②3,000,000円	①9,000,000円 ②3,000,000円
ＣＯＦ				
ＮＥＴ		12,000,000円	12,000,000円	12,000,000円

① 年々の現金収入：
（26,000,000円（現金売上高）－11,000,000円（現金支出費用））×（１－40％（税率））
＝9,000,000円
② 旧機械の減価償却によるタックス・シールド

正味現在価値

12,000,000円×（0.926＋0.857＋0.794）＝30,924,000円

⑶　投資案の評価

27,955,800円（新機械に取り替える場合）－30,924,000円（旧機械を使用し続ける場合）
＝△2,968,200円

以上より，新機械に取り替える場合，旧機械を使用し続ける場合に比べて2,968,200円不利です。… **2,968,200円（B）**

テキスト参照ページ
⇒　P．1-136～

第5問

解　答

問1

完成工事原価報告書

自　20×8年7月1日

至　20×8年7月31日

X建設工業株式会社

（単位：円）

Ⅰ．材　料　費		1570300	☆☆
Ⅱ．労　務　費		1144350	☆☆
（うち労務外注費	366550）☆		
Ⅲ．外　注　費		344550	☆☆
Ⅳ．経　　　費		577690	☆☆
（うち人件費	327210）☆		
完成工事原価		3636890	☆

問2

¥ 1306250 ☆☆

問3

① 重機械部門費予算差異　¥ 14050 ☆　記号（AまたはB）A ☆

② 重機械部門費操業度差異　¥ 9100 ☆　記号（　同　上　）B ☆

予想採点基準

☆… 2点×17＝34点

解 説

問１　完成工事原価報告書の作成

１．工事原価計算表の作成

本問では要求されていませんが，工事原価計算表を作成していきます。

（単位：円）

工事番号 / 原価要素	501	602	701	702	合　計
月初未成工事原価					
1．材料費	115,600	66,600	―	―	182,200
2．労務費	88,300	65,000	―	―	153,300
3．一般外注費	34,500	30,550	―	―	65,050
4．労務外注費	98,800	45,550	―	―	144,350
5．経費	86,080	35,400	―	―	121,480
（経費のうち人件費）	（53,900）	（28,800）	―	―	（82,700）
当月発生工事原価					
1．材料費					
(1)甲材料費	―	800,000	535,000	740,000	2,075,000
(2)乙材料費	―	24,500	28,600	40,400	93,500
2．労務費	94,500	246,500	283,500	189,000	813,500
3．一般外注費	26,500	97,100	155,900	65,900	345,400
4．労務外注費	18,000	77,200	127,000	49,000	271,200
5．経費					
(1)直接経費	21,300	39,250	53,460	72,950	186,960
(2)S氏報酬	33,600	84,000	50,400	84,000	252,000
(3)重機械部門費	24,700	78,000	71,500	65,000	239,200
（経費のうち人件費）	（47,100）	（111,150）	（86,260）	（131,450）	（375,960）
当月完成工事原価	641,880	1,689,650	1,305,360	―	3,636,890
月末未成工事原価	―	―	―	1,306,250	1,306,250

２．月初未成工事原価

〈資料〉２．(1)に基づいて金額を記入します。ただし，工事番号501の材料費については，仮設工事用の資材である乙材料の完了時評価額が含まれているため，これを控除します。

材料費（501）：125,700円－10,100円(評価額) ＝115,600円

3．材料費

⑴ 甲材料費

先入先出法により工事別の実際消費額を計算します。

甲材料費（先入先出法）

受入		払出			
7／1	@10,500円×30単位	7／7	@10,500円×30単位	＝315,000円	645,000円
／4	@11,000円×70単位		@11,000円×30単位	＝330,000円	→ 701工事
		／15	@11,000円×40単位	＝440,000円	800,000円
／10	@12,000円×50単位＊1		@12,000円×30単位	＝360,000円	→ 602工事
／18	@11,000円×10単位＊2			△110,000円＊2	→ 701工事
		／25	@11,000円×10単位＊3	＝110,000円	
			@12,000円×20単位	＝240,000円	740,000円
／21	@13,000円×50単位		@13,000円×30単位	＝390,000円	→ 702工事

＊1　便宜上，11日の値引を考慮済みの単価で示しています。
25,000円÷50単位＝@500円（1単位当たり500円の値引き）
値引考慮後の単価：@12,500円－@500円＝@12,000円

＊2　7日の出庫の一部取り消しとして処理します。
（@11,000円×10単位＝110,000円）

＊3　上記の18日の戻り材料が最初に出庫されたものとして処理します。
結果として，戻り分10単位と50単位（＝60単位－10単位）の合計60単位の出庫となります。

⑵ 乙材料費

501工事：なし
602工事：36,000円－11,500円＝24,500円
701工事：45,900円－17,300円＝28,600円
702工事：40,400円

4．労務費

借方		貸方	
当月支払	805,000円	前月未払	111,800円
当月未払	94,300円	当月消費	787,500円（貸借差額）

消費賃率：787,500円÷25日＝@31,500円
501工事：@31,500円×３日＝94,500円
602工事：@31,500円×７日＋26,000円（残業手当）＝246,500円
701工事：@31,500円×９日＝283,500円
702工事：@31,500円×６日＝189,000円

5．一般外注費

〈資料〉５．一般外注の金額をそのまま使用します。

ここに！注意

18日の戻り分は７日に出庫した材料のうち，消費されずに倉庫に戻ってきた分であるため，７日の消費単価を用いる。

ここに！注意

すくい出し法（乙材料）では，仮設材料使用開始時点で購入金額を工事原価として処理し，工事完了時点で評価金額を工事原価から控除する。

ここに！注意

特定の工事（本問の場合は602工事）に跡付けできる残業手当は直課する。

6．労務外注費

〈資料〉 5．労務外注の金額をそのまま使用します。

7．経費

(1) **直接経費**

〈資料〉 6．(1)の金額をそのまま使用します。

(2) **S氏報酬**

施工管理技術者であるS氏に対する当月役員報酬のうち，施工管理業務に対応する金額を工事原価に算入します。このとき，〈資料〉 6．(2)（d）の等価係数にもとづいて，配賦率を計算します。

$$配賦率：\frac{672{,}000円}{60時間(施工管理業務)\times 1.2+120時間(一般管理業務)\times 1.0}=@3{,}500円$$

501工事：@3,500円× 8時間×1.2＝33,600円
602工事：@3,500円×20時間×1.2＝84,000円
701工事：@3,500円×12時間×1.2＝50,400円
702工事：@3,500円×20時間×1.2＝84,000円

(3) **重機械部門費**

予定配賦率：234,000円（予算額）÷180時間（基準重機械運転時間）＝@1,300円
501工事：@1,300円×19時間＝24,700円
602工事：@1,300円×60時間＝78,000円
701工事：@1,300円×55時間＝71,500円
702工事：@1,300円×50時間＝65,000円

(4) **経費のうち人件費**

経費のうち，従業員給料手当，法定福利費，福利厚生費，S氏の施工管理業務にかかる役員報酬が人件費に該当します。

501工事： 9,900円＋1,100円＋2,500円＋33,600円＝ 47,100円
602工事：18,800円＋4,050円＋4,300円＋84,000円＝111,150円
701工事：25,800円＋4,000円＋6,060円＋50,400円＝ 86,260円
702工事：35,100円＋5,550円＋6,800円＋84,000円＝131,450円

8．完成工事原価報告書

当月中に完成した501工事，602工事，701工事の工事原価を合計して「完成工事原価報告書」を作成します。

(1) **材料費**

月初未成工事原価と当月発生材料費より

115,600円（月初・材料費）〔501工事〕＋66,600円（月初・材料費）＋800,000円（当月・甲材料費）＋24,500円（当月・乙材料費）〔602工事〕
＋535,000円（当月・甲材料費）＋28,600円（当月・乙材料費）〔701工事〕＝ **1,570,300円**

ここに！注意

S氏の報酬のうち，役員としての一般管理業務分は販売費及び一般管理費に該当するため，工事原価に算入しない。

ここに！注意

S氏の役員報酬のうち工事原価に算入する額も人件費となる。

ここに！注意

完成工事原価報告書の作成にあたっては，月初未成工事原価を忘れないように注意。

(2) **労務費**

月初未成工事原価，当月発生労務費及び当月発生労務外注費より

88,300円(月初・労務費) ＋98,800円(月初・労務外注費) ＋94,500円(当月・労務費) ＋18,000円(当月・労務外注費)
501工事

＋65,000円(月初・労務費) ＋45,550円(月初・労務外注費) ＋246,500円(当月・労務費) ＋77,200円(当月・労務外注費)
602工事

＋283,500円(当月・労務費) ＋127,000円(当月・労務外注費) ＝ **1,144,350円**
701工事

(3) **労務外注費**

月初未成工事原価と当月発生労務外注費より

98,800円(月初・労務外注費) ＋18,000円(当月・労務外注費)
501工事

＋45,550円(月初・労務外注費) ＋77,200円(当月・労務外注費) ＋127,000円(当月・労務外注費) ＝ **366,550円**
602工事 701工事

(4) **外注費**

月初未成工事原価と当月発生一般外注費より

34,500円(月初・一般外注費) ＋26,500円(当月・一般外注費)
501工事

＋30,550円(月初・一般外注費) ＋97,100円(当月・一般外注費) ＋155,900円(当月・一般外注費) ＝ **344,550円**
602工事 701工事

(5) **経費**

月初未成工事原価と当月発生経費より

86,080円(月初・経費) ＋21,300円(当月・直接経費) ＋33,600円(当月・Ｓ氏報酬) ＋24,700円(当月・重機械部門費)
501工事

＋35,400円(月初・経費) ＋39,250円(当月・直接経費) ＋84,000円(当月・Ｓ氏報酬) ＋78,000円(当月・重機械部門費)
602工事

＋53,460円(当月・直接経費) ＋50,400円(当月・Ｓ氏報酬) ＋71,500円(当月・重機械部門費) ＝ **577,690円**
701工事

(6) **経費のうち人件費**

月初未成工事原価と当月発生経費のうち人件費より

53,900円(月初・人件費) ＋47,100円(当月・人件費) ＋28,800円(月初・人件費) ＋111,150円(当月・人件費)
501工事 602工事

＋86,260円(当月・人件費) ＝ **327,210円**
701工事

(7) **完成工事原価**

上記(1)，(2)，(4)，(5)の合計金額が完成工事原価です。

1,570,300円＋1,144,350円＋344,550円＋577,690円＝ **3,636,890円**

または，上記１．の工事原価計算表における当月完成工事原価の合計欄より

641,880円(501工事) ＋1,689,650円(602工事) ＋1,305,360円(701工事) ＝3,636,890円

問２　当月末における未成工事支出金の勘定残高

当月末に未成工事支出金として繰り越されるのは，当月末の未成工事原価です。よって，工事原価計算表より，702工事の原価 **1,306,250円** が月末における未成工事支出金の勘定残高となります。

問３　各原価差異の計算

⑴　重機械部門費予算差異

当月発生の予算差異：234,000円（予算額）－246,000円（実際発生額）
＝△12,000円（借方差異）

当月末の予算差異残高：△2,050円（月初・借方残高）＋△12,000円（借方差異）
＝△14,050円（借方残高）… **14,050円（Ａ）**

⑵　重機械部門費操業度差異

当月発生の操業度差異：@1,300円×（184時間－180時間）
＝5,200円（貸方差異）

当月末の操業度差異残高：3,900円（月初・貸方残高）＋5,200円（貸方差異）
＝9,100円（貸方残高）… **9,100円（Ｂ）**

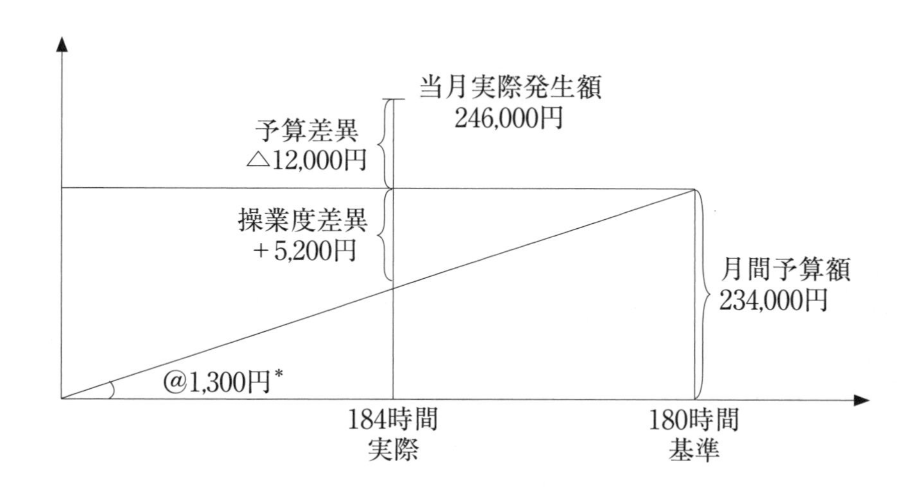

＊　予定配賦率：234,000円÷180時間＝@1,300円

テキスト参照ページ
⇒　P．1-73

解答・解説（建設業経理士 第35回）

第1問

解答 解答にあたっては，各問とも指定した字数以内（句読点を含む）で記入すること。

問1

工事間接費とは，建設業において各工事に共通して発生
する原価であり，☆例えば以下のようなものが含まれる。
材料副費のうち各材料の取得原価に算入しなかったもの
，特に内部副費は現場以外の部署で発生することが多い
ため，工事間接費となる。☆
また，技術や現場管理に係わる従業員の給料手当等や労
務副費も，いくつかの工事の間接費であることが多い。☆
そのほか，各工事現場を移動して使用される機材や設備
等の長期保有物品の損耗分や稼働に関連する支出，複数
の工事を管理する現場事務所等の諸経費も，複数の工事
に共通して発生するものであることから，工事間接費と
なる。☆☆

問2

社内センター制度とは，社内に機材を調達・管理する業
務センターを設け一括管理する制度であり，☆社内センタ
ーとは施工部門に補助的なサービスを提供する補助部門
を組織管理的な意味から独立させたものである。☆社内セ
ンター制度を採用することにより，受注工事の施工活動
の効率化や，補助的なサービス提供に係る原価能率の測
定が行いやすくなる☆ことによる原価管理の有効性向上，☆
工事原価計算の正確性の向上，迅速化が期待される。☆

予想採点基準
☆の前の文の内容が正解で加点
☆… 2点×10＝20点

解　説

問１　工事間接費（現場共通費）の具体的な内容

工事間接費（現場共通費）とは，各工事に共通して発生する原価のことをいいます。

工事間接費の具体例としては，次のようなものがあります。

① 材料の取得原価に算入されなかった材料副費。
② 複数の工事に共通して発生した技術担当者，現場管理者の給料手当。また，労務副費についても工事間接費に該当するものがあります。
③ 複数の工事に使用される設備や物品の損耗分。ただし，これは社内損料計算制度など通常の工事間接費の配賦計算とは異なる方法で各工事に配賦されることもあります。
④ 複数の工事を管理する現場事務所等の諸経費。

テキスト参照ページ
問１　⇒　P．1-34

問２　社内センター制度

社内センター制度とは，社内に機材を調達・管理する業務センターを設け一括管理する制度であり，社内センターとは施工部門に補助的なサービスを提供する補助部門を組織管理的な意味から独立させたものです。

補助部門のセンター化によって以下の点が期待されます。

① 受注工事の施工活動の効率化。
② 全社的な工事原価管理（サービス活動の能率測定に有効）。
③ 工事原価の正確な計算，計算のスピードアップ。

テキスト参照ページ
問２　⇒　P．1-81

第2問

解　答

記号（ア～ナ）

1	2	3	4	5	6	7	8	9	10
コ	ク	チ	ス	セ	キ	オ	イ	ナ	ト
★	★	★	★	★	★	★	★	★	★

※３と４は順不同

予想採点基準
★…１点×10＝10点

解　説

文中の空欄に正しい語句の穴埋めを行うと，次のようになります。

１．工事原価の基礎的分類

工事原価を材料費，労務費，外注費および経費に区分して把握する方式は**発生形態別**分類といい，作業内容（工種）によって整理・把握される方式を**作業機能別**分類という。このうち**作業機能別**分類では，工事原価をまず，**純工事費**と**現場経費（現場管理費）**に区分する。

（参考）
・発生形態別分類

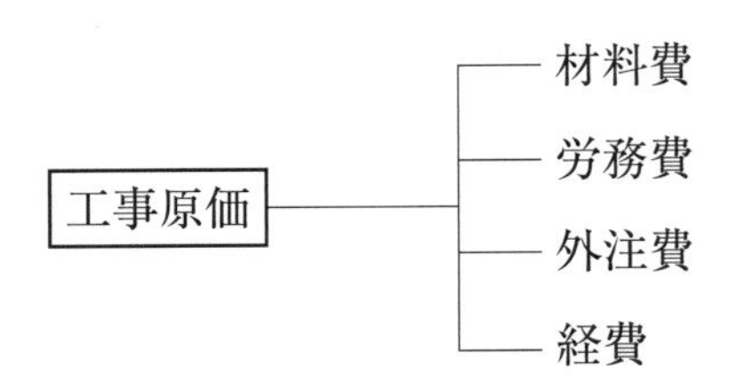

・作業機能別分類（工種別分類）

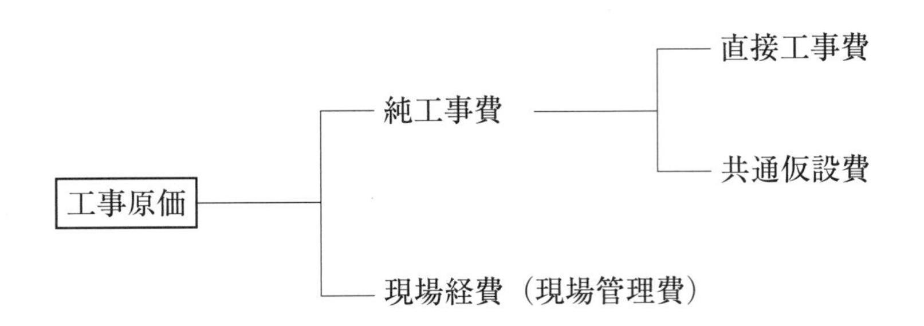

2．社内損料計算制度

大型クレーンなど重機械の損料を計算する場合には，その原価要素を変動費と固定費に区分して，前者をもとに**運転**１時間当たり損料を，後者をもとに**供用**１日当たり損料を計算する。

3．活動基準原価計算（ＡＢＣ）

間接費をできる限りその発生と関係の深い**活動**に結び付けて割り当てようとする原価計算方法をＡＢＣと呼んでいる。

4．ＶＥ（価値工学）

ＶＥ（価値工学）においては，価値を**機能**÷**コスト**と定義する。原価低減のツールとしてのＶＥの果たす役割は，建設業界においても大きい。

5．品質原価計算

品質原価計算における品質の概念には，通常，設計品質と**適合品質**がある。このうち後者は建設業の施工品質を意味している。

テキスト参照ページ
1 ⇒ P．1-8
2 ⇒ P．1-82
3 ⇒ P．1-64
4 ⇒ P．1-122
5 ⇒ P．1-123

第3問

解　答

第１年度末　47600 千円　☆☆☆

第２年度末　34800 千円　☆☆☆

第３年度末　17400 千円　☆☆

予想採点基準
☆… ２点×８＝16点

解　説

１．第１年度末

まず，第１年度末における見積工事原価総額を推定します。

$$80{,}000\text{千円(請負金額)}\times\frac{20{,}400\text{千円（第１年末までの実際工事原価）}}{\text{第１年度末における見積工事原価総額？千円}}=24{,}000\text{千円（完成工事高）}$$

∴　？＝68,000

第１年度末から完成までに要する工事原価：68,000千円－20,400千円
＝ **47,600千円**

２．第２年度末

$$80{,}000\text{千円(請負金額)}\times\frac{20{,}400\text{千円}+14{,}400\text{千円（第２年末までの実際工事原価）}}{\text{第２年度末における見積工事原価総額？千円}}$$

－24,000千円（第１年度の完成工事高）＝16,000千円（第２年度の完成工事高）

∴　？＝69,600

第２年度末から完成までに要する工事原価：69,600千円－(20,400千円＋14,400千円)
＝ **34,800千円**

３．第３年度末

$$80{,}000\text{千円(請負金額)}\times\frac{20{,}400\text{千円}+14{,}400\text{千円}+17{,}400\text{千円（第３年末までの実際工事原価）}}{\text{第３年度末における見積工事原価総額？千円}}$$

－(24,000千円＋16,000千円)（第２年度までの完成工事高）
＝20,000千円(第３年度の完成工事高)

∴　？＝69,600

第３年度末から完成までに要する工事原価：
69,600千円－(20,400千円＋14,400千円＋17,400千円）＝ **17,400千円**

ここに！注意

問われているのは，各年度末から完成までに要する工事原価であり，工事原価の総額ではない。

第4問

解　答

問１

E１型設備	3000000 円		☆☆
E２型設備	4200000 円		☆☆

問２

	3300000 円	☆☆

問３

導入時（当期末）	28330000 円	記号（AまたはB）	B	☆
各年度	7150000 円	記号（　同　上　）	A	☆☆

問４

1226495 円	記号（AまたはB）	B	☆

予想採点基準
☆…２点×10＝20点

解　説

問１　減価償却によって生じる法人税節約額（１年分）

⑴　E１型設備

減価償却費（１年分）：100,000,000円÷10年＝10,000,000円
法人税節約額（１年分）：10,000,000円×30％＝**3,000,000円**

⑵　E２型設備

減価償却費（１年分）：70,000,000円÷５年＝14,000,000円
法人税節約額（１年分）：14,000,000円×30％＝**4,200,000円**

問２　E１型設備を当期末で売却する際に生じる法人税節約額

E１型設備の当期末の簿価：100,000,000円－10,000,000円×５年＝50,000,000円
（10,000,000円×５年：５年分の減価償却累計額）

E１型設備の当期末の売却損：50,000,000円－39,000,000円＝11,000,000円
売却する際に生じる法人税節約額：11,000,000円×30％＝**3,300,000円**

問３　差額キャッシュ・フローの計算

⑴　E２型設備の導入時（当期末）

導入時には，E２設備購入に伴う支出のほか，E１型設備の売却収入，E１型設備の売却損計上に伴う法人税節約額，工員の教育・訓練支出が生じます。なお，工員の教育・訓練支出は資産計上できるものではないことから，費用として計上されるものとして考え，税金の影響を考慮します。

ここに！注意

売却損も現金支出を伴わない費用であるため，法人税節約額（タックス・シールド）が生じる。

ここに！注意

導入時のみに生じる教育・訓練費の計上を忘れないようにする。

△70,000,000円（Ｅ２型設備の購入価額）＋39,000,000円（Ｅ１型設備の売却収入）
＋3,300,000円（売却損に伴う法人税節約額）＋△900,000円×（１－30％）（教育・訓練費）
＝△28,330,000円 … **28,330,000円（Ｂ）**

⑵ **各年度**

(10,000,000円－1,500,000円)×（１－30％）＋1,200,000円*（法人税節約額の増加額）
Ｅ２型に切り替えることでの現金支出費用節約額

＝7,150,000円 … **7,150,000円（Ａ）**

＊ 法人税節約額の増加額：4,200,000円－3,000,000円＝1,200,000円

問４ 正味現在価値法

7,150,000円×（0.9091＋0.8264＋0.7513＋0.6830＋0.6209）－28,330,000円
年金現価係数 3.7907

＝△1,226,495円 … **1,226,495円（Ｂ）**

テキスト参照ページ
⇒ Ｐ．1-136～

第5問

解答

問1

完成工事原価報告書
自　20×1年9月1日
至　20×1年9月30日

X建設工業株式会社
（単位：円）

Ⅰ．材　料　費		1785100	☆☆
Ⅱ．労　務　費		320400	☆☆
Ⅲ．外　注　費		1052200	☆☆
Ⅳ．経　　　費		1033700	☆☆
（うち人件費	672850）☆☆		
完成工事原価		4191400	☆

問2

2311350 円　☆☆

問3

① 運搬車両部門費予算差異　3700 円　☆　記号（AまたはB）　A　☆

② 運搬車両部門費操業度差異　6900 円　☆　記号（　同　上　）　B　☆

予想採点基準
☆…2点×17＝34点

解　説

問１　完成工事原価報告書の作成

１．工事原価計算表の作成

本問では要求されていませんが，工事原価計算表を作成していきます。

（単位：円）

原価要素＼工事番号	052	073	091	092	合　計
月初未成工事原価					
1．材　料　費	177,400	77,500	—	—	254,900
2．労　務　費	126,300	46,600	—	—	172,900
3．外　注　費	199,500	71,500	—	—	271,000
4．経　　　費	49,200	30,500	—	—	79,700
（経費のうち人件費）	（29,900）	（14,400）	—	—	（44,300）
当月発生工事原価					
1．材　料　費					
(1)甲材料費	—	610,000	1,070,000	870,000	2,550,000
(2)乙材料費	—	36,000	45,100	14,200	95,300
2．労　務　費	50,000	62,500	112,500	35,000	260,000
3．一般外注費	78,200	101,000	282,000	88,000	549,200
4．労務外注費	149,200	209,800	279,700	155,000	793,700
5．経　　　費					
(1)直接経費	149,400	264,200	287,600	130,050	831,250
(2)Q氏報酬	118,800	118,800	178,200	99,000	514,800
(3)運搬車両部門費	25,000	31,250	56,250	17,500	130,000
（経費のうち人件費）	（199,600）	（264,400）	（332,300）	（164,550）	（960,850）
当月完成工事原価	1,123,000	1,659,650	—	1,408,750	4,191,400
月末未成工事原価	—	—	2,311,350	—	2,311,350

２．月初未成工事原価

〈資料〉２．(1)に基づいて金額を記入します。ただし，工事番号052の材料費については，仮設工事用の資材である乙材料の完了時評価額が含まれているため，これを控除します。

材料費（052）：188,000円－10,600円（評価額）＝177,400円

3．材料費

⑴ 甲材料費

先入先出法により工事別の実際消費額を計算します。

甲材料費（先入先出法）

日付	受入	日付	払出	金額	合計
9／1	@10,000円× 50個	9／8	@10,000円× 50個	＝500,000円	720,000円
	@11,000円× 30個		@11,000円× 20個	＝220,000円	→ 073工事
／5	@12,000円×100個	／15	@11,000円× 10個	＝110,000円	1,070,000円
			@12,000円× 80個	＝960,000円	→ 091工事
／18	@11,000円× 10個			△110,000円*1	→ 073工事
／20	@13,000円×100個	／25	@11,000円× 10個*2	＝110,000円	
			@12,000円× 20個	＝240,000円	870,000円
			@13,000円× 40個	＝520,000円	→ 092工事

＊1　8日の出庫の一部取り消しとして処理します。
（@11,000円×10単位＝110,000円）

＊2　上記の18日の戻り材料が最初に出庫されたものとして処理します。

⑵ 乙材料費

052工事：なし
073工事：45,500円－ 9,500円＝36,000円
091工事：45,100円
092工事：40,800円－26,600円＝14,200円

4．労務費

052工事：@2,500円×20時間＝ 50,000円
073工事：@2,500円×25時間＝ 62,500円
091工事：@2,500円×45時間＝112,500円
092工事：@2,500円×14時間＝ 35,000円

5．一般外注費

〈資料〉 5．一般外注の金額をそのまま使用します。

6．労務外注費

〈資料〉 5．労務外注の金額をそのまま使用します。

7．経費

⑴ 直接経費

〈資料〉 6．⑴の金額をそのまま使用します。

⑵ Q氏報酬

施工管理技術者であるQ氏に対する当月役員報酬のうち，施工管理業務に対応する金額を工事原価に算入します。このとき，〈資料〉 6．⑵（d）の等価係数にもとづいて，配賦率を計算します。

ここに！注意

18日の戻り分は８日に出庫した材料のうち，消費されずに倉庫に戻ってきた分であるため，８日の消費単価を用いる。

ここに！注意

すくい出し法（乙材料）では，仮設材料使用開始時点で購入金額を工事原価として処理し，工事完了時点で評価金額を工事原価から控除する。

配賦率：$\dfrac{745{,}800\text{円}}{130\text{時間}(\text{施工管理業務})\times 1.2+70\text{時間}(\text{一般管理業務})\times 1.0}$ ＝@3,300円

052工事：@3,300円×30時間×1.2＝118,800円
073工事：@3,300円×30時間×1.2＝118,800円
091工事：@3,300円×45時間×1.2＝178,200円
092工事：@3,300円×25時間×1.2＝ 99,000円

ここに！注意

Q氏の報酬のうち，役員としての一般管理業務分は販売費及び一般管理費に該当するため，工事原価に算入しない。

(3) 運搬車両機械部門費

予定配賦率：@400円（変動費率）＋$\dfrac{1{,}020{,}000\text{円}}{1{,}200\text{時間}}$（固定費率@850円）＝@1,250円
052工事：@1,250円×20時間＝25,000円
073工事：@1,250円×25時間＝31,250円
091工事：@1,250円×45時間＝56,250円
092工事：@1,250円×14時間＝17,500円

(4) 経費のうち人件費

経費のうち，従業員給料手当，法定福利費，福利厚生費，Q氏の施工管理業務にかかる役員報酬が人件費に該当します。
052工事： 65,800円＋ 7,300円＋ 7,700円＋118,800円＝199,600円
073工事：110,500円＋12,900円＋22,200円＋118,800円＝264,400円
091工事：106,700円＋16,500円＋30,900円＋178,200円＝332,300円
092工事： 48,400円＋ 7,900円＋ 9,250円＋ 99,000円＝164,550円

ここに！注意

Q氏の役員報酬のうち工事原価に算入する額も人件費となる。

8．完成工事原価報告書

当月中に完成した052工事，073工事，092工事の工事原価を合計して「完成工事原価報告書」を作成します。

ここに！注意

完成工事原価報告書の作成にあたっては，月初未成工事原価を忘れないように注意。

(1) 材料費

月初未成工事原価と当月発生材料費より

177,400円（月初・材料費）［052工事］＋77,500円（月初・材料費）＋610,000円（当月・甲材料費）＋36,000円（当月・乙材料費）［073工事］

＋870,000円（当月・甲材料費）＋14,200円（当月・乙材料費）［092工事］＝ **1,785,100円**

(2) 労務費

月初未成工事原価と当月発生労務費より

126,300円（月初・労務費）＋50,000円（当月・労務費）［052工事］＋46,600円（月初・労務費）＋62,500円（当月・労務費）［073工事］

＋35,000円（当月・労務費）［092工事］＝ **320,400円**

(3) **外注費**

月初未成工事原価と当月発生一般外注費・当月発生労務外注費より

199,500円(月初・外注費) ＋78,200円(当月・一般外注費) ＋149,200円(当月・労務外注費)
052工事

＋71,500円(月初・外注費) ＋101,000円(当月・一般外注費) ＋209,800円(当月・労務外注費)
073工事

＋88,000円(当月・一般外注費) ＋155,000円(当月・労務外注費) ＝ **1,052,200円**
092工事

(4) **経費**

月初未成工事原価と当月発生経費より

49,200円(月初・経費) ＋149,400円(当月・直接経費) ＋118,800円(当月・Q氏報酬) ＋25,000円(当月・運搬車両部門費)
052工事

＋30,500円(月初・経費) ＋264,200円(当月・直接経費) ＋118,800円(当月・Q氏報酬) ＋31,250円(当月・運搬車両部門費)
073工事

＋130,050円(当月・直接経費) ＋99,000円(当月・Q氏報酬) ＋17,500円(当月・運搬車両部門費) ＝ **1,033,700円**
092工事

(5) **経費のうち人件費**

月初未成工事原価と当月発生経費のうち人件費より

29,900円(月初・人件費) ＋199,600円(当月・人件費) ＋14,400円(月初・人件費) ＋264,400円(当月・人件費)
052工事　073工事

＋164,550円(当月・人件費) ＝ **672,850円**
092工事

(6) **完成工事原価**

上記(1), (2), (3), (4)の合計金額が完成工事原価です。

1,785,100円＋320,400円＋1,052,200円＋1,033,700円＝ **4,191,400円**

または，上記1．の工事原価計算表における当月完成工事原価の合計欄より

1,123,000円(052工事) ＋1,659,650円(073工事) ＋1,408,750円(092工事) ＝4,191,400円

問2　当月末における未成工事支出金の勘定残高

当月末に未成工事支出金として繰り越されるのは，当月末の未成工事原価です。よって，工事原価計算表より，091工事の原価 **2,311,350円** が月末における未成工事支出金の勘定残高となります。

問3　各原価差異の計算

(1) **運搬車両部門費予算差異**

当月発生の予算差異：@400円×104時間＋85,000円－132,500円(実際発生額)
予算許容額

＝△5,900円（借方差異）

当月末の予算差異残高：2,200円(月初・貸方残高) ＋△5,900円(借方差異)

＝△3,700円（借方残高）… **3,700円（A）**

(2) 運搬車両部門費操業度差異

当月発生の操業度差異：@850円×（104時間－100時間）
＝3,400円（貸方差異）

当月末の操業度差異残高：3,500円（月初・貸方残高）＋3,400円（貸方差異）
＝6,900円（貸方残高）… **6,900円（B）**

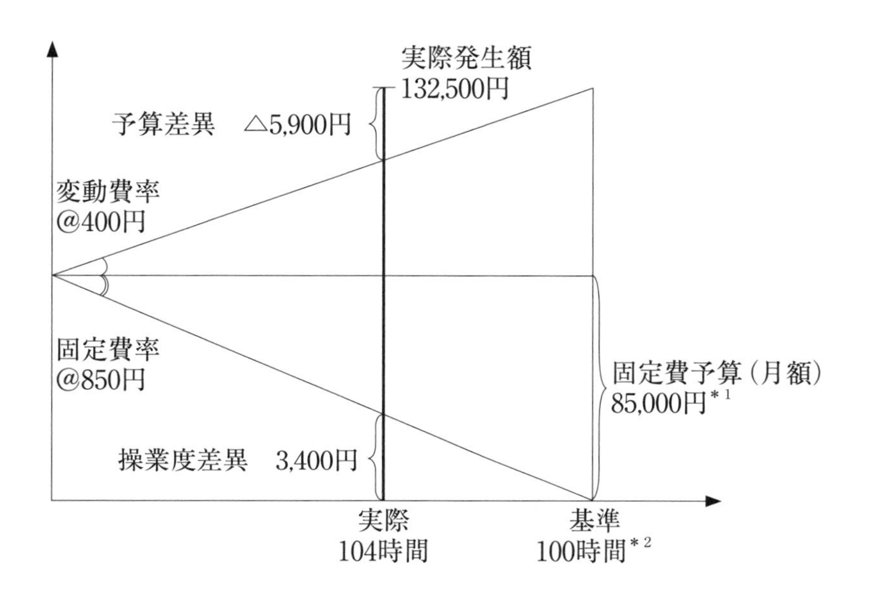

＊1　固定予算（月間）：1,020,000円÷12＝85,000円
＊2　基準操業度：1,200時間÷12＝100時間

ここに！注意

資料にある基準運転時間（基準操業度）と固定費予算は，いずれも年間の数値であるため，12で割って月間の数値にする必要がある。

テキスト参照ページ
⇒　P．1-73

索　引

索　引

90%の方から「受講してよかった」*との回答をいただきました。

*「WEB講座を受講してよかったか」という設問に0～10の段階中6以上を付けた人の割合。

建設業経理士　WEB講座

❶教材
大好評の『建設業経理士 出題パターンと解き方 過去問題集&テキスト』を使っています。

❷繰り返し視聴OK
講義はすべてオンデマンド配信されるので、受講期間内なら何度でも見ることができます。

❸講師
圧倒的にわかりやすい。圧倒的に面白い。ネットスクールの講師は全員が1級建設業経理士合格者。その講義は群を抜くわかりやすさです。

WEB講座講義画面

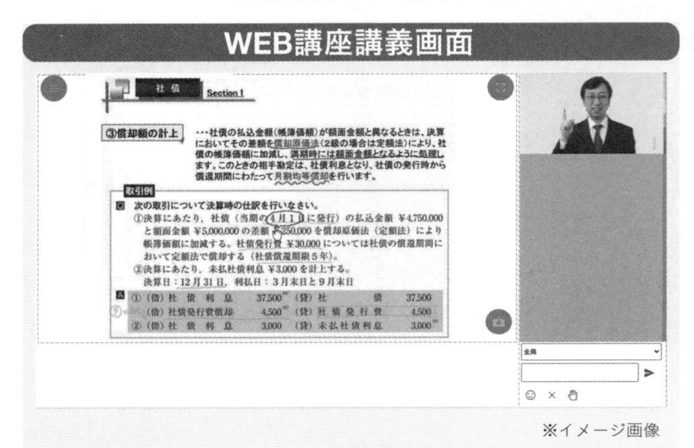

※イメージ画像

講師陣

桑原知之講師
WEB講座2級担当

藤本拓也講師
WEB講座1級(財務諸表・原価計算)担当

岩田俊行講師
WEB講座1級(財務分析)担当

開講コース案内

□…ライブ講義　■…オンデマンド講義

建設業経理士2級

建設業経理士2級は、項目を一つひとつ理解しながら勉強を進めていけば必ず合格できる試験です。3級の復習から始まりますので、安心して学習できます。

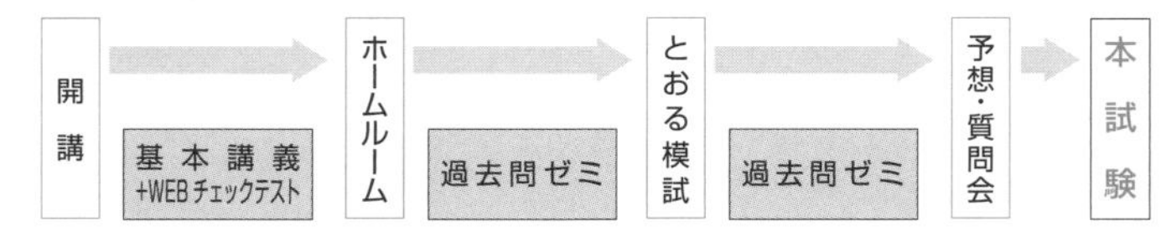

建設業経理士1級

建設業経理士試験に合格するコツは過去問題を解けるようにすることです。そのために必要な基礎知識と問題を効率よく解く「解き方」をわかりやすくお伝えします。

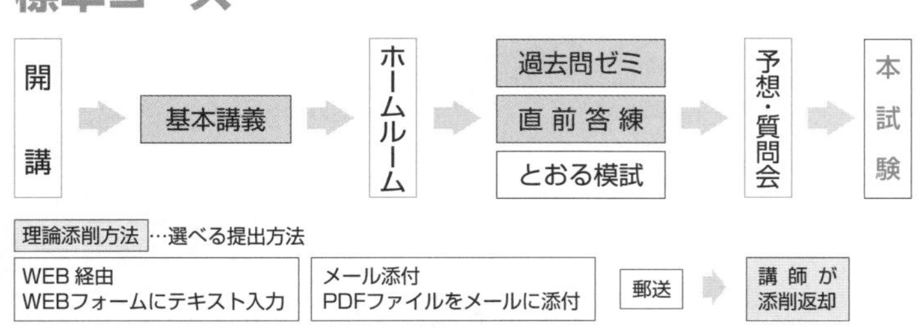

☆理論添削サービスについて
1級の各科目第1問では、論述問題が出題されます。
ネットスクールのWEB講座では、この論述問題対策として理論添削サービスを実施しています。

※添削のイメージ

解　答　用　紙

〈解答用紙ご利用時の注意〉

この色紙を残したままていねいに抜き取り、ご利用ください。なお、抜取りのさいの損傷についてのお取替えはご遠慮願います。

＊ご自分の学習進度に合わせて，コピーしてお使いください。
なお，解答用紙はダウンロードサービスもご利用いただけます。
ネットスクールＨＰの『読者の方へ』にアクセスしてください。
https://www.net-school.co.jp/

解答にあたっての注意事項

1．解答は、解答用紙に指定された解答欄内に記入してください。解答欄外に記入されているものは採点しません。

2．金額の記入にあたっては、以下のとおりとし、1ますごとに数字を記入してください。

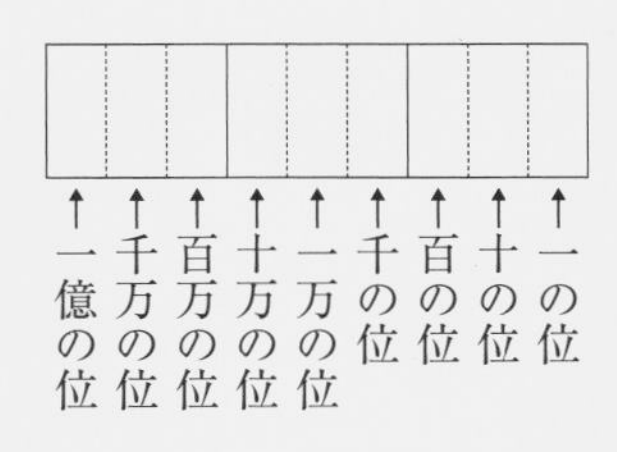

3．解答は、指定したワク内に明瞭に記入してください。判読し難い文字が記入されている場合、その解答欄については採点しません。

4．消費税については、設問で消費税に関する指示がある場合のみ、これを考慮した解答を作成してください。

第１問対策・解答用紙

【第13回―問題は本文2-3ページ，解答・解説は本文2-44ページ】

解答にあたっては，それぞれ200字以内（句読点含む）で記入すること。

問１

10　20　25

5

問２

10　20　25

5

【第14回―問題は本文2-3ページ，解答・解説は本文2-45ページ】

解答にあたっては，それぞれ200字以内（句読点含む）で記入すること。

問 1

10 20 25

5

問 2

10 20 25

5

【第17回―問題は本文2-3ページ，解答・解説は本文2-47ページ】

解答にあたっては，それぞれ200字以内（句読点含む）で記入すること。

問１

10　20　25

5

問２

10　20　25

5

【第21回―問題は本文2-4ページ，解答・解説は本文2-48ページ】

解答にあたっては，それぞれ200字以内（句読点含む）で記入すること。

10 20 25

5

問2

10 20 25

5

【第22回―問題は本文2-4ページ，解答・解説は本文2-50ページ】

解答にあたっては，それぞれ200字以内（句読点含む）で記入すること。

10 20 25

5

問２

10 20 25

5

第2問対策・解答用紙

【第16回―問題は本文2-6ページ，解答・解説は本文2-52ページ】

記号（AまたはB）

1	2	3	4	5

【第17回―問題は本文2-6ページ，解答・解説は本文2-53ページ】

記号（AまたはB）

1	2	3	4	5

【第19回―問題は本文2-7ページ，解答・解説は本文2-54ページ】

記号（AまたはB）

1	2	3	4	5

【第21回―問題は本文2-7ページ，解答・解説は本文2-55ページ】

記号（AまたはB）

1	2	3	4	5

【第22回―問題は本文2-8ページ，解答・解説は本文2-56ページ】

記号（ア～ス）

1	2	3	4	5

第３問対策・解答用紙

【第17回―問題は本文2-13ページ，解答・解説は本文2-57ページ】

問１

年間の増加件数 □ 件

問２

① 差額収益 □ 千円

② 差額原価 □ 千円

③ 差額利益 □ 千円　記号（ＡまたはＢ） □

【第21回―問題は本文2-14ページ，解答・解説は本文2-58ページ】

問１　パワーショベルの取得価額　￥ □

問２　甲工事現場への当月配賦額　￥ □

問３　当月の損料差異　￥ □　記号（ＸまたはＹ） □

【第23回―問題は本文2-15ページ，解答・解説は本文2-59ページ】

問１

運転１時間当たり損料　￥ □

供用１日当たり損料　￥ □

問２

甲現場への配賦額　￥ □

乙現場への配賦額　￥ □

問３

￥ □　記号（ＡまたはＢ） □

【第25回―問題は本文2-16ページ，解答・解説は本文2-60ページ】

問１

工事番号１０１　¥

問２

工事番号１０２　¥

問３

請負工事利益総額　¥

【第26回―問題は本文2-17ページ，解答・解説は本文2-62ページ】

問１

予定配賦額　¥

予算差異　¥　記号（ＡまたはＢ）

操業度差異　¥　記号（　同　上　）

問２

予定配賦額　¥

予算差異　¥　記号（ＡまたはＢ）

操業度差異　¥　記号（　同　上　）

問３

予定配賦額　¥

予算差異　¥　記号（ＡまたはＢ）

操業度差異　¥　記号（　同　上　）

第４問対策・解答用紙

【第17回―問題は本文2-23ページ，解答・解説は本文2-65ページ】

① 直接配賦法　¥

② 階梯式配賦法　¥

③ 相互配賦法の連立方程式法　¥

【第19回―問題は本文2-24ページ，解答・解説は本文2-66ページ】

問１　¥

問２　¥

問３　¥　　記号（ＸまたはＹ）

【第23回―問題は本文2-25ページ，解答・解説は本文2-68ページ】

問１

(1)　¥

(2)　¥

(3)　¥

問２

¥

【第27回―問題は本文2-26ページ，解答・解説は本文2-70ページ】

問１

甲製品

第１工程月末仕掛品原価　¥

第１工程当月完成品原価　¥

乙製品

第１工程月末仕掛品原価　¥

第１工程当月完成品原価　¥

問２

甲製品

第２工程月末仕掛品原価　¥

当月完成品原価　¥

乙製品

第２工程月末仕掛品原価　¥

当月完成品原価　¥

第5問対策・解答用紙

【第20回―問題は本文2-34ページ，解答・解説は本文2-74ページ】

問1

完成工事原価報告書
自　平成×7年6月 1日
至　平成×7年6月30日
佐賀建設工業株式会社
（単位：円）

Ⅰ．材　料　費		
Ⅱ．労　務　費		
（うち労務外注費	）	
Ⅲ．外　注　費		
Ⅳ．経　　　費		
（うち人件費	）	
完成工事原価		

問2

¥

問3

① 賃率差異　¥　記号（AまたはB）

② 重機械部門費予算差異　¥　記号（　同　上　）

③ 重機械部門費操業度差異　¥　記号（　同　上　）

【第21回―問題は本文2-37ページ，解答・解説は本文2-80ページ】

問１

完成工事原価報告書
自　平成×６年11月 1日
至　平成×６年11月30日
山形建設工業株式会社
（単位：円）

Ⅰ．材　料　費		
Ⅱ．労　務　費		
（うち労務外注費	）	
Ⅲ．外　注　費		
Ⅳ．経　　　費		
（うち人件費	）	
完成工事原価		

問２

¥

問３

① Ｑ材料の副費配賦差異　¥　　記号（ＡまたはＢ）

② 運搬車両部門費予算差異　¥　　記号（　同　上　）

③ 運搬車両部門費操業度差異　¥　　記号（　同　上　）

【第22回―問題は本文2-40ページ，解答・解説は本文2-86ページ】

問１

完成工事原価報告書
自　平成×９年７月 1日
至　平成×９年７月31日

熊本建設工業株式会社

（単位：円）

Ⅰ．材　料　費

Ⅱ．労　務　費

Ⅲ．外　注　費

Ⅳ．経　　　費

（うち人件費　　　　　　　）

完成工事原価

問２

¥

問３

① 材料副費配賦差異　¥　　記号（ＸまたはＹ）

② 重機械部門費予算差異　¥　　記号（　同　上　）

③ 重機械部門費操業度差異　¥　　記号（　同　上　）

解答用紙（建設業経理士　第32回）

【問題は本文3－2ページ，解答・解説は本文3－32ページ】

〔第１問〕 解答にあたっては，各問とも指定した字数以内（句読点を含む）で記入すること。

問１

10　20　25

5

10

問２

10　20　25

5

10

[第２問]

記号（ア～タ）

1	2	3	4	5

[第３問]

問１

運転１時間当たり損料額　¥ 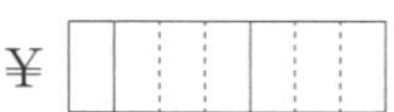

供用１日当たり損料額　¥ 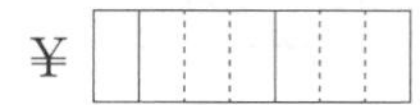

問２

M現場への配賦額　¥ 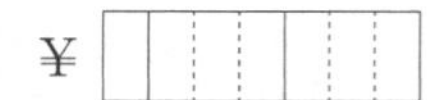

N現場への配賦額　¥ 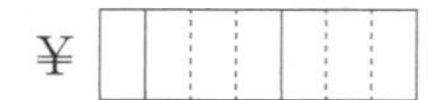

問３

¥ 　　記号（AまたはB）

[第４問]

問１ 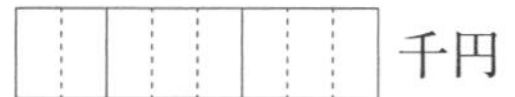 千円

問２ 年

問３ %

問４ 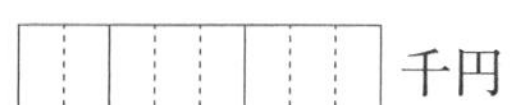 千円

問５ 年

[第５問]

問１　走行距離１km当たり車両費予定配賦率

車両F　円/km

車両G　円/km

問２

工事原価計算表

20×7年７月　　　　（単位：円）

工事番号	７８１	７８２	７８３	７８４	合　　計
月初未成工事原価			—	—	
当月発生工事原価					
１．材料費					
(1)Ａ仮設資材費					
(2)Ｂ引当材料費					
［材料費計］					
２．労務費					
（うち労務外注費）					
３．外注費					
４．経費					
(1)車両部門費					
(2)重機械部門費					
(3)出張所経費配賦額					
［経費計］					
当月完成工事原価				—	
月末未成工事原価	—	—	—		

問３

① 材料副費配賦差異　¥　　記号（ＡまたはＢ）

② 労務費賃率差異　¥　　記号（　同　上　）

③ 重機械部門費操業度差異　¥　　記号（　同　上　）

解答用紙（建設業経理士　第33回）

【問題は本文3－9ページ，解答・解説は本文3－44ページ】

［第１問］　解答にあたっては，各問とも指定した字数以内（句読点を含む）で記入すること。

問１

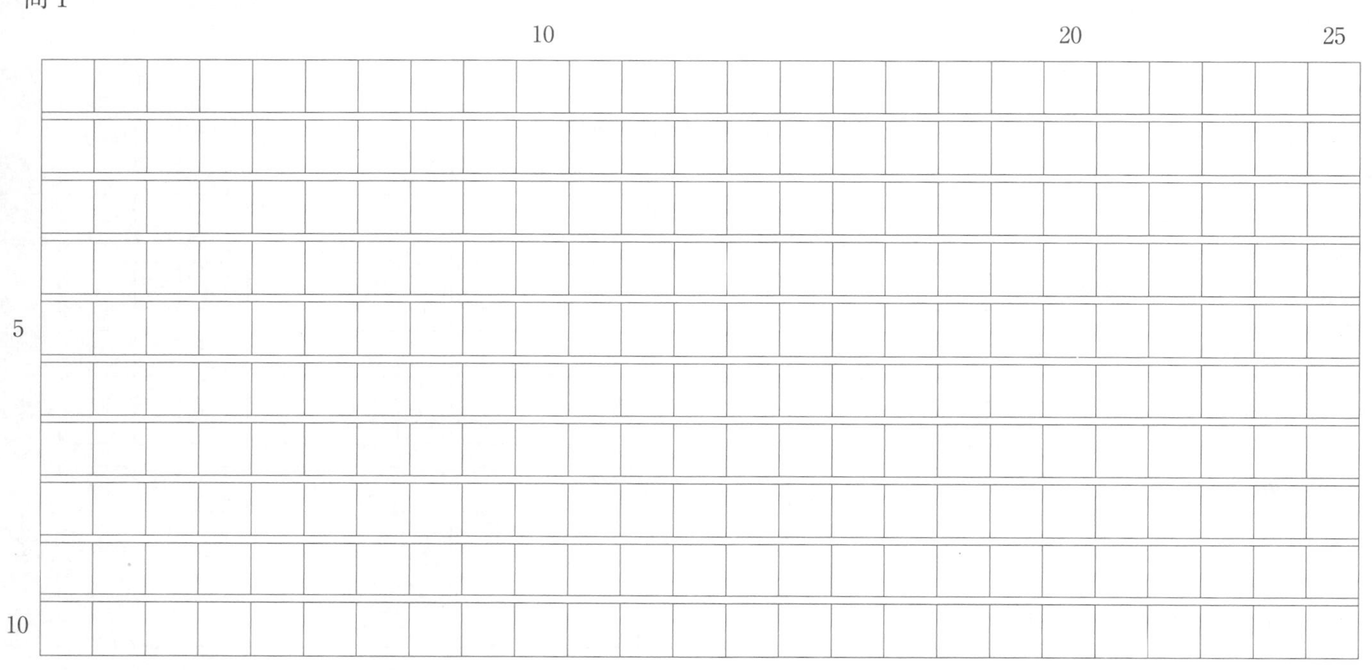

問２

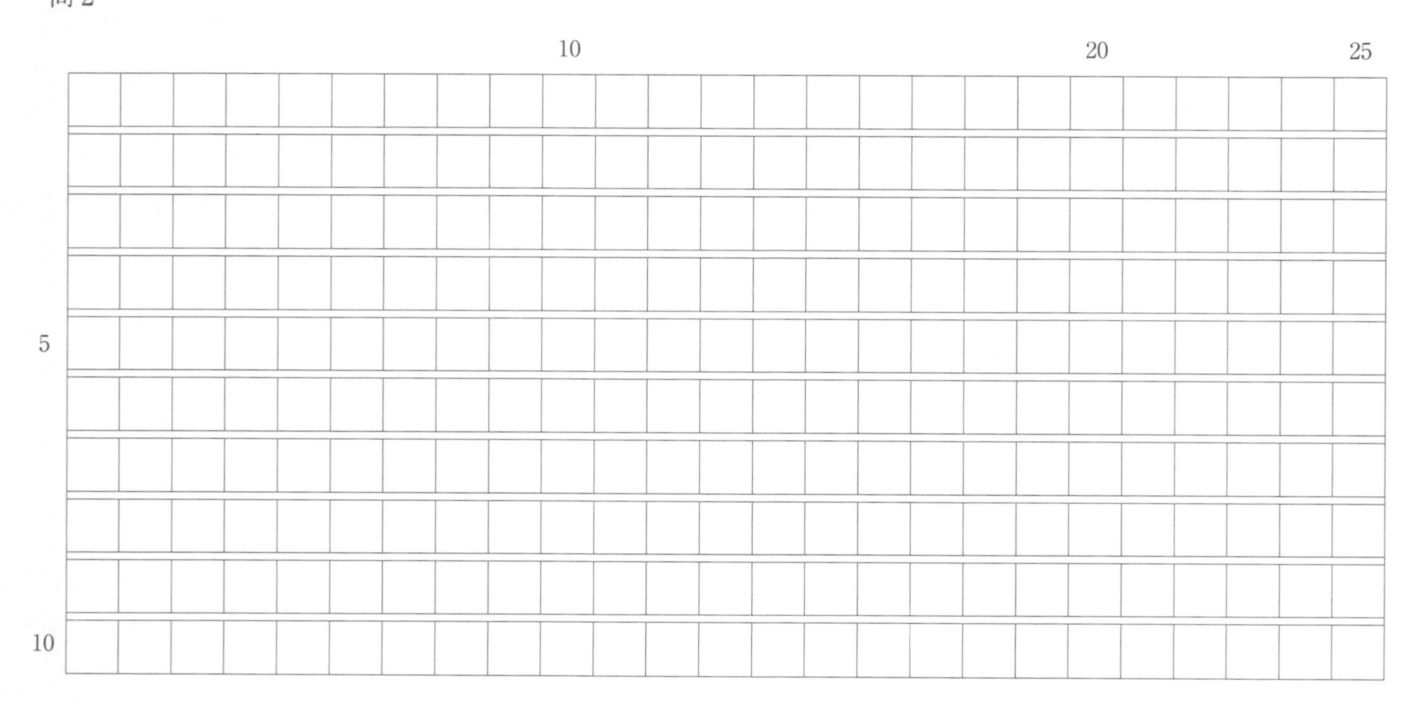

[第２問]

記号（ア～ス）

1	2	3	4	5

[第３問]

問１　直接配賦法　¥

問２　階梯式配賦法　¥

問３　相互配賦法－連立方程式法　¥

[第４問]

問１　当月の差額原価　円　代替案　（１または２）

問２　当月の差額原価　円　代替案　（同　上）

問３　当月の差額原価　円　代替案　（同　上）

問４　当月の差額利益　円　代替案　（同　上）

[第５問]

問１

完成工事原価報告書
自　20×1年10月１日
至　20×1年10月31日

X建設工業株式会社
（単位：円）

Ⅰ．材　料　費		
Ⅱ．労　務　費		
Ⅲ．外　注　費		
Ⅳ．経　　　費		
（うち人件費	）	
完成工事原価		

問２

¥

問３

①　運搬車両部門費予算差異　¥　　記号（AまたはB）

②　運搬車両部門費操業度差異　¥　　記号（　同　上　）

解答用紙（建設業経理士 第34回）

【問題は本文3－16ページ，解答・解説は本文3－59ページ】

〔第１問〕 解答にあたっては，各問とも指定した字数以内（句読点を含む）で記入すること。

問１

10　20　25

5

10

問２

10　20　25

5

[第２問]

記号（ＡまたはＢ）

1	2	3	4	5	6

[第３問]

No.101現場　¥

No.102現場　¥

No.103現場　¥

No.104現場　¥

[第４問]

問１

20×3年度　¥　　記号（ＡまたはＢ）

20×4年度　¥　　記号（ＡまたはＢ）

問２

¥　　記号（ＡまたはＢ）

[第５問]

問１

完成工事原価報告書
自　20×8年７月１日
至　20×8年７月31日

X建設工業株式会社
（単位：円）

Ⅰ．材　料　費		
Ⅱ．労　務　費		
（うち労務外注費	）	
Ⅲ．外　注　費		
Ⅳ．経　　　費		
（うち人件費	）	
完成工事原価		

問２

¥

問３

① 重機械部門費予算差異　¥　　記号（ＡまたはＢ）

② 重機械部門費操業度差異　¥　　記号（　同　上　）

解答用紙（建設業経理士 第35回）

【問題は本文3－23ページ，解答・解説は本文3－74ページ】

［第１問］ 解答にあたっては，各問とも指定した字数以内（句読点を含む）で記入すること。

問1

10 20 25

5

10

問2

10 20 25

5

[第２問]

記号（ア～ナ）

1	2	3	4	5	6	7	8	9	10

[第３問]

第１年度末　□千円

第２年度末　□千円

第３年度末　□千円

[第４問]

問１

Ｅ１型設備　□円

Ｅ２型設備　□円

問２

□円

問３

導入時（当期末）　□円　記号（ＡまたはＢ）□

各年度　□円　記号（　同　上　）□

問４

□円　記号（ＡまたはＢ）□

[第５問]

問１

完成工事原価報告書
自　20×1年９月１日
至　20×1年９月30日

X建設工業株式会社
（単位：円）

Ⅰ．材　料　費		
Ⅱ．労　務　費		
Ⅲ．外　注　費		
Ⅳ．経　　　費		
（うち人件費	）	
完成工事原価		

問２

円

問３

①　運搬車両部門費予算差異　　円　　記号（AまたはB）

②　運搬車両部門費操業度差異　　円　　記号（　同　上　）

· · · · · · Memorandum Sheet · · · · · ·

ネットスクール出版